PESQUISA OPERACIONAL
CURSO INTRODUTÓRIO

2ª edição revista e atualizada

Dados Internacionais de Catalogação na Publicação (CIP)
(Câmara Brasileira do Livro, SP, Brasil)

Moreira, Daniel Augusto
Pesquisa operacional: curso introdutório / Daniel Augusto Moreira. -- 2. ed. rev. e atualiz. - São Paulo : Cengage Learning, 2013.

1. reimpr. da 2. ed. de 2010.
Bibliografia
ISBN 978-85-221-1051-3

1. Administração de empresas 2. Pesquisa operacional I. Título.

10-04705 CDD-658.4034

Índice para catálogo sistemático:

1. Pesquisa operacional : Administração 658.4034

PESQUISA OPERACIONAL
CURSO INTRODUTÓRIO

2ª edição revista e atualizada

Daniel Augusto Moreira

Austrália • Brasil • Japão • Coreia • México • Cingapura • Espanha• Reino Unido • Estados Unidos

Pesquisa Operacional – Curso Introdutório
2ª edição revista e atualizada
Daniel Augusto Moreira

Gerente Editorial: Patricia La Rosa

Editor de Desenvolvimento: Monalisa Neves

Supervisora de Produção Editorial: Fabiana Alencar Albuquerque

Copidesque: Norma Gusukuma

Revisão: Sueli Bossi

Diagramação: ERJ – Composição Editorial e Artes Gráficas Ltda.

Capa: Ale Gustavo

Para informações sobre nossos produtos, entre em contato pelo telefone **0800 11 19 39**

Para permissão de uso de material desta obra, envie seu pedido para **direitosautorais@cengage.com**

ISBN-13: 978-85-221-1051-3
ISBN-10: 85-221-1051-4

Cengage Learning
Condomínio E-Business Park
Rua Werner Siemens, 111 – Prédio 20 – Espaço 4
Lapa de Baixo – CEP 05069-900
São Paulo – SP
Tel.: (11) 3665-9900 – Fax: (11) 3665-9901
SAC: 0800 11 19 39

Para suas soluções de curso e aprendizado, visite **www.cengage.com.br**

Impresso no Brasil.
Printed in Brazil.
2 3 4 5 13 12 11 10

A José Francisco, Walter e Luísa, *in memoriam*.

Sumário

Prefácio à Segunda Edição

Coube a mim, a pedido da *Cengage Learning*, o privilégio de revisar e prefaciar a segunda edição do livro *Pesquisa Operacional – Curso Introdutório*, do professor Daniel Augusto Moreira – uma tarefa a um só tempo das mais fáceis e das mais difíceis. Das mais fáceis em função da qualidade da obra – um texto simplesmente impecável e absolutamente didático, aliás, como todos os outros escritos pelo autor; e das mais difíceis porque nos faz lembrar, com pesar, que embora ele esteja conosco a partir de outro plano, não poderemos mais desfrutar do seu convívio, das conversas e dos ensinamentos que foram a marca de sua vida como educador e professor e que o transformaram em um dos mais importantes autores da área de gestão de nosso tempo.

Inicialmente, por uma questão de justiça e admiração, não poderei deixar de render, mesmo que rapidamente, uma justa homenagem ao professor Daniel. Como um verdadeiro Mestre, durante toda a sua trajetória de vida se fez presente na vida de milhares de pessoas que, sentadas à sua frente, como alunos, ou ao seu lado, como colegas de trabalho e amigos, puderam usufruir de seus ensinamentos e desenvolver com isso uma vida pessoal e profissional muito mais promissora.

Ao ler este prefácio, muitos dos que o conheceram lembrarão com saudade do professor Daniel. Brilhante orientador, por meio de seus atos e ensinamentos conduziu uma legião de seguidores à frente das salas de aula deste País, fazendo-os entender que ao assumirem a educação como missão estariam abraçando uma das mais importantes profissões que a humanidade conhece, pois com ela poderiam fazer a diferença na vida de muitas pessoas. Dezenas e dezenas de professores que conheço e muitos outros com os quais não tive o prazer de conviver, assim como eu, lembrarão sempre, com saudade e gratidão, que devem a ele seu início de carreira docente. Para estes, ele fez a diferença!

Quanto ao livro *Pesquisa Operacional – Curso Introdutório*, em sua segunda edição mantém a proposta inicial, ou seja, a de trazer a alunos de Administração e cursos afins, como Engenharia e Contabilidade, um primeiro contato com a área de PO. O livro se propõe e apresenta, em seus 10 capítulos, em linguagem clara e acessível mesmo para os que se aventuram pela primeira vez na área, todos os temas, técnicas e conceitos necessários para que o leitor desenvolva a sua capacidade de raciocínio lógico, melhorando assim seus processos de tomada de decisão nas organizações.

Dessa forma, pode-se afirmar que o livro é literatura básica e suficiente para um curso completo e pode ser utilizado para disciplinas desenvolvidas em um ou dois semestres letivos, sendo que a melhor forma para sua utilização – embora, evidentemente, caiba a cada professor escolher sua forma de trabalhar – seja a estruturada conforme a proposta feita pelo próprio professor Daniel no prefácio à primeira edição, pois ela parece, também a mim, a mais lógica.

Quanto ao texto, conforme já expressei no início, é simplesmente claro e absolutamente didático, razão pela qual foi praticamente mantido na íntegra nesta segunda edição. Foram feitos apenas pequenos ajustes e acertos nos exemplos e exercícios, especialmente para atender a demandas e sugestões de professores que utilizaram a obra nesses três anos desde a publicação da primeira edição e que, muito gentilmente, entraram em contato conosco sugerindo alterações. A estes agradeço e coloco-me à disposição para o que se fizer necessário.

A principal mudança nesta segunda edição fica por conta do material complementar especialmente elaborado pelo professor Paulo Cesar Giuliani, responsável pelas disciplinas da área de operações, principalmente Pesquisa Operacional, na Facamp e na Fecap, que desenvolveu em Excel (Solver) vários exercícios do livro sobre programação linear, modelos de transporte e designação, os quais poderão ser acessados pelo leitor diretamente no site da editora, www.cengage.com.br, como material complementar aos estudos. Conforme expressa o professor Giuliani, meu companheiro na revisão desta obra, o "objetivo do material oferecido na internet é ampliar os conhecimentos, solucionando exemplos e exercícios apresentados nos capítulos 2, 3 e 4 do livro, utilizando-se, para tanto, de planilha eletrônica, criando-se, assim, uma interface mais ampla de aplicação e de apoio ao professor em sua atividade docente e ao aluno em seu processo de aprendizagem".

Por fim, quero agradecer à Cengage pela oportunidade de prefaciar e revisar esta obra e desejar aos leitores que a utilizarem que o façam com o máximo de dedicação possível, pois ela tem muito a lhes ensinar. Tratase de um livro que, embora relativamente novo, já nasceu como um clássico para o ensino de Pesquisa Operacional, voltado para cursos de graduação e pós-graduação *lato sensu* no Brasil. Foi amplamente testado, é fruto de muitos anos de amadurecimento, eu mesmo o vi nascer como apostila, nos primeiros anos em que trabalhei com o professor Daniel, na Fasp. E ao meu Mestre, Daniel Augusto Moreira, quero dizer que seu trabalho neste plano não foi em vão, que os frutos que plantou frutificaram pelos mais variados cantos deste país. Nos últimos meses recebi uma enorme quantidade de mensagens que confirmam isso, portanto, você fez e continuará fazendo toda a diferença, além de permanecer para sempre vivo através de sua obra!

Prof. Dr. Nivaldo Elias Pilão
Coordenador da Facamp e professor da EAESP/FGV

Prefácio

Este livro foi escrito com o objetivo de aproximar os alunos – principalmente os de Administração, mas também os de Engenharia, Contabilidade e outros cursos – do campo da Pesquisa Operacional. Trata-se de um curso introdutório, escrito de maneira simples, direta e com vocabulário não técnico, mas que apresenta as principais temáticas da Pesquisa Operacional. Como expõe o Capítulo 1 (Introdução à Pesquisa Operacional), "não se deve esperar que um programa introdutório, desenhado para um curso de graduação, representando um primeiro contato com a Pesquisa Operacional, seja exatamente um curso para formar pesquisadores operacionais". O que se deseja com o livro, então, é ajudar os alunos a melhorar o seu pensamento lógico e a capacidade de estruturar problemas e conhecer técnicas que sejam úteis em outras disciplinas e pela sua vida profissional afora, como futuros executivos ou técnicos. Nessa perspectiva, entendemos que o livro pode ser usado também em cursos de pós-graduação *lato sensu* que contemplem disciplinas a ele ligadas, em cursos de curta duração sobre aplicações matemáticas à administração ou mesmo em cursos *stricto sensu* introdutórios que versem sobre técnicas matemáticas em administração de empresas.

Para tanto, a obra é estruturada em 10 capítulos, sendo o primeiro introdutório, que esclarece ao leitor o que é a Pesquisa Operacional, como nasceu e para o que é usada, e os nove restantes dedicados a aspectos temáticos mais relevantes do campo. Assim, os Capítulos 2, 3 e 4 cobrem o modelo linear mais popular e dois dos seus casos particulares. O Capítulo 2 apresenta a Programação Linear por meio de sua solução gráfica, dando ênfase aos diferentes aspectos da formulação de problemas e deixando o rigor matemático em segundo plano. O que se pretende é desenvolver nos leitores as habilidades de ler e interpretar problemas, levando-os a um treinamento em formulação. Isso é muito útil para que possam, em sua vida profissional, aprender a reunir e utilizar os elementos de realidade que lhes permitam mapear devidamente os problemas empresariais que se apresentem. O Capítulo 3 elege o Simplex como algoritmo de solução e explica detalhadamente sua lógica de trabalho, deixando o aluno com muito mais do que uma simples seqüência automática de cálculos. O Capítulo 4 fecha a trilogia da Programação Linear, apresentando dois modelos particulares, o Problema de Transporte e o Problema de Designação, que têm algoritmos próprios de solução, além do Simplex.

Se o professor tiver apenas um semestre letivo à sua disposição, poderá optar por usar os capítulos iniciais (1 a 4), cobrindo a Programação Linear e seus modelos especiais. Estará assim seguindo a cobertura mais amplamente difundida em cursos de um único semestre.

O Capítulo 5 (Fundamentos de Estatística) traz para o leitor alguns conceitos básicos de Estatística, úteis para um bom entendimento do Capítulo 6 (Teoria da Decisão), do Capítulo 8 (Simulação) e principalmente do Capítulo 9 (Introdução à Teoria das Filas). O Capítulo 5 pode ser deixado de lado pelos leitores que já dominam a estatística elementar, mas será fundamental para aqueles que se sintam ainda inseguros com relação a essa temática.

Os professores que tenham mais tempo no currículo, com um segundo semestre de Pesquisa Operacional ou, particularmente, mais alguma disciplina dentro da Pesquisa Operacional, podem escolher alguns dos cinco capítulos entre o Capítulo 6 e o Capítulo 10. Embora essa escolha dependa das características do professor ou das necessidades específicas do programa, recomendamos vivamente que os Capítulos 8 (Simulação) e 9 (Introdução à Teoria das Filas) sejam pelo menos apresentados aos alunos, pois se referem a importantes aspectos da prática administrativa. Os capítulos 7 (Teoria dos Jogos) e 10 (Cadeias de Markov) são quase novidades em cursos rotineiros de Pesquisa Operacional, e seu estudo fica à critério do professor.

Esta segunda edição vem acrescida de material complementar para alunos e professores. Trata-se de exercícios de verificação dos conteúdos apresentados ao longo do livro, bem como de respostas para alguns dos exercícios aqui proposto.

Queremos agradecer a Tatiana Valsi, nossa jovem e competente editora, que sempre esteve presente, com aquela firmeza, determinação e gentileza que só os melhores nesse ramo possuem.

1 Introdução à Pesquisa Operacional

1.1 O início

A origem da Pesquisa Operacional pode ser encontrada há quase 70 anos: aparentemente, o termo *Pesquisa Operacional* foi cunhado ainda em 1938, para descrever o uso de cientistas na análise de situações militares.

De forma mais conhecida, entretanto, o começo da atividade chamada Pesquisa Operacional tem sido geralmente atribuído a algumas iniciativas militares na Segunda Guerra Mundial. Por causa do esforço de guerra, existia uma necessidade urgente de alocar recursos escassos às várias operações militares e às atividades dentro de cada operação de uma maneira efetiva. Várias seções de Pesquisa Operacional foram estabelecidas nas forças armadas britânicas. Logo após, esforços similares foram empreendidos nos Estados Unidos. Um grande número de cientistas foi reunido para aplicar uma abordagem científica a problemas estratégicos e táticos. Esses cientistas foram chamados a realizar pesquisas (sobre atividades) operacionais militares, daí o nome de sua atividade (*Operational Research,* na Inglaterra, e *Operations Research,* nos Estados Unidos – a tradução para o português seguiu o termo britânico).

Após o término do conflito, foi natural estender o sucesso da Pesquisa Operacional no esforço de guerra para as organizações civis. Além disso, a indústria pós-guerra havia crescido muito e se deparava com os problemas causados pela crescente complexidade das organizações. Muitos estudiosos percebiam que, de certa forma, tais problemas eram parecidos com aqueles dos quais os militares tinham tratado, mas só que agora estavam em um contexto diferente. Em 1948, o Massachusetts Institute of Technology (Estados Unidos) instituiu o primeiro programa formal de estudos de Pesquisa Operacional para campos não militares. Mesmo no início da década de 1950, a Pesquisa

Operacional tinha sido introduzida em muitas organizações de negócios, no governo e na indústria. O período que vai de 1945 até meados da década de 1970 é conhecido como "a idade de ouro" da Pesquisa Operacional, devido à rápida expansão do seu uso.

Segundo especialistas na história da Pesquisa Operacional, pelo menos dois fatores foram cruciais para o crescimento naquele período. O primeiro foi a melhoria nas técnicas de Pesquisa Operacional, com importantes avanços para a formulação dos problemas. Por exemplo, o método Simplex para resolver problemas de programação linear foi desenvolvido por George Dantzig, em 1947, e é considerado o primeiro fato impulsionador do campo. Até hoje o Simplex é muito importante, como verificaremos no Capítulo 3.

Outro fator que impulsionou o campo da Pesquisa Operacional foi a popularização dos computadores. Cálculos longos e tediosos, impraticáveis para o ser humano, agora se tornavam comuns. Posteriormente, a partir da década de 1980, os computadores pessoais continuaram a fazer a diferença. Softwares de Pesquisa Operacional muito bons foram desenvolvidos. Hoje em dia, microcomputadores e softwares estão à disposição de milhares de pessoas, promovendo uma verdadeira popularização do campo.

1.2 Sociedades profissionais

Em vários países, existem hoje sociedades profissionais que têm como objetivo o crescimento e a difusão do campo da Pesquisa Operacional. A primeira dessas sociedades foi o Operational Research Club (Clube de Pesquisa Operacional), fundado em Londres em 1948. Em março de 1950, o clube publicou o primeiro número da revista *Operational Research Quarterly*, nome que permaneceu até 1978, quando ela foi rebatizada como *Journal of the Operational Research Society*. Essa modificação ocorreu seguindo a própria mudança de nome do Operational Research Club, para Operational Research Society, em 1953. Atualmente, a Operational Research Society tem cerca de 3 mil membros. O leitor pode saber mais sobre a entidade acessando o site http://www.orsoc.org.uk.[1]

Talvez a maior das sociedades profissionais em atuação nos dias de hoje seja o Informs (Institute for Operations Research and the Management Sciences), fundado em janeiro de 1995. De certa forma, os

---

[1] NE: Como os endereços da Internet podem sofrer alterações, a editora não se responsabiliza por quaisquer problemas nas conexões dos sites publicados.

termos *Operations Research* e *Management Science* são sinônimos. Na verdade, o Informs resultou da fusão de duas outras sociedades: a Orsa (Operations Research Society of America), fundada em 1952, e o Tims (The Institute of Management Sciences), fundado em 1953. Hoje, o Informs tem mais de 10 mil membros e edita 11 revistas, incluindo uma revista on-line (*Interactive Transactions of OR/MS*), uma série de livros (Topics in OR) e uma série de casos de ensino para professores e instrutores. Talvez a mais prestigiosa revista de aplicações da Pesquisa Operacional seja a *Interfaces*, uma publicação bimensal do Informs (http://www.informs.org).

No Brasil, a Sobrapo (Sociedade Brasileira de Pesquisa Operacional) edita a revista *Pesquisa Operacional*. Fundada em 1969, a sociedade tem sede no Rio de Janeiro. O leitor obterá mais informações sobre a Sobrapo (podendo inclusive filiar-se) no site http://www.sobrapo.org.br.

1.3 Definição de Pesquisa Operacional

A Pesquisa Operacional lida com problemas de como conduzir e coordenar certas operações em uma organização, e tem sido aplicada a diversas áreas, tais como indústria, transportes, telecomunicações, finanças, saúde, serviços públicos, operações militares etc.

A Pesquisa Operacional baseia-se, principalmente, no método científico para tratar de seus problemas. A observação inicial e a formulação do problema estão entre os mais importantes passos da solução de um problema por Pesquisa Operacional.

A publicação *The Guide to Operational Research*, do Informs, disponível no site http://www.theorsociety.com/Science_of_Better/htdocs/prospect/index.asp, estabelece, de uma forma rápida, que a Pesquisa Operacional é o campo de estudos em que são aplicados métodos analíticos para ajudar os executivos a tomar melhores decisões:

> Por meio do uso de técnicas como a modelagem matemática para analisar situações complexas, a Pesquisa Operacional dá aos executivos o poder de tomar decisões mais efetivas e de construir sistemas mais produtivos, baseados em dados mais completos, consideração de todas as alternativas possíveis, previsões cuidadosas de resultados e estimativas de risco e nas mais modernas ferramentas e técnicas de decisão.

Tanto quanto possível, a Pesquisa Operacional procura obter a melhor solução – ou solução ótima – para um problema. Esse ótimo, é necessário frisar, é determinado do ponto de vista matemático, e muitas vezes não é possível levar em conta algumas variáveis, principalmente as de cunho comportamental. Uma vez obtida uma solução, ainda que ela seja ótima do ponto de vista matemático, torna-se necessária uma análise de viabilidade de sua implantação, levando em conta características do problema que não foram anteriormente consideradas quando da modelagem matemática do problema original. O leitor pode encontrar diversos casos de sucesso no mesmo *The Guide to Operational Research*, de forma resumida; um tratamento mais completo pode ser encontrado no mesmo site que apresenta o *The Guide*.

1.4 A construção de modelos

Este livro apresenta ao aluno um conjunto de modelos matemáticos, escolhidos entre os mais comuns em Pesquisa Operacional. Por causa dessa aplicação de técnicas analíticas, pode ser que se esqueça que elas são, antes de mais nada, apenas um meio para se chegar ao fim desejado, qual seja, a solução de um problema gerencial. A aplicação das técnicas é uma parte desse processo de solução, mas não podemos esquecer que o processo em si começa com a detecção do problema e com o estágio de formulação, terminando mais tarde com a fase de implementação. O que vamos fazer agora é apresentar, de forma ampla, esse processo de solução de um problema, representado de modo simbólico na Figura 1.1.

Pela Figura 1.1, vemos que, se os dados não forem estruturados, teremos de procurar a solução por meio de análises qualitativas e julgamento da situação; ocorrendo dados estruturados e não estruturados, a modelagem matemática será usada apenas em partes específicas do problema, em que os dados sejam quantificáveis. Finalmente, supondo que a maioria significativa dos dados seja estruturada, o processo de solução apresenta algumas etapas; na prática, essas etapas podem apresentar um certo grau de penetração umas nas outras, mas para efeitos didáticos é melhor considerá-las separadamente. Essas etapas são:

- definição da situação-problema;
- formulação de um modelo quantitativo;
- resolução do modelo e encontro da melhor solução;
- consideração dos fatores imponderáveis;
- implementação da solução.

Vejamos cada uma dessas etapas.

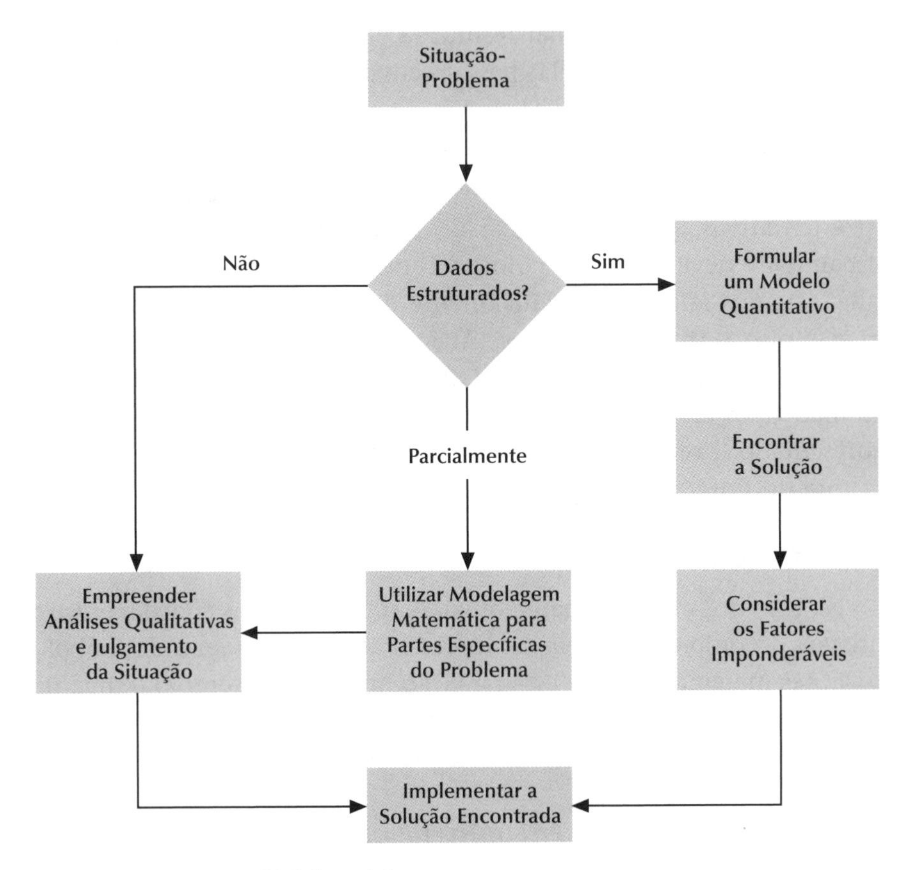

Fonte: Moreira, 2004, p. 28 (adaptado).

Figura 1.1 Processo de solução de um problema de Pesquisa Operacional.

Definição da situação-problema

Antes de mais nada, é preciso reconhecer que existe um problema que demanda uma solução. Muitas perguntas devem ser respondidas, tais como: Que parte da organização é afetada pelo problema? O problema envolve as operações atuais ou alguma previsão de operações futuras? Quais são as hipóteses que devem ser feitas? Quais são as restrições a possíveis soluções? Quais são os objetivos?

Essa fase requer a transformação de informações genéricas em um problema estruturado. Geralmente, as fronteiras iniciais de um problema são mal definidas, e a solução pode influenciar outras áreas que não aquela que apresenta o problema original. Não se deve esquecer que será provável haver um intercâmbio constante de informações entre a situação e a definição do problema, pois à medida que se deseja estruturar a situação, ela vai sendo mais e mais estudada e, de certa forma, modificada, completada e esclarecida pelas pessoas envolvidas no esforço.

Formulação de um modelo quantitativo

Em um processo que muitas vezes caminha por entre idas e vindas, entre tentativas, sucessos e fracassos, tudo aquilo que foi estabelecido verbalmente deve então ser colocado em termos matemáticos. Na verdade, estamos falando especificamente de modelos matemáticos, mas existem outros tipos de modelos. Assim, os modelos icônicos são réplicas físicas de um objeto real, em tamanho reduzido ou não. Os modelos analógicos também são físicos, mas não guardam a forma do objeto representado. Exemplos muito comuns incluem o termômetro, em que a altura do líquido corresponde a uma certa temperatura, ou o velocímetro de um automóvel, em que a posição do ponteiro remete a uma certa velocidade.

No caso dos modelos matemáticos, em particular, as relações entre as variáveis do problema devem ser representadas por sistemas de símbolos e relações matemáticas. Na programação linear, por exemplo – uma das técnicas matemáticas mais populares da Pesquisa Operacional –, as relações são expressas por equações e inequações matemáticas.

Resolução do modelo e encontro da melhor solução

Para se chegar à solução, é preciso manipular o modelo. A ideia principal é a de se conseguir uma solução ótima, que será a melhor de todas. Às vezes, isso requer a solução de um sistema de equações e inequações, como na programação linear.

Para se chegar à solução, é preciso lembrar que existem dois grandes grupos de variáveis: aquelas controladas pelo pessoal que está solucionando o problema e aquelas cujo valor deve ser determinado quando da solução. Estas últimas recebem o nome de *variáveis de decisão*. O seu valor final é derivado da manipulação do modelo. Por outro lado, as variáveis não controladas são aquelas que são definidas pela própria situação, envolvendo a estrutura do problema, as restrições e/ou as características das organizações estudadas. O fato de não poderem ser controladas não indica que seus valores ou distribuição de probabilidades não sejam conhecidos, pelo contrário: frequentemente somos levados a assumir valores para tais variáveis não controladas, sem o que o problema não poderá ser resolvido.

Consideração dos fatores imponderáveis

A pergunta fundamental nessa fase é: existem fatores que possam ser importantes e que, por serem de difícil quantificação, foram deixados de lado? Se a resposta for positiva, é necessário estimar o impacto que tais fatores podem ter sobre a solução que foi gerada pelo modelo matemático. Providências preliminares talvez devam ser tomadas antes de se iniciar o esforço de implantação.

Implementação da solução

À parte os possíveis problemas técnicos que podem ser acarretados por uma solução que foi obtida por via matemática, existem também os problemas de natureza humana. É claro que os problemas técnicos podem ser minimizados, se o modelo foi bem construído, com as variáveis relevantes e as restrições sendo levadas em conta. De qualquer forma, a implementação poderá implicar alguma mudança para alguns indivíduos na organização. As vezes, poderá ser gerada alguma reação a tal mudança, perturbando assim o processo de implementação. É preciso projetar a própria implementação de forma que ela seja a mais suave e natural possível, eventualmente envolvendo no processo as próprias pessoas que serão atingidas pelas mudanças.

1.5 Objetivos do ensino de Pesquisa Operacional

Não se deve esperar que um programa introdutório, desenhado para um curso de graduação, representando um primeiro contato com a Pesquisa Operacional, seja exatamente um curso para formar pesquisadores operacionais ou, como costumam ser chamados os profissionais da área, analistas de Pesquisa Operacional. Além do mais, o tempo dedicado à Pesquisa Operacional irá competir com outras disciplinas igualmente importantes.

O que se pretende, então? A melhor resposta parece estar em duas pesquisas, feitas em lugares muito diferentes, com culturas diversas, e que apresentaram resultados semelhantes.

Entre outras informações, uma pesquisa levada a efeito por Gunawardane (1991), em 51 cursos de administração nos Estados Unidos, revelou que o principal objetivo dos cursos de Pesquisa Operacional, enunciado por 87,5% dos respondentes, era o de "melhorar as habilidades quantitativas gerais dos estudantes". Em seguida, foram citados os objetivos "ensinar técnicas quantitativas que os alunos possam usar quando gerentes", com 82,5% das respostas, e "ensinar métodos quantitativos úteis em áreas funcionais e cursos a serem feitos posteriormente", com 57,5% dos respondentes. As áreas funcionais abrangiam administração da produção e operações, finanças, marketing e recursos humanos, entre outras. Outro objetivo também citado foi o de familiarizar os alunos com o uso de computadores (45% das respostas).

Outra pesquisa, semelhante em alguns dos seus propósitos, foi empreendida em países asiáticos por Chao, Yeh e Tsai (1997). Os países cobertos foram Hong Kong, Japão, Coreia e Taiwan. Entre outras informações, também se perguntou às escolas de administração (159 delas responderam) quais os objetivos maiores dos cursos de Pesquisa Operacional nessas instituições. A cada objetivo deveria ser atribuída uma pontuação de zero a dez, tanto maior quanto maior fosse a importância do objetivo. Os autores dividiram os resultados em três grandes grupos: o primeiro grupo englobava objetivos que tiveram pontuação média maior que sete e podia ser sumariado como "melhorar a habilidade geral dos estudantes no pensamento lógico e habilidades quantitativas"; o segundo grupo continha objetivos com médias entre seis e sete e podia ser resumido como "ensinar Pesquisa Operacional para uso posterior na prática da gerência e outros estudos" e, finalmente, o terceiro grupo dizia respeito a "familiarizar os estudantes com os computadores".

Embora no Brasil não sejam comuns os estudos a respeito dos objetivos do ensino de Pesquisa Operacional, os professores, tal como expresso nas pesquisas citadas, costumam se referir aos dois primeiros objetivos – ou seja, melhorar o pensamento lógico, a capacidade de estruturar problemas e conhecer técnicas que sejam úteis em outras disciplinas e na vida profissional do futuro executivo. O terceiro objetivo – familiarizar os estudantes com os computadores – parece ser um pouco problemático, na medida em que a maioria dos estudantes brasileiros de administração está no período noturno, com pouco ou nenhum tempo para dedicar ao computador como ferramenta da Pesquisa Operacional. Além disso, embora os programas de computador para a Pesquisa Operacional, para efeitos didáticos, sejam relativamente acessíveis, nem sempre as escolas têm computadores disponíveis. Por esse motivo, este livro deu maior ênfase à formulação de problemas e aos conceitos envolvidos nas diversas técnicas abordadas, evitando problemas complexos que só poderiam ser resolvidos com auxílio do computador.

Bibliografia

ANDERSON, D. R.; SWEENEY, D. J.; WILLIAMS, T. A. *An introduction to management science*: Quantitative approaches to decision making. Cincinnati, OH: West Publishing Company, 1985.

CHAO, C.; YEH, Q.; TSAI, Y. Teaching undergraduate operations research in some of the business schools in Asia. *Interfaces*, v. 27, n. 5, p. 93-103, 1997.

GLASS, S. I.; ASSAD, A. A. *An annotated timeline of operations research.* An informal history. Nova York: Springer, 2005.

GUNAWARDANE, G. Trends in teaching management science in undergraduate business programs. *Interfaces*, v. 21, n. 5, p. 16-21, 1991.

HALL, R. What's so scientific about MS/OR? *Interfaces*, v. 15, n. 2, p. 40-45, 1985.

HILLIER, F. S.; LIEBERMAN, G. J. *Introduction to operations research.* 8. ed. Nova York: McGraw-Hill, 2005.

JENSEN, P. A.; BARD, J. F. *Operations research.* Models and methods. Hoboken: John Wiley and Sons, 2003.

MOREIRA, D. A. *Administração da produção e operações.* São Paulo: Thomson Learning, 2004.

2 Programação Linear: Formulação e Método Gráfico

2.1 Introdução

A programação linear é, se não o mais popular, um dos modelos matemáticos mais populares, estruturado para resolver problemas que apresentem variáveis que possam ser medidas e cujos relacionamentos possam ser expressos por meio de equações e/ou inequações lineares. Há muitos problemas que podem ser formulados dessa maneira, em muitas áreas científicas e sociais, pelo menos de forma aproximada, vindo daí o uso intenso do modelo.

As características fundamentais de um modelo de programação linear podem ser assim resumidas:

1. Existe uma combinação de variáveis que deve ser maximizada ou minimizada. Essa combinação pode ser a expressão do custo de algumas operações industriais ou comerciais, do tempo gasto em certas atividades, do lucro atingido com a venda de alguns produtos, da rentabilidade média de uma composição de ações e títulos, e assim por diante. Durante a formulação do problema, a combinação de variáveis a que se chega é colocada na forma de uma expressão matemática, que recebe o nome de *função objetivo*. Eis um exemplo de uma função objetivo bem simples:

   $$4x + 3y$$

   onde x e y são duas variáveis de interesse, combinadas sempre na proporção de 4 unidades de x para 3 unidades de y. O modelo de programação linear pode ser estruturado para maximizar ou minimizar o resultado dessa expressão, o que no fundo significa que estamos procurando os valores de x e de y. É claro que o problema vai impor limites sobre as quantidades x e y, como é descrito a seguir.

2. A estrutura do problema é tal que existe, em geral, uma certa restrição de recursos, ou impossibilidade de economias, de forma que nunca é possível obter um lucro, por exemplo, tão grande quanto se queira, ou um custo, por seu turno, tão pequeno quanto se deseja. Às vezes, seria ótimo se pudéssemos fabricar o máximo possível de dois produtos, desde que existisse demanda ilimitada para ambos. No entanto, não temos matéria-prima suficiente para isso, nem horas disponíveis de máquina, nem operários, e assim por diante. Há de se buscar uma combinação ótima para se chegar ao melhor lucro possível, dadas as restrições práticas impostas pelo problema.

Um problema típico de programação linear apresenta, portanto, duas grandes partes:

- uma expressão que se quer maximizar ou minimizar, chamada *função objetivo*. Nessa expressão surgem as variáveis fundamentais cuja quantidade será a solução do problema. Essas variáveis são chamadas de *variáveis de decisão*;
- um certo número de restrições, expressas na forma de equações ou inequações matemáticas, que aparecem e são assim formuladas devido à configuração dos próprios dados do problema. Essas restrições representam, dependendo do caso, limitações da situação real, como escassez de recursos, limitações legais etc.

Qual é a grande ideia, então? A ideia é maximizar (ou minimizar) a função objetivo, ao mesmo tempo obedecendo a todas as restrições. O nome *linear* vem do fato de que tanto a expressão que forma a função objetivo, quanto as restrições, são expressas linearmente, ou seja, todas as variáveis aparecem com expoente igual à unidade.

Antes de sobrecarregar o leitor com tantas informações novas, vamos discutir rapidamente a formulação de modelos de programação linear e apresentar exemplos para fixar ideias.

2.2 Diretrizes para a formulação de modelos de programação linear

Quando diante de um problema, que deverá ser formulado como um modelo de programação linear, devemos ficar atentos aos *parâmetros* e às *variáveis de decisão*.

Parâmetros são valores já fixados, fora do controle da pessoa que monta o modelo. São valores que devemos aceitar como são. Fazem parte do problema, mas não estão sob discussão.

Variáveis de decisão são grandezas que poderão assumir diversos valores, sendo que há uma certa combinação de valores que irá maximizar ou minimizar a função objetivo, conforme seja o caso. É essa combinação de valores que será a solução do problema de programação linear. Em outras palavras, as variáveis de decisão aparecem tanto na função objetivo como nas restrições. Os parâmetros, por sua vez, aparecem como coeficientes das variáveis de decisão ou como valores máximos ou mínimos de grandezas que comporão no modelo. Finalmente, as variáveis de decisão são, em geral, indicadas por letras como x, y, z,... ou X, Y, Z,... ou ainda por letras indexadas, como x_1, x_2, x_3 etc.

Como dissemos, o fato de as relações serem lineares significa que todas as variáveis de decisão têm expoente unitário que, por convenção, deixa de ser indicado. Esse fato vale tanto para a expressão que forma a função objetivo como para as restrições. Por outro lado, se as relações são lineares, isso significa que as variáveis de decisão podem ser combinadas de forma linear. Assim, por exemplo, se a produção de uma unidade de certo produto custar R$ 10, então a fabricação de x unidades desse produto custará 10x; se o custo de fabricação de um outro produto for R$ 17, então o custo de fabricar y unidades desse produto será 17y; além disso, o custo total de fabricar x unidades de um produto e y unidades do outro será simplesmente 10x + 17y.

Quando se exige que pelo menos uma das variáveis de decisão deva assumir apenas valores inteiros, estamos diante da *Programação Linear Inteira*; quando não há tal exigência, ou seja, todas as variáveis de decisão são livres para assumir valores inteiros ou não inteiros, fala-se em *Programação Linear Simples*. Neste capítulo e nos que se seguem, estaremos nos referindo apenas à Programação Linear Simples, embora nem sempre usemos tal designação. É interessante ressaltar que não basta resolver um problema de Programação Linear Simples, arredondando depois o valor de alguma variável que deveria ser inteira. Na verdade, as soluções em um e em outro caso são diferentes, obtidas por caminhos diferentes, não necessariamente levando a valores próximos.

Por outro lado, um problema de programação linear pode ter duas ou mais variáveis de decisão. Quando da formulação de um problema, isto é, sua colocação na forma padronizada do modelo de programação linear, muitas vezes o fato de o problema ser mais complexo, com diversas variáveis de decisão, torna-o mais interessante e mais desafiador. O problema maior acontece com a solução: um problema com muitas variáveis de decisão obrigatoriamente deve ser solucionado por meio do computador.

Hoje em dia, isso não acarreta grandes dificuldades, já que os programas de solução de programação linear são fáceis de serem conseguidos, mas mesmo assim o computador é ainda um luxo para muitos alunos. Quando o problema tem apenas duas variáveis de decisão, é possível solucioná-lo por meio de um procedimento gráfico, que mais adiante veremos. Há também um procedimento algébrico-padrão, conhecido como *método Simplex*, ou somente *Simplex*, que também será visto.

Por ora, vejamos como formular os problemas de programação linear, começando com problemas de maximização da função objetivo.

2.3 Problema de maximização da função objetivo

Na formulação de um problema, seja de maximização ou minimização, devemos, antes de mais nada, reconhecer os parâmetros, as variáveis de decisão e as restrições. Vejamos alguns exemplos.

Exemplo 2.1

Uma fábrica produz dois produtos, A e B. Cada um deles deve ser processado por duas máquinas, M_1 e M_2. Devido à programação de outros produtos, que também utilizam essas máquinas, a máquina M_1 tem 24 horas de tempo disponível para os produtos A e B, enquanto a máquina M_2 tem 16 horas de tempo disponível. Para produzir uma unidade do produto A, gastam-se 4 horas em cada uma das máquinas M_1 e M_2. Para produzir uma unidade do produto B, gastam-se 6 horas na máquina M_1 e 2 horas na máquina M_2. Cada unidade vendida do produto A gera um lucro de R$ 80 e cada unidade do produto B, um lucro de R$ 60. Existe uma previsão máxima de demanda para o produto B de 3 unidades, não havendo restrições quanto à demanda do produto A. Deseja-se saber quantas unidades de A e de B devem ser produzidas, de forma a maximizar o lucro e, ao mesmo tempo, obedecer a todas as restrições desse enunciado.

Solução

Nesse caso, as variáveis de decisão do problema são facilmente reconhecíveis: são as quantidades que podemos e devemos fabricar de A e B para que o lucro na sua venda seja máximo. Há uma hipótese escondida aqui – a hipótese de que tudo o que for produzido de A e B será vendido (isto é, no caso de B, no máximo serão vendidas 3 unidades). Em outras palavras, a solução do problema é factível e será implantada. Se, por acaso, obtivermos para a produção de B mais de 3 unidades, isso significa que erramos em algum ponto, porque não obedecemos a uma importante restrição – a de que a quantidade de B não deve ser maior que 3, já que o excedente não será vendido.

Em toda formulação de problemas de programação linear, é conveniente sintetizar os dados por meio de uma tabela, que facilita a consulta e evita que fiquemos, a todo momento, lendo o enunciado original. Em nosso caso, um arranjo conveniente seria aquele mostrado na Tabela 2.1:

Tabela 2.1 Dados do Exemplo 2.1

Produto	Horas gastas em M1	Horas gastas em M2	Demanda máxima	Lucro unitário (R$)
A	4	4	Ilimitada	80
B	6	2	3	60
Horas disponíveis	24	16		

Como o leitor pode ver, conseguimos sintetizar em uma única tabela todos os dados do problema. Vamos, pois, à formulação.

Função objetivo

A função objetivo é uma expressão formada por uma combinação linear das variáveis de decisão. Vamos chamar de x e y, respectivamente, às quantidades dos produtos A e B que devemos fabricar (as quais serão supostamente vendidas integralmente). Portanto, x e y são os valores procurados, que darão a solução ao nosso problema de programação linear.

Queremos maximizar o lucro na venda de x unidades de A e y unidades de B, ou seja, queremos maximizar o resultado numérico da seguinte expressão:

$$80x + 60y$$

já que cada unidade de A gera um lucro de R$ 80 e cada unidade de B gera um lucro de R$ 60. Assim, a nossa formulação inicia-se com:

$$\text{Maximizar } 80x + 60y$$

Vejamos agora quais são as restrições.

Restrições

As restrições dizem respeito à escassez de recursos, por um lado, e a limites impostos sobre nossas ações na tentativa de maximizar a função objetivo. Quais são os nossos recursos escassos? Nitidamente, temos um número limitado de horas de máquina, tanto para M_1 como para M_2. Não podemos gastar mais de 24 horas na máquina M_1 ou mais de 16 horas na máquina M_2. Ou seja, usando uma notação simbólica:

Horas consumidas na máquina $M_1 \leq 24$

Horas consumidas na máquina $M_2 \leq 16$

Vamos agora expressar as horas consumidas em função de x e y, que são nossas incógnitas. As restrições sempre devem ser colocadas em função de uma ou mais incógnitas do problema.

Cada unidade de A consome 4 horas de trabalho na máquina M_1 e cada unidade de B consome 6 horas de trabalho nessa mesma máquina. Logo, temos:

Horas consumidas na máquina $M_1 = 4x + 6y$

Por sua vez, cada unidade de A consome 4 horas de trabalho na máquina M_2 e cada unidade de B consome 2 horas de trabalho nessa mesma máquina. Logo, temos:

Horas consumidas na máquina $M_2 = 4x + 2y$

Reescrevendo, então, as restrições de horas de máquinas, temos finalmente:

$$4x + 6y \leq 24$$
$$4x + 2y \leq 16$$

Acabamos com as restrições? Ainda não, como o leitor já terá notado. Não podemos fabricar mais de 3 unidades do produto B, pois sua demanda máxima é essa. Então, temos imediatamente:

$$y \leq 3$$

Aqui, cabe uma observação. Sempre é conveniente não deixar uma variável de decisão sem seu coeficiente, caso ele seja igual a 1. É claro que, por convenção, geralmente não escrevemos 1y, mas quando estivermos entrando com os dados em um computador ou mesmo resolvendo o problema manualmente, precisaremos lembrar que y quer dizer, na verdade, 1y. No momento da solução, também estaremos usando expressões, equações e inequações nas quais devem aparecer todas as variáveis de decisão. Portanto, no devido momento, em vez de escrever

$y \leq 3$

escreveremos

$0x + 1y \leq 3$

Entretanto, pode-se deixar para colocar os coeficientes 0 e 1 após completar a formulação, se o leitor assim o preferir. Continuemos.

Existem, por último, as chamadas *condições de não negatividade*, segundo as quais as variáveis de decisão não podem assumir valores negativos (não há sentido físico para que isso aconteça), ou seja:

$x \geq 0$

$y \geq 0$

(Aqui não há necessidade de colocar 0 ou 1, porque as condições de não negatividade são automaticamente assumidas na solução e não entradas por meio do aluno. Veremos isso depois.)

Quando usamos programas de computador, usualmente nem precisamos escrever tais condições de não negatividade, que são automaticamente assumidas.

Formulação completa

Vamos escrever a formulação completa? Temos:

Maximizar $80x + 60y$

Sujeito a

$4x + 6y \leq 24$

$4x + 2y \leq 16$

$0x + 1y \leq 3$

$x \geq 0; y \geq 0$

Um problema como esse, com duas variáveis, pode ser resolvido tanto por meio de um procedimento gráfico como por um procedimento numérico (chamado Simplex, como vimos). Por enquanto, vamos simplesmente fornecer a resposta ao leitor. A solução do problema nos dá:

$x = 3$

$y = 2$

O valor da função objetivo é máximo e igual a

80 (3) + 60 (2) = 240 + 120 = R$ 360

Repare o leitor que os recursos disponíveis são totalmente consumidos, pois

4 (3) + 6 (2) = 12 + 12 = 24 (horas consumidas da máquina M_1)

4 (3) + 2 (2) = 12 + 4 = 16 (horas consumidas da máquina M_2)

2.4 Problema de minimização da função objetivo

Vamos trabalhar novamente com um problema com duas variáveis de decisão. A sequência de passos, o leitor notará, é exatamente a mesma.

Exemplo 2.2

A Granja Cocoró quer misturar dois tipos de alimentos para criar um tipo especial de ração para suas galinhas poedeiras. A primeira característica a ser atingida com a nova ração é o menor preço possível por unidade de peso. Cada um dos alimentos contém os nutrientes necessários à ração final (aqui chamados de nutrientes X, Y e Z), porém em proporções variáveis. Cada 100 g do Alimento 1, por exemplo, possuem 10 g do nutriente X, 50 g do nutriente Y e 40 g do nutriente Z. O Alimento 2, por sua vez, para cada 100 g, possui 20 g do nutriente X, 60 g do nutriente Y e 20 g do nutriente Z. Cada 100 g do Alimento 1 custam, para a Granja Cocoró, R$ 0,60 e cada 100 g do Alimento 2 custam R$ 0,60. Sabe-se que a ração final deve conter, no mínimo, 2 g do nutriente X, 64 g do nutriente Y e 34 g do nutriente Z. É preciso obedecer a essa composição, minimizando ao mesmo tempo o custo por peso da nova ração.

Solução

Antes mesmo de montar uma tabela auxiliar com os dados, vamos entender o problema em linhas gerais. Queremos misturar dois alimentos, Alimento 1 e Alimento 2, de forma a obter uma nova ração, com uma certa composição de nutrientes X, Y e Z. Os nutrientes estão presentes nos dois alimentos. Não é difícil ao leitor perceber que existem, em princípio, inúmeras possibilidades de combinação, de modo que possamos ter, na mistura final, a quantidade necessária dos nutrientes. Vamos imaginar como montaremos nossa ração final. Em princípio, será uma mistura dos dois alimentos – digamos, x gramas do Alimento 1 e y gramas do Alimento 2.

Portanto, x e y são nossas variáveis de decisão.

Para terminar a formulação, vamos elaborar nossa tabela auxiliar, que deve mostrar claramente as relações entre os três nutrientes, os dois alimentos e a nova ração. Sugerimos a estrutura a seguir:

Tabela 2.2 Dados do Exemplo 2.2

	Composição por 100 g		Composição de nutrientes (mínima em gramas)
	Alimento 1	Alimento 2	
Nutriente X	10	20	2
Nutriente Y	40	60	64
Nutriente Z	50	20	34
Custo por 100 g	R$ 0,60	R$ 0,80	

Passemos à formulação.

Função objetivo

Nosso problema é de minimização, ou seja, devemos usar x gramas do Alimento 1 e y gramas do Alimento 2 para compor (x + y) gramas da nova ração, e x e y devem ser tais que seu custo total seja mínimo. Ora, cada 100 gramas do Alimento 1 custam R$ 0,60; um só grama custaria 0,60/100 e x gramas custariam 0,60x/100, ou 0,006x. Usando o mesmo raciocínio para o Alimento 2, y gramas custariam 0,008y. Logo, quer-se minimizar

$$0{,}006x + 0{,}008y$$

Deixemos essa expressão dessa forma, por ora. Mais tarde voltaremos a ela. Passemos agora às restrições.

Restrições

Fora as condições de não negatividade,

$$x \geq 0$$

$$y \geq 0$$

há outras importantíssimas restrições que devem ser colocadas, como as relativas à composição da nova ração. Como qualquer restrição, elas devem ser escritas em função das variáveis de decisão, ou seja, em função de x e y. Colocando inicialmente as restrições em palavras, temos:

- a quantidade total do nutriente X, em x gramas do Alimento 1 e y gramas do Alimento 2, deve ser pelo menos igual a 2 gramas;
- a quantidade total do nutriente Y, em x gramas do Alimento 1 e y gramas do Alimento 2, deve ser pelo menos igual a 64 gramas;
- a quantidade total do nutriente Z, em x gramas do Alimento 1 e y gramas do Alimento 2, deve ser pelo menos igual a 34 gramas.

Observando a Tabela 2.2, vê-se que

- x gramas do Alimento 1 contêm, respectivamente,

  $10x/100$ gramas do nutriente X, ou $0,1x$ gramas do nutriente X

  $40x/100$ gramas do nutriente Y, ou $0,4x$ gramas do nutriente Y

  $50x/100$ gramas do nutriente Z, ou $0,5x$ gramas do nutriente Z

enquanto y gramas do Alimento 2 contêm

- $20y/100$ gramas do nutriente X, ou $0,2y$ gramas do nutriente X

  $60y/100$ gramas do nutriente Y, ou $0,6y$ gramas do nutriente Y

  $20y/100$ gramas do nutriente Z, ou $0,2y$ gramas do nutriente Z

Podemos agora escrever as restrições em forma matemática:

Quantidade total do nutriente X:

$0,1x + 0,2y \geq 2$ (I)

Quantidade total do nutriente Y:

$0,4x + 0,6y \geq 64$ (II)

Quantidade total do nutriente Z:

$0,5x + 0,2y \geq 34$ (III)

Vamos, então, à formulação completa.

Formulação completa

Nosso problema fica assim:

Minimizar $0,006x + 0,008y$

Sujeito a

$0,1x + 0,2y \geq 2$ (I)

$0,4x + 0,6y \geq 64$ (II)

$0,5x + 0,2y \geq 34$ (III)

Condições de não negatividade

$x \geq 0$

$y \geq 0$

Repare o leitor que não podemos, e nem devemos, colocar restrições sobre as quantidades x e y. Na verdade, elas representarão uma proporção em peso na qual deverão ser misturados os dois alimentos.

Nosso problema, solucionado à parte, dá os seguintes valores para as variáveis de decisão:

x = 34,5 gramas

y = 83,6 gramas

Essas quantidades, como o leitor pode verificar, correspondem a exatamente 64 gramas do nutriente Y e 34 gramas do nutriente Z e, com folga, a 20,1 gramas do nutriente X. A soma (x + y) é igual a 118,1 gramas, formados por 20,1 g do nutriente X, 64 g do nutriente Y e 34 g do nutriente Z. Corresponde a um custo de R$ 0,88. Na verdade, as quantidades de x e de y correspondem a uma proporção, que pode ser escrita de inúmeras formas, tais como:

34,5 g do Alimento 1 para 83,6 g do Alimento 2

1 g do Alimento 1 para 2,4 g do Alimento 2

100 g do Alimento 1 para 240 g do Alimento 2 etc.

2.5 Solução gráfica de problemas com duas variáveis de decisão

Se um problema de programação linear tiver apenas duas variáveis de decisão, ele poderá ser, em princípio, resolvido graficamente, não obstante alguma poluição visual que se possa formar. O fato de ter apenas duas variáveis de decisão permite representá-las em um par de eixos ortogonais, que será a base para a colocação gráfica de retas que delimitarão as restrições. É claro que, se existirem muitas restrições, o gráfico poderá ficar poluído, mas a solução, embora dificultada, é tecnicamente possível. A solução gráfica só se aplica, então, a problemas bem simples, como os que vimos até aqui, com duas variáveis de decisão. Possui, entretanto, uma vantagem didática muito grande, a de permitir ao aluno a visualização da lógica que acompanha a solução. Ficará mais fácil entender depois o procedimento algébrico (Simplex), que é adotado para a solução de problemas tanto simples como complexos, com muitas variáveis de decisão. Veremos inicialmente a solução de um problema de maximização.

2.5.1 *Solução gráfica de um problema de maximização*

Retomemos o problema de maximização do Exemplo 2.1. Tratava-se de uma fábrica que produzia dois produtos, A e B, cada qual processado por duas máquinas, M_1 e M_2. Havia restrição do tempo disponível para a produção em cada uma das máquinas, e cada um dos produtos consumia um certo tempo de produção em cada uma das máquinas. Cada unidade vendida do produto A gerava um lucro de R$ 80 e cada unidade do produto B, um lucro de R$ 60. Havia uma previsão máxima de demanda para o produto B de 3 unidades. O problema estava em saber quantas unidades de A e B deveriam ser produzidas, de forma a maximizar o lucro. Na sua formulação final, o problema havia ficado assim:

Maximizar $80x + 60y$

Sujeito a

$4x + 6y \leq 24$

$4x + 2y \leq 16$

$0x + 1y \leq 3$

$x \geq 0; y \geq 0$

Como já foi comentado, toda a solução gráfica é realizada por meio de um conjunto de dois eixos ortogonais, cada qual representando uma das variáveis de decisão, ou seja, haverá um eixo para a variável x (quantidade a fabricar do produto A) e outro, perpendicular a ele, para a variável y (quantidade a fabricar do produto B). Para obedecer a um velho hábito, vamos colocar a variável x no eixo horizontal e a variável y no eixo vertical. Se o aluno quiser depois inverter tal escolha, isso em nada influenciará na solução definitiva.

O procedimento é, em essência, muito simples. Cada uma das restrições será representada por uma reta no sistema de eixos e pela definição de uma região permissível de soluções. A análise da região final, comum a todas as restrições, dará a solução final ao problema. Em nosso caso, trata-se de grafar três retas e determinar três regiões permissíveis iniciais de solução.

Enfim, vamos à primeira restrição, que diz respeito ao número de horas que pode ser gasto na máquina M_1, o qual era, no máximo, 24:

$$4x + 6y \leq 24$$

A primeira coisa a fazer é transformar a inequação em uma equação:

$$4x + 6y = 24$$

Se fizermos $y = 0$, resulta $4x = 24$ e $x = 6$. Este é o ponto em que a reta que traçaremos encontra o eixo x. Por outro lado, fazendo $x = 0$, temos $6y = 24$ e $y = 4$. Este é o ponto em que a reta encontra o eixo y. Fazendo a representação no sistema de eixos ortogonais, temos:

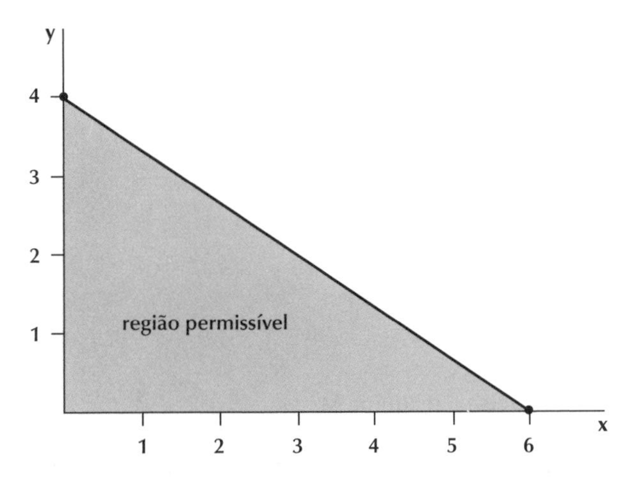

Figura 2.1 Restrição: horas disponíveis na máquina M_1.

A região hachurada na Figura 2.1 (delimitada pela reta encontrada e pelos eixos x e y) é a chamada região permissível ou região possível definida pela restrição $4x + 6y \leq 24$. Os pontos extremos correspondem a $4x + 6y < 24$ e os pontos sobre a reta correspondem a $4x + 6y = 24$.

A segunda restrição diz respeito ao número máximo de horas disponíveis na máquina M_2, o qual era 16:

$$4x + 2y \leq 16$$

Novamente, tomemos a igualdade:

$$4x + 2y = 16$$

Para y = 0, x = 4 e, para x = 0, y = 8, e temos a reta de restrição a seguir:

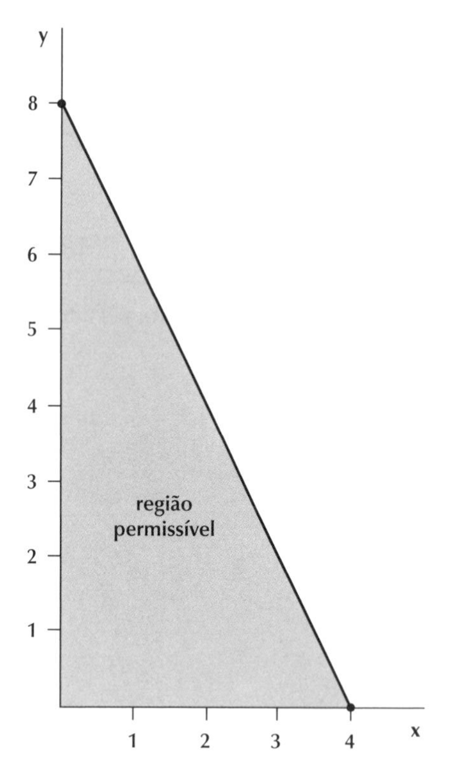

Figura 2.2 Restrição: horas disponíveis na máquina M_2.

Novamente, a região delimitada pelos eixos e pela reta encontrada é a região permissível, agora para a restrição do número de horas da máquina M_2. Para qualquer ponto da reta, de coordenadas (x, y), vale que

$$4x + 2y = 16$$

Para qualquer outro ponto da região permissível, vale

$$4x + 2y < 16$$

Temos ainda uma última restrição, que diz respeito à máxima demanda do produto B, isto é, ao valor máximo de y:

$$0x + 1y \leq 3$$

Dessa vez, a região permissível é relativamente simples de ser encontrada, pois está no espaço abaixo da reta paralela ao eixo x, passando pelo ponto y = 3, como mostrado na Figura 2.3 a seguir.

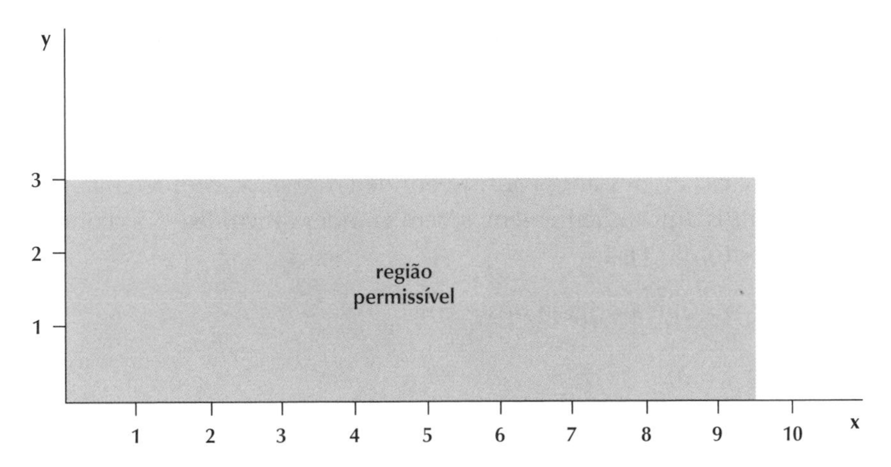

Figura 2.3 Restrição: demanda máxima – Produto B.

As representações gráficas das três restrições podem agora ser colocadas em um só gráfico, como mostrado a seguir.

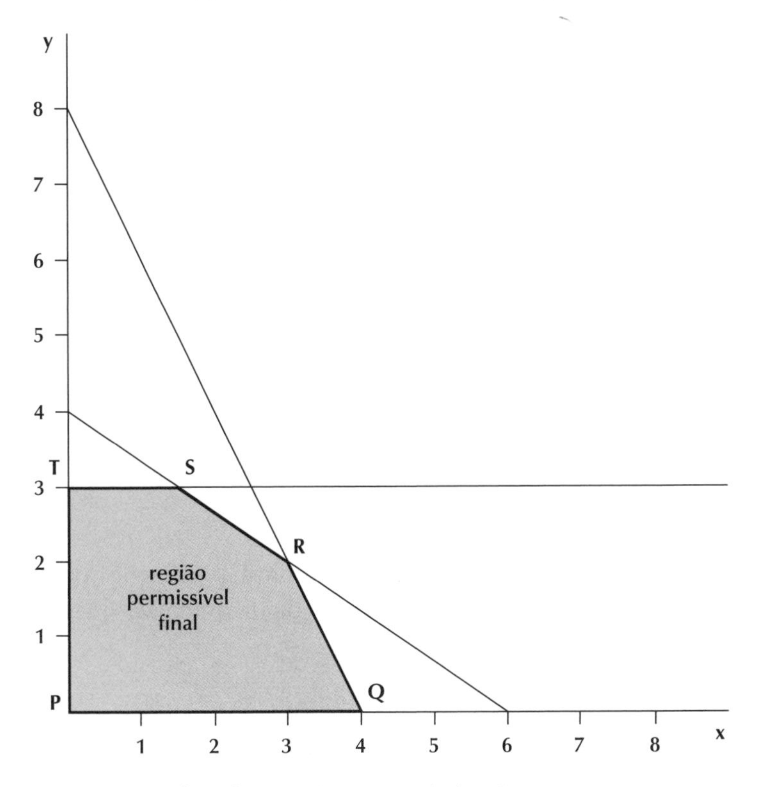

Figura 2.4 Gráfico das restrições: maximização.

As três restrições delimitam agora uma região comum, que é o polígono PQRST; todos os pontos internos a essa região, ou sobre as retas que a formam, obedecem simultaneamente a todas as restrições. Os pontos PQRST são chamados de *pontos extremos da região permissível.*

Um exercício interessante consiste em determinar as coordenadas dos pontos extremos. Inicialmente, temos, sem grandes dificuldades, as coordenadas dos pontos P, Q e T:

P ($x = 0$; $y = 0$) é a origem dos eixos

Q ($x = 4$; $y = 0$)

T ($x = 0$; $y = 3$)

O ponto extremo S tem coordenada $y = 3$; o valor de x correspondente é:

$4x + 6y = 24$

$4x + 6\,(3) = 24$

$4x = 6$

$x = 3/2$

Finalmente, o ponto R é o encontro das retas $4x + 6y = 24$ e $4x + 2y = 16$, que representam os limites das horas disponíveis para a produção nas máquinas M_1 e M_2, respectivamente. Uma combinação linear das duas equações fornecerá o par de valores (x, y):

$4x + 6y = 24$

$4x + 2y = 16$

Subtraindo as equações membro a membro, temos

$(4x - 4x) + (6y - 2y) = (24 - 16)$

$0 + 4y = 8$

$y = 2$

Substituindo o valor de $y = 2$ em qualquer uma das equações originais – por exemplo, na equação da restrição de horas da máquina M_1 –, temos

$4x + 6\,(2) = 24$

$4x = 12$

$x = 3$

O que temos até o momento? Temos um polígono de soluções possíveis, do qual conhecemos as coordenadas dos pontos extremos. Sabemos que a solução está nesse polígono, mas onde?

Neste ponto, vamos enunciar uma propriedade dos pontos extremos, que não demonstraremos, mas que irá intuitivamente ficar clara ao entendimento do leitor:

A solução ótima ao problema está em um dos pontos extremos da região permissível.

Aceitemos de pronto essa propriedade. Pouco a pouco, sua verdade ficará clara ao leitor.

Pergunta-se agora: qual dos pontos extremos dá a solução ótima?

Em princípio, a resposta é fácil: basta substituir as coordenadas de todos os pontos possíveis na função objetivo e verificar quais delas fornecem o valor máximo. Vamos a essa constatação na Tabela 2.3.

Tabela 2.3 Pontos extremos e a função objetivo

Ponto extremo	Valor de x	Valor de y	Função objetivo 80x + 60y
P	0	0	0
Q	4	0	320
R	3	2	360
S	3/2	3	300
T	0	3	180

O ponto extremo R é, portanto, a solução do nosso problema de maximização, com x = 3 e y = 2, como já sabíamos (a solução que havíamos dado foi determinada por computador, usando o método Simplex).

Mesmo graficamente, o ponto R pode ser identificado como o ponto extremo da solução. Basta trabalhar com a função objetivo 80x + 60y. Repare o leitor que essa equação define uma família de retas paralelas no plano dos eixos x, y. Se determinarmos qualquer uma dessas retas, todas as demais serão paralelas a ela. O valor 240 é múltiplo de 80 e de 60. Assumindo

$$80x + 60y = 240$$

encontramos x = 3 e y = 4 como os pontos em que a reta encontra os eixos x e y, respectivamente. Veja a Figura 2.5.

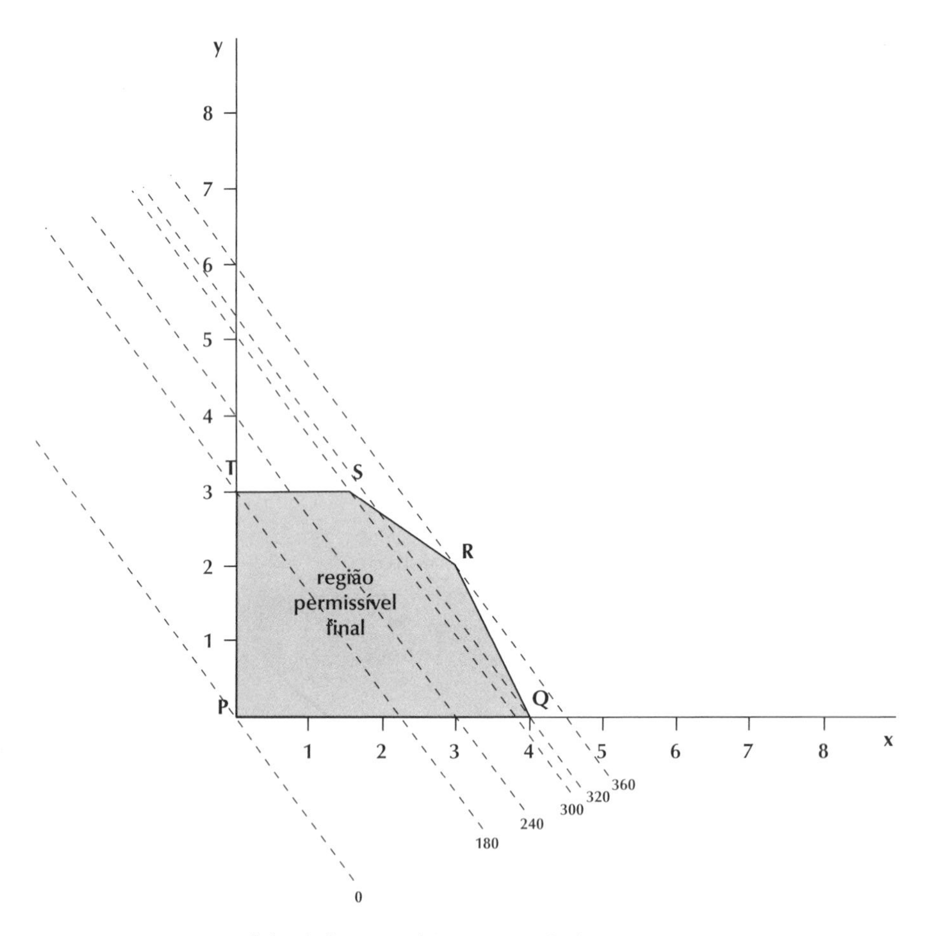

Figura 2.5 Retas paralelas à função objetivo: maximização.

Movendo a reta paralelamente a si mesma para a direita, o último ponto a ser encontrado é o ponto R (ou seja, R é o ponto extremo mais "extremo"), a nossa solução, com a reta 80x + 60y assumindo o valor 360.

2.5.2 *Solução gráfica de um problema de minimização*

Recordemos de início o problema da Granja Cocoró, o qual nos servirá de exemplo para demonstrarmos a solução gráfica de um problema de minimização. A Granja Cocoró queria misturar dois tipos de alimentos (Alimento 1 e Alimento 2) para criar um tipo especial de ração para suas galinhas poedeiras. Cada 100 g do Alimento 1 possuíam 10 g do nutriente X, 50 g do nutriente Y e 40 g do nutriente Z. O Alimento 2, por sua vez, para cada 100 g, possuía 20 g do nutriente X, 60 g do nutriente Y e

20 g do nutriente Z. Cada 100 g do Alimento 1 custavam, para a Granja Cocoró, R$ 0,60 e cada 100 g do Alimento 2 custavam R$ 0,80. A ração final deveria conter, no mínimo, 2 g do nutriente X, 64 g do nutriente Y e 34 g do nutriente Z. Queríamos obedecer a essa composição, minimizando ao mesmo tempo o custo por peso da nova ração.

A formulação completa do problema nos fornecia:

Minimizar $0{,}006x + 0{,}008y$

Sujeito a

$0{,}1x + 0{,}2y \geq 2$ (I)

$0{,}4x + 0{,}6y \geq 64$ (II)

$0{,}5x + 0{,}2y \geq 34$ (III)

Condições de não negatividade

$x \geq 0$

$y \geq 0$

Vamos novamente tomar dois eixos ortogonais, com o eixo horizontal representando a quantidade x do Alimento 1, e o eixo vertical, a quantidade y do Alimento 2. Na soma das quantidades x e y devem ser obedecidas as condições (I), (II) e (III).

Como o leitor se recorda, cada uma das restrições será representada por uma reta no sistema de eixos e pela definição de uma região permissível de soluções. A análise da região final, comum a todas as restrições, dará a solução ao problema. Em nosso caso, teremos três retas e três regiões permissíveis iniciais de solução.

A primeira restrição dizia respeito à quantidade mínima (2 g) de nutriente X que deveria existir na quantidade final (x + y) de mistura:

$0{,}1x + 0{,}2y \geq 2$

Transformando a inequação em uma equação, temos:

$0{,}1x + 0{,}2y = 2$

Se fizermos $y = 0$, resulta $0{,}1x = 2$ e $x = 20$. Este é o ponto em que a reta que traçaremos encontra o eixo x. Por outro lado, fazendo $x = 0$, temos $0{,}2y = 2$ e $y = 10$. Este é o ponto em que a reta encontra o eixo y. Fazendo a representação no sistema de eixos ortogonais, temos:

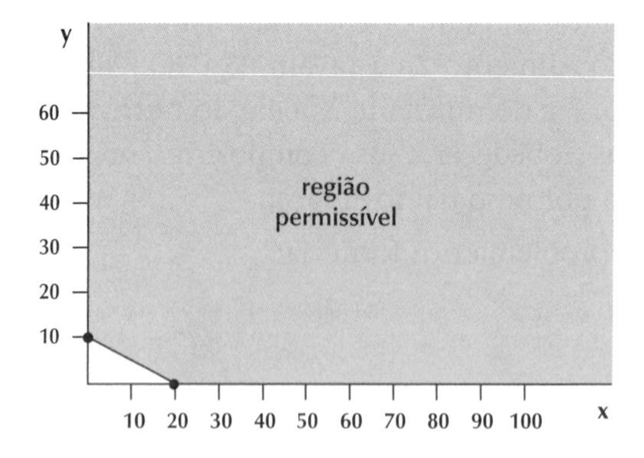

Figura 2.6 Restrição: quantidade mínima do nutriente X na mistura.

A segunda restrição diz respeito à quantidade mínima (64 g) do nutriente Y na mistura:

$0{,}4x + 0{,}6y \geq 64$

Novamente, tomemos a igualdade:

$0{,}4x + 0{,}6y = 64$

Para y = 0, x = 160 e, para x = 0, y = 106,7, e temos a reta a seguir:

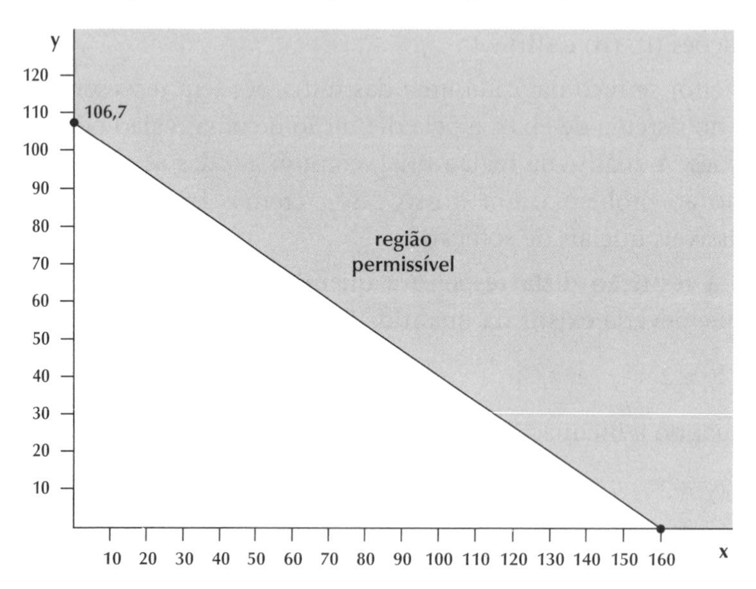

Figura 2.7 Restrição: quantidade mínima do nutriente Y na mistura.

A última restrição diz respeito à quantidade mínima (34 g) do nutriente Z na mistura:

$$0{,}5x + 0{,}2y \geq 34$$

Fazendo y = 0, encontramos x = 68; para x = 0, y = 170, como pontos em que a reta encontra os eixos x e y, respectivamente, como mostrado na Figura 2.8 a seguir.

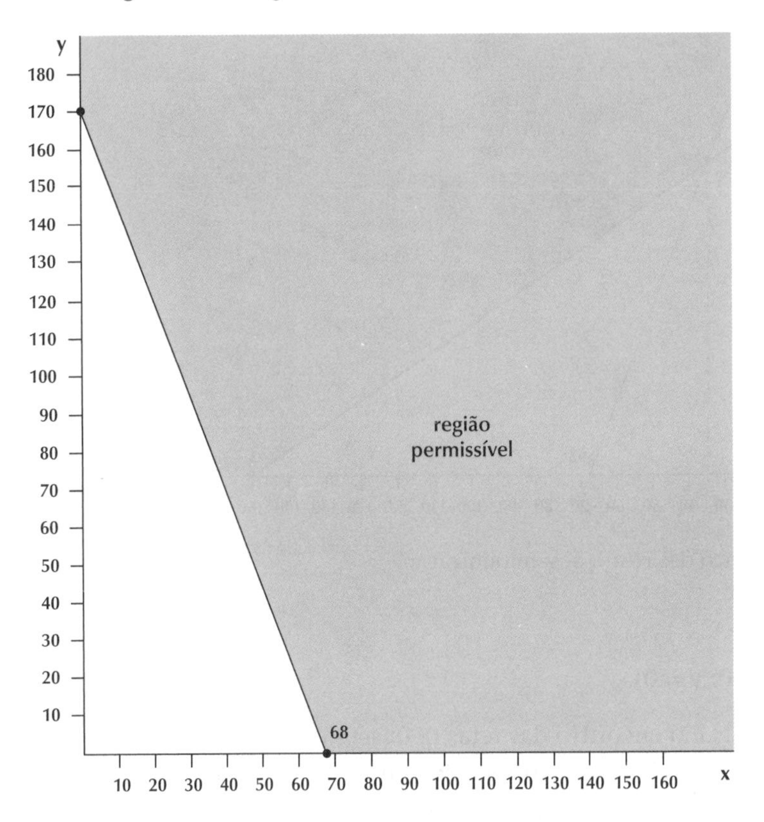

Figura 2.8 Restrição: quantidade mínima do nutriente Z na mistura.

As representações gráficas das três restrições podem agora ser colocadas em um só gráfico, como mostrado na Figura 2.9.

As três restrições delimitam uma região permissível, aberta à direita, delimitada à esquerda pelos pontos MNL, pelo eixo y, para valores maiores que M, e pelo eixo x, para valores maiores que L. Todos os pontos internos a essa região, ou sobre as retas MN e NL, obedecem simultaneamente a todas as restrições. Determinemos as coordenadas dos pontos extremos M, N e L. Inicialmente, temos, sem dificuldades, as coordenadas dos pontos M e L:

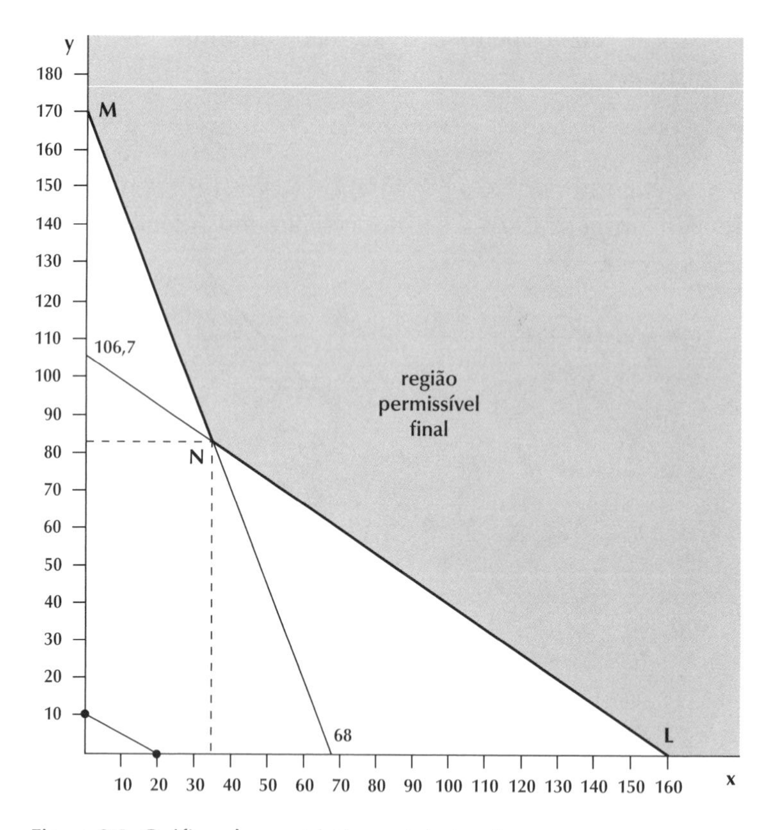

Figura 2.9 Gráfico das restrições: minimização.

M (x = 0; y = 170)

L (x = 160; y = 0)

O ponto N é o encontro das retas $0{,}4x + 0{,}6y = 64$ e $0{,}5x + 0{,}2y = 34$, que representam os limites mínimos dos nutrientes Y e Z na mistura. Uma combinação linear entre as duas equações fornecerá os valores de x e y:

x = 34,5 g

y = 83,6 g

Temos três pontos extremos: qual deles dará a solução ótima? Como vimos, basta substituir as coordenadas de todos os pontos possíveis na função objetivo e verificar quais delas fornecem o valor mínimo. Veja o leitor a Tabela 2.4.

O ponto extremo N é, portanto, a solução do nosso problema de minimização, com x = 34,5 g e y = 83,6 g, como já sabíamos pela solução por computador, anteriormente fornecida.

Tabela 2.4 Pontos extremos e a função objetivo

Ponto extremo	Valor de x	Valor de y	Função objetivo 0,006x + 0,008y
M	0	170	1,36
N	34,5	83,6	0,88
L	160	0	0,96

Para identificar graficamente que o ponto N seria o de melhor solução (mínimo custo da mistura), teria bastado traçar retas paralelas à função objetivo, como ilustrado na Figura 2.10, que mostra a família de retas definida pela função objetivo.

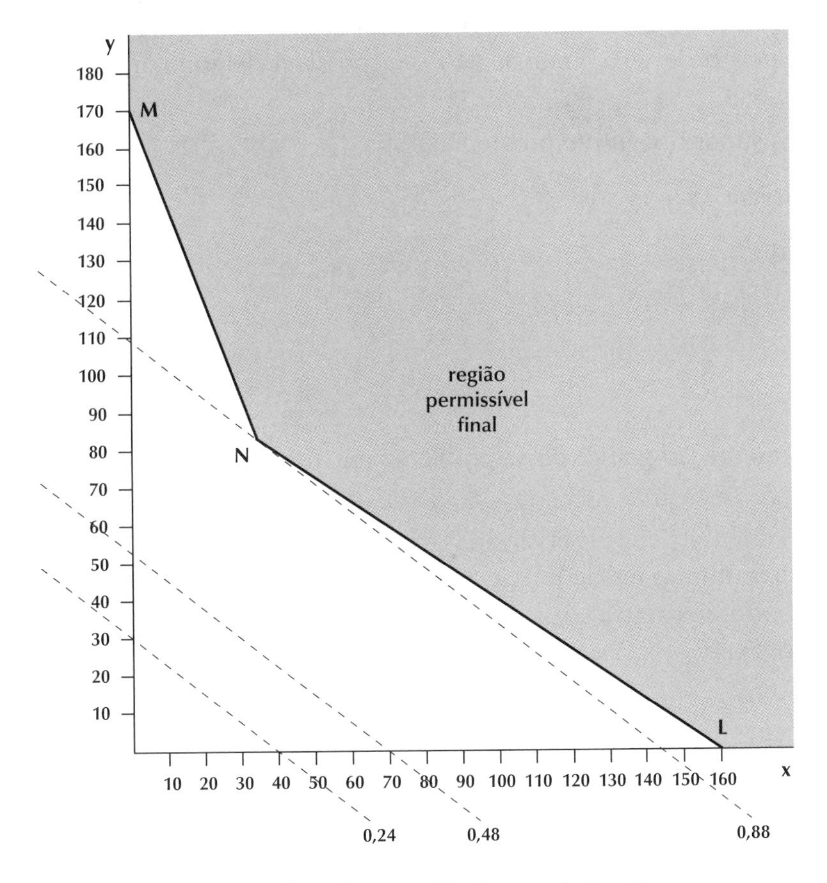

Figura 2.10 Retas paralelas à função objetivo: minimização.

Movendo a reta paralelamente a si mesma para a direita, o primeiro ponto a ser encontrado é o ponto N, com a reta 0,006x + 0,008y assumindo o valor R$ 0,88.

2.6 Alguns casos especiais

Vejamos alguns casos especiais de programação linear, ilustrando-os graficamente.

2.6.1 *Restrições incompatíveis (impossibilidade de solução)*

A impossibilidade de solução em um problema de programação linear ocorre quando não há solução que satisfaça ao mesmo tempo todas as restrições colocadas. Isso vale também para as condições de não negatividade. Do ponto de vista gráfico, não será possível determinar uma só região possível.

Vamos supor o seguinte problema:

Maximizar $1x + 1y$

Sujeito a

$4x + 3y \leq 12$

$y \geq 5$

$x \geq 4$

A representação gráfica desse problema encontra-se na Figura 2.11 a seguir.

Como o leitor pode observar na Figura 2.11, a sub-região determinada pelas duas últimas restrições é incompatível com a sub-região determinada pela primeira restrição, o que faz com que o problema não tenha solução possível.

2.6.2 *Solução sem fronteiras*

Um problema de programação linear apresentará uma solução sem fronteiras se o valor da solução puder ser feito infinitamente grande, sem violar qualquer uma das restrições. Geralmente, se isso acontecer, é muito provável que o problema tenha sido mal formulado. Afinal, não existem lucros infinitos ou despesas que possam ser feitas infinitamente pequenas, concordará conosco o leitor.

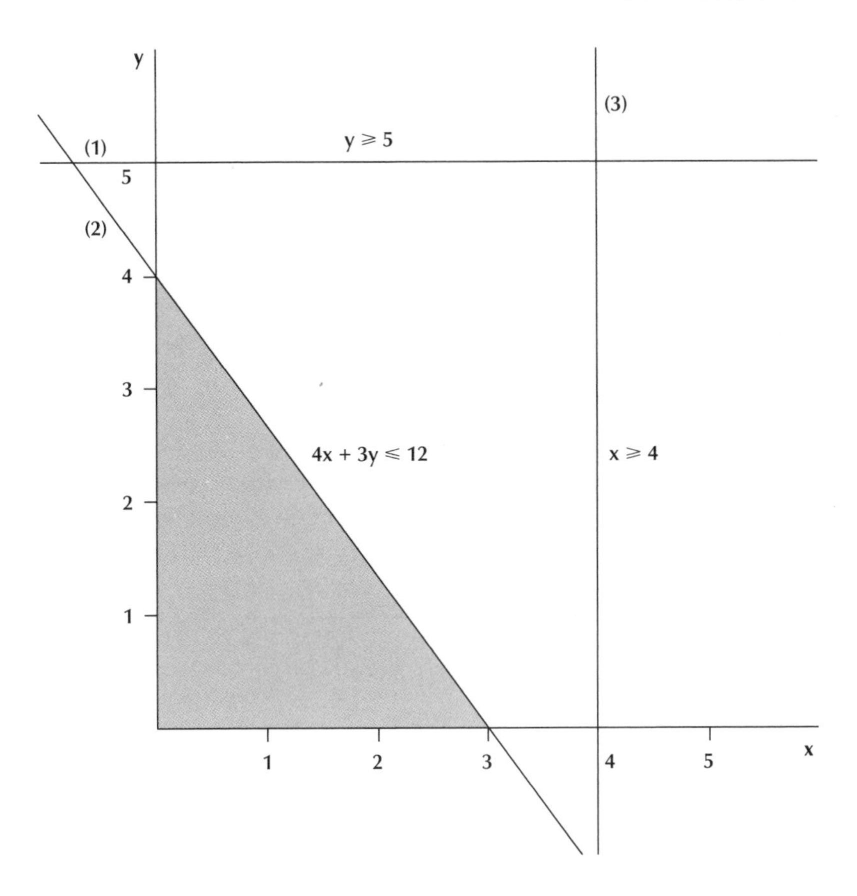

Figura 2.11 Impossibilidade de solução.

Cumpre notar que o fato de a solução não ter fronteiras não impede que se determine graficamente uma região possível. O que acontecerá é que a região possível irá se estender infinitamente em uma dada direção. Considere o leitor o problema a seguir:

Maximizar $4x + 1y$

Sujeito a

$x \geq 2$

$y \leq 3$

O problema está representado na Figura 2.12.

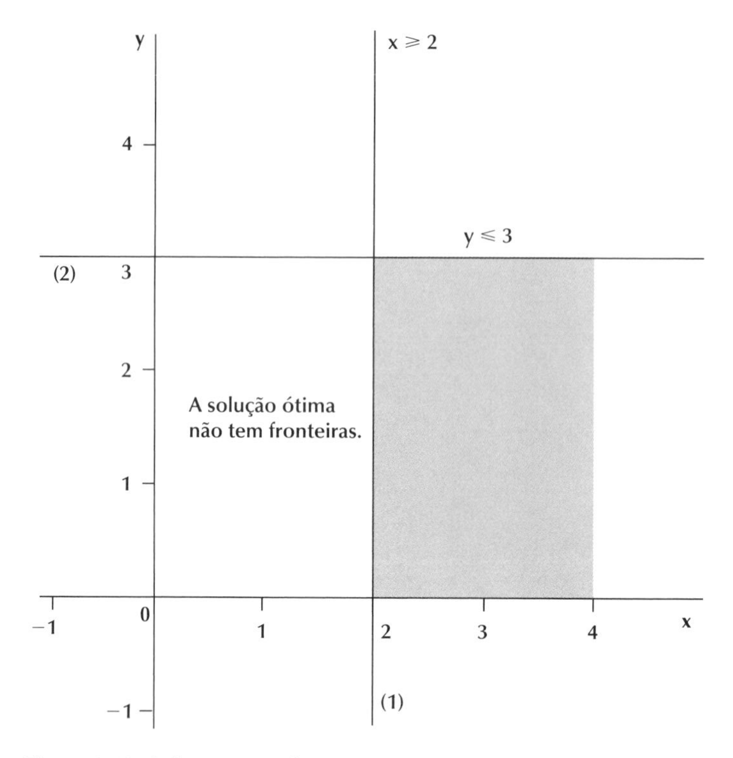

Figura 2.12 Solução sem fronteiras.

Repare o leitor que a região marcada, à direita de $x = 2$ e abaixo de $y = 3$, estende-se infinitamente. Embora a variável y tenha limites muito claros ($0 \leq y \leq 3$), a variável x pode assumir valores infinitamente grandes para maximizar a função objetivo, na qual aparece com coeficiente 4.

2.6.3 *Redundância (restrições redundantes)*

Uma restrição será redundante se sua presença em nada afetar a região permissível delimitada pelas outras restrições. Uma restrição redundante, portanto, pode ser eliminada sem alterar o problema original ou sua solução.

Consideremos o problema:

Maximizar $3x + 2y$

Sujeito a

$10x + 5y \leq 50$

$1x + 1y \leq 7$

$1y \leq 15$

A representação gráfica desse problema encontra-se na Figura 2.13 a seguir.

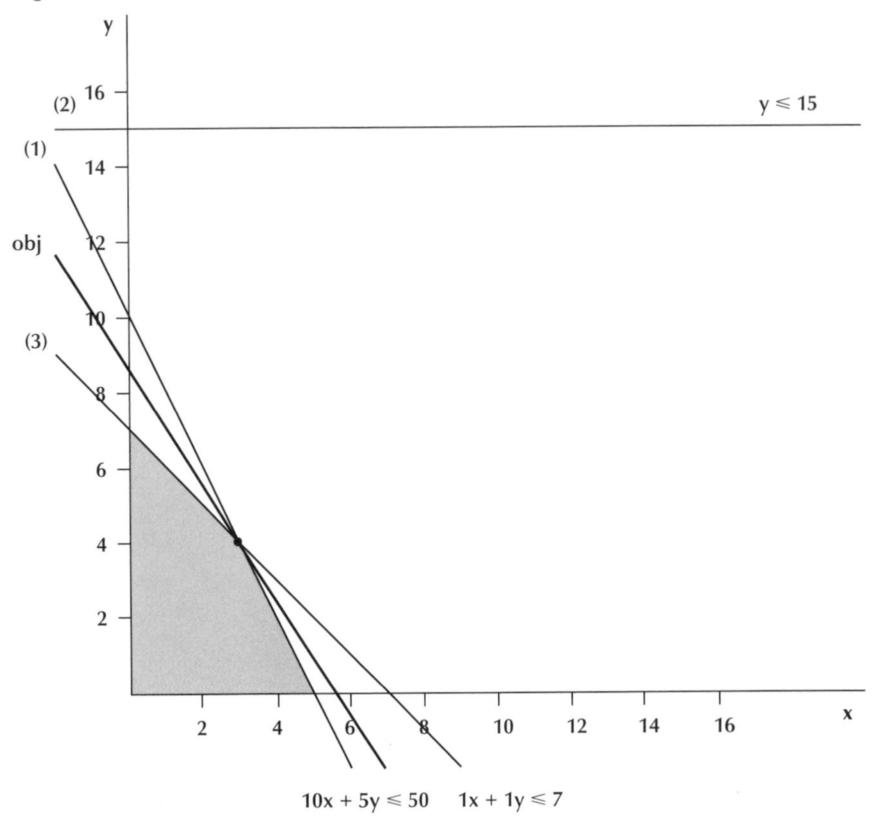

Figura 2.13 Uma restrição redundante.

O leitor pode reparar que a restrição $1y \leq 15$ nada acrescenta à região possível. Com ou sem ela, a região possível é a mesma.

2.6.4 *Soluções alternativas*

Pode ser que um problema apresente duas ou mais soluções. Graficamente, isso ocorre quando a família de retas da função objetivo é paralela a uma das restrições. Nesse caso, não haverá apenas um ponto extremo objetivo.

Vejamos o seguinte exemplo:

Maximizar $4x + 12y$

$1x + 3y \leq 6$

$5x + 3y \leq 15$

A primeira restrição fornece uma reta que é paralela à família de retas da função objetiva. Veja o leitor o efeito na Figura 2.14 a seguir:

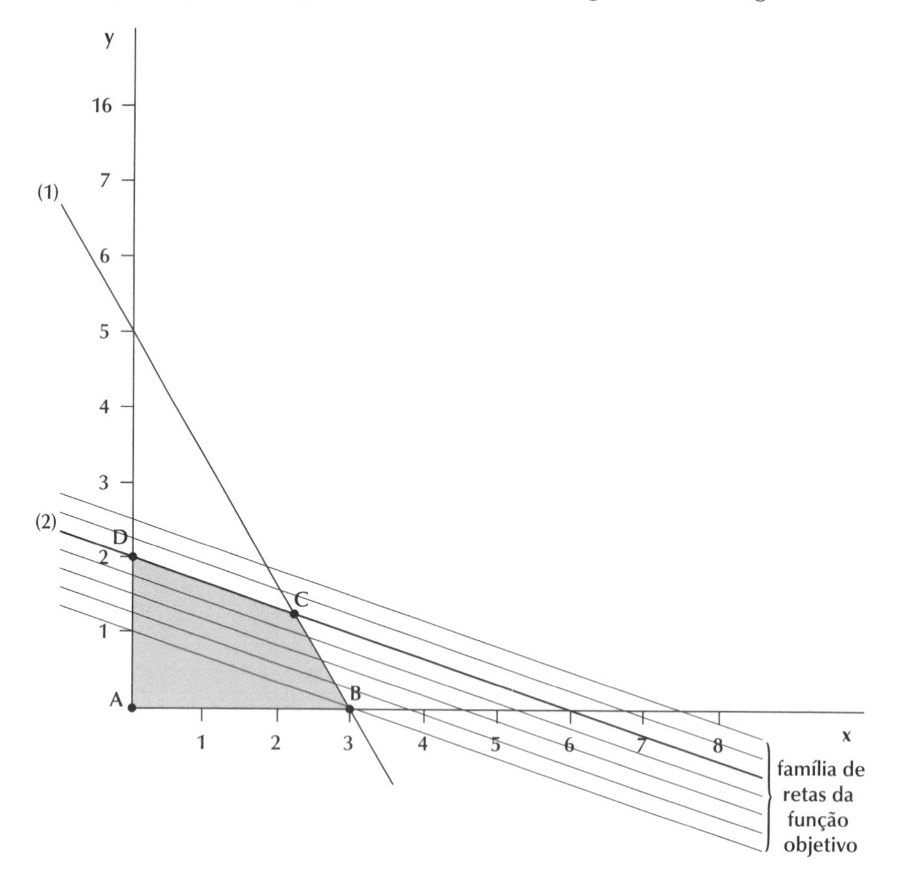

Figura 2.14 Múltiplas soluções possíveis.

Como se vê, o paralelismo entre a restrição $1x + 3y \leq 6$ e a função objetivo faz com que qualquer ponto dentro do segmento de reta CD seja solução para o nosso problema.

2.7 Análise de sensibilidade

Até este ponto, consideramos que eram fixos todos os coeficientes que apareciam em um problema de programação linear. Assim, eram constantes todos os coeficientes da função objetivo, ou seja, todos os números que apareciam multiplicando pelas variáveis na função objetivo. Em diversos problemas de maximização, esses coeficientes indicam lucros unitários ou algum tipo de contribuição. A hipótese, portanto, é a de que esses lucros unitários são constantes.

Por sua vez, também estamos considerando constantes todos os coeficientes das restrições, o que em um problema de maximização pode indicar quanto de cada recurso será despendido para se elaborar uma simples unidade de um dado produto. Esses coeficientes são, por vezes, chamados de *coeficientes tecnológicos*, já que, de certa forma, dependem do grau de tecnologia de que se dispõe. Supor constantes os coeficientes tecnológicos implica que estamos considerando como fixo um dado estado da tecnologia.

Finalmente, podemos também considerar fixos os lados direitos das restrições, ou LDRs (em inglês, RHS – *right hand side* ou simplesmente *lado direito*). Nesse caso, em problemas usuais de programação linear, estaremos considerando constante a quantidade total de recursos disponíveis.

Ocorre que todos esses coeficientes, em um ambiente real, podem sofrer variações. Denominamos *análise de sensibilidade* o estudo de como a solução ótima irá mudar, caso variem esses coeficientes. Em um nível elementar da análise de sensibilidade, iremos considerar sempre o efeito da variação isolada de um certo coeficiente, ou seja, não analisaremos o que acontece com a solução ótima quando dois ou mais coeficientes variam em conjunto. A análise de sensibilidade pode ser mostrada ao leitor tanto por meio de gráficos como por tableaux.[1] Pela facilidade de compreensão, vamos nos restringir à análise gráfica da sensibilidade, considerando apenas os casos dos coeficientes da função objetivo e os LDRs.

2.7.1 *Análise dos coeficientes da função objetivo*

Lembremos do Exemplo 2.1, que relatava o problema de produção dos produtos A e B, nas máquinas M_1 e M_2, e cuja formulação era

Maximizar $80x + 60y$

Sujeito a

$4x + 6y \leq 24$

$4x + 2y \leq 16$

$0x + 1y \leq 3$

$x \geq 0; y \geq 0$

Nesse problema, 80 e 60 eram as contribuições ao lucro correspondentes aos produtos A e B, respectivamente, enquanto 24 e 16 representavam o número máximo de horas disponíveis nas máquinas M_1 e M_2,

[1] NA: *Tableaux* é o plural de *tableau* (quadro, tabela).

respectivamente. Por sua vez, 3 (na terceira restrição) era o número máximo de unidades do produto B que o mercado poderia aceitar. Na primeira restrição, os coeficientes de x e y (4 e 6) representavam quanto cada unidade do produto A consumia dos recursos (horas) das máquinas M_1 e M_2. Valia o mesmo raciocínio para o produto B, na segunda restrição.

Até que ponto podem variar os coeficientes da função objetivo sem que varie a solução ótima (ponto R da Figura 2.5)?

A Figura 2.15 a seguir ilustra a situação.

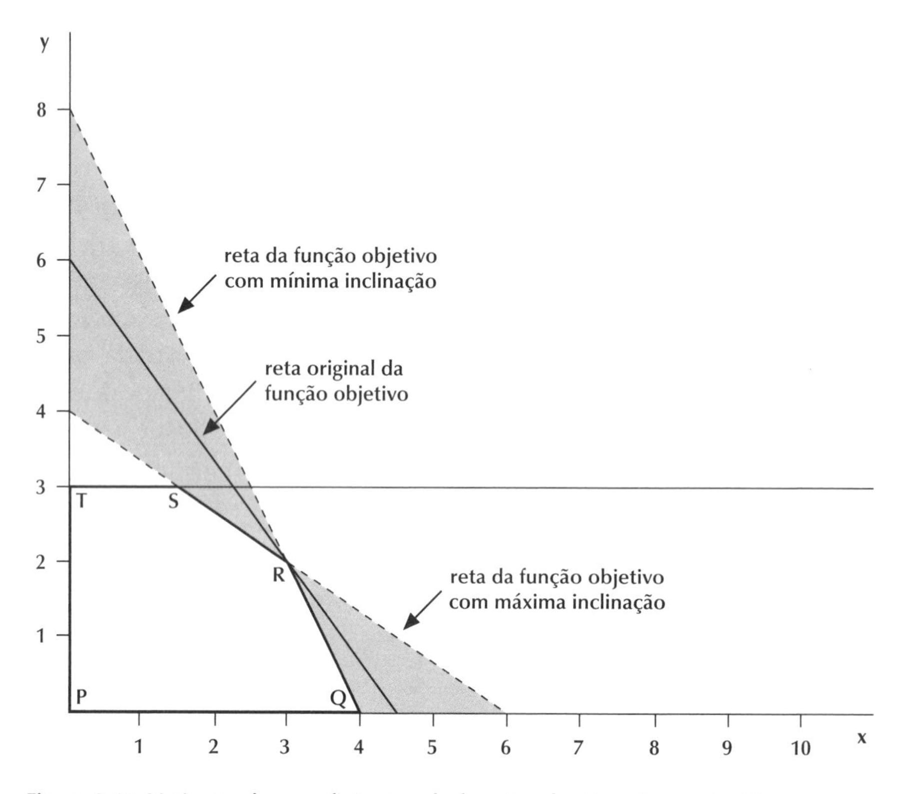

Figura 2.15 Variação dos coeficientes da função objetivo. Exemplo 2.1.

Repare o leitor que, se a reta da função objetivo coincidir com a reta derivada da restrição $4x + 6y \leq 24$ (segmento RS), o ponto R ainda será a solução, embora todos os pontos ao longo do segmento RS também o sejam. Girar a reta da função objetivo até coincidir com o segmento RS aumenta a inclinação da reta, o que significa diminuir o coeficiente de x e aumentar o coeficiente de y ou, em outros termos, elevar o lucro derivado da venda do produto B e reduzir o lucro da venda do produto A. Se, por outro lado, a reta da função objetivo girar no sentido horário, poderá fazê-lo até coincidir com a reta derivada da restrição $4x + 2y \leq 16$ (segmento QR), sem que o ponto R deixe de ser solução. Nesse caso, porém, todos os pontos ao longo do segmento QR também serão solução. Girar a reta da função objetivo até coincidir com o segmento QR significa aumentar o coeficiente de x, ou seja, o lucro na venda do produto A, e diminuir o coeficiente de y, isto é, o lucro na venda do produto B.

Resumindo, se a reta da função objetivo girar apenas dentro da área hachurada, o ponto R será conservado como solução, embora não única. Em outros termos, girar dentro da área hachurada significa que há um coeficiente mínimo e outro máximo, tanto para a variável x como para a variável y, entre os quais podem variar os coeficientes da função objetivo.

2.7.2 *Análise dos lados direitos das restrições (LDRs)*

Como o leitor poderá ter percebido, uma variação nos coeficientes da função objetivo não altera a região permissível da solução; o inverso, entretanto, ocorre quando se tratar de variações nos lados direitos das restrições.

Para exemplificar, consideremos a restrição relativa às horas disponíveis na máquina M_1, ou seja, $4x + 6y \leq 24$. Vamos supor que essas horas disponíveis tenham aumentado para 27, isto é, um dos recursos disponíveis aumentou. Que consequências esse aumento acarreta, tanto para a região possível quanto para a solução ótima? Veja o leitor que a inclinação da reta da função objetivo não se altera, pois consideramos os mesmos coeficientes iniciais da função objetivo.

Pode-se verificar o efeito na Figura 2.16 a seguir.

Observa-se que, aumentando o número de horas disponíveis na máquina M_1, de 24 para 27 horas, também aumenta a região permissível, exatamente da área do quadrilátero RSUV, sendo o ponto V a nova solução, com $x = 2{,}63$ e $y = 2{,}75$.

De modo similar, o leitor pode tentar outras variações no lado direito da restrição $4x + 6y \leq 24$ ou das outras duas restrições.

2.8 Formulação geral do problema de programação linear

Vimos dois exemplos completos, um de maximização da função objetivo e outro de minimização. Esses dois exemplos, bem como quaisquer outros problemas de programação linear, podem ser enquadrados em um modelo geral. Vamos supor que existam m restrições e n variáveis de decisão, designadas por x_1, x_2, x_3 ... x_n, e que as contribuições de cada uma das variáveis de decisão à função objetivo sejam, respectivamente, $c_1, c_2, c_3 \dots c_n$.

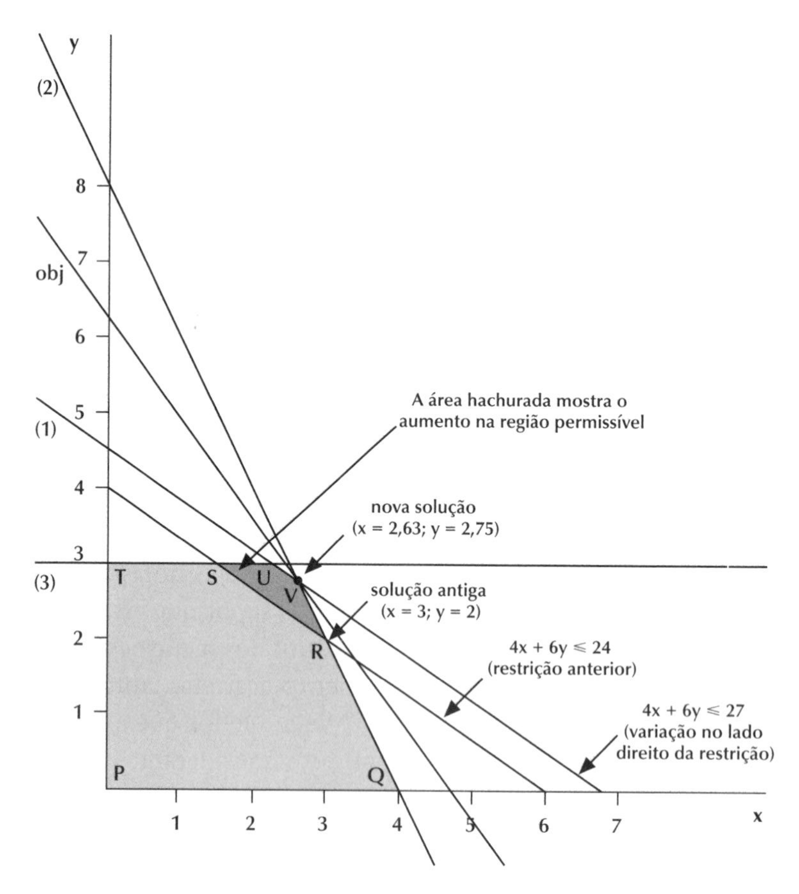

Figura 2.16 Variação no lado direito da restrição 4x + 6y ≤ 24. Exemplo 2.1.

O modelo geral pode ser escrito assim:

Maximizar ou minimizar

$$c_1 x_1 + c_2 x_2 + c_3 x_3 + \dots + c_n x_n$$

Sujeito a

$$a_1 x_1 + a_2 x_2 + a_3 x_3 + \dots + a_n x_n \geq \text{ ou } \leq \text{ ou } = b_1$$

$$a_1 x_1 + a_2 x_2 + a_3 x_3 + \dots + a_n x_n \geq \text{ ou } \leq \text{ ou } = b_2$$

— — — — — — — — — — — — — — — — — —

— — — — — — — — — — — — — — — — — —

$$a_1 x_1 + a_2 x_2 + a_3 x_3 + \dots + a_n x_n \geq \text{ ou } \leq \text{ ou } = b_m$$

Costumeiramente, as quantidades b_1, b_2, b_3 ... b_m representam valores máximos ou mínimos de alguma variável ou combinação de variáveis ou são quantidades referentes a recursos escassos. A estrutura do problema é que dirá o que são os valores b_1, b_2, b_3 ... b_m.

Pontos principais do capítulo

1. A programação linear (PL) é um dos mais populares modelos matemáticos, aplicável a problemas quantitativos cujos relacionamentos possam ser expressos por meio de equações e inequações lineares.
2. Em um modelo de PL existe sempre uma combinação de variáveis que deve ser maximizada ou minimizada. Essa combinação de variáveis, na forma de uma expressão matemática, é chamada de função objetivo.
3. Em todo modelo de PL existem restrições, representadas por equações ou inequações matemáticas. As restrições representam limitações da situação real, como, por exemplo, escassez de recursos, restrições legais ou de mercado etc.
4. Parâmetros são valores fixos e independentes de quem elabora o modelo de PL. Já as variáveis de decisão são grandezas que podem assumir diversos valores, sendo que há uma certa combinação de valores que irá maximizar (ou minimizar) a função objetivo.
5. Na Programação Linear Inteira, exige-se que pelo menos uma das variáveis deva assumir apenas valores inteiros; quando todas as variáveis são livres para assumir valores inteiros e não inteiros, fala-se em Programação Linear Simples.
6. Problemas de programação linear com apenas duas variáveis de decisão podem ser resolvidos pelo método gráfico. Já o método denominado Simplex pode ser usado em problemas com qualquer número de variáveis de decisão (ou seja, duas ou mais).
7. Na solução gráfica, as restrições são representadas por linhas retas em um plano em que as coordenadas são as duas variáveis de decisão. A região delimitada pelos eixos e pelas retas das restrições é a região permissível (ou possível) final, onde estará a solução do problema.
8. A solução a um problema de PL está em um dos pontos extremos da região permissível. Basta determinar os valores das variáveis em cada ponto extremo e calcular os valores da função objetivo. Os valores das variáveis de decisão que maximizarem (ou minimizarem) a função objetivo darão a solução ao problema.

9. Quando não há solução que satisfaça ao mesmo tempo todas as restrições colocadas, não haverá solução ao problema de PL.
10. Um problema de PL apresenta uma solução sem fronteiras se o valor da solução puder aumentar indefinidamente sem violar qualquer uma das restrições.
11. Uma restrição será redundante se a sua presença em nada afetar a região permissível delimitada pelas outras restrições. Uma restrição redundante pode ser abandonada sem que se altere o problema original ou sua solução.
12. A análise de sensibilidade pode ser feita tanto sobre os coeficientes das restrições como sobre os lados direitos das restrições (LDRs). A análise de sensibilidade mostrará como a solução ótima irá mudar, caso mudem tais coeficientes e LDRs.

Exercícios resolvidos

Exercício resolvido nº 1

Resolver graficamente:

Maximizar $4x + 6y$

Sujeito a

$8x + 7y \leq 56$

$y \leq 5$

$x \leq 4$

$x, y \geq 0$

Solução

A solução gráfica, como vimos neste capítulo, é feita por meio de um conjunto de dois eixos ortogonais, cada qual representando uma das variáveis de decisão. Se as variáveis forem nomeadas x e y, geralmente a variável x ocupa o eixo horizontal e a variável y, o eixo vertical. Cada uma das restrições será representada por uma reta no sistema de eixos, definindo-se uma região permissível de soluções de acordo com a restrição particular. Haverá uma região final, comum a todas as restrições. Da análise dessa região final sairá a solução ao problema. Em nosso problema, temos três restrições, portanto três retas serão grafadas e três regiões permissíveis serão determinadas.

A primeira restrição determina que $8x + 7y \leq 56$.

Transformando a inequação em uma equação, temos:

$8x + 7y = 56$

Fazendo $y = 0$, tem-se $8x = 56$ e $x = 7$. Este é o ponto em que a reta que traçaremos encontra o eixo x. Por outro lado, se $x = 0$, então $7y = 56$ e $y = 8$, ponto em que a reta encontra o eixo y. A Figura 2.11 mostra a restrição e a região permissível.

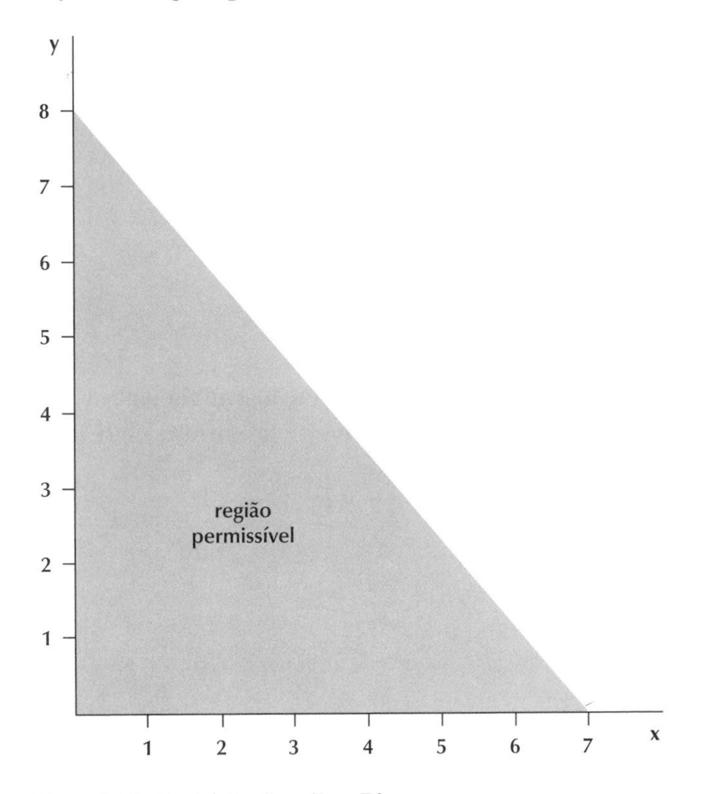

Figura 2.17 Restrição $8x + 7y \leq 56$.

A segunda restrição diz que:

$y \leq 5$

Tomando a igualdade ($y = 5$), a reta da restrição será paralela ao eixo x, no ponto $y = 5$, como mostra a Figura 2.18, com a região permissível ficando entre a reta e o eixo x:

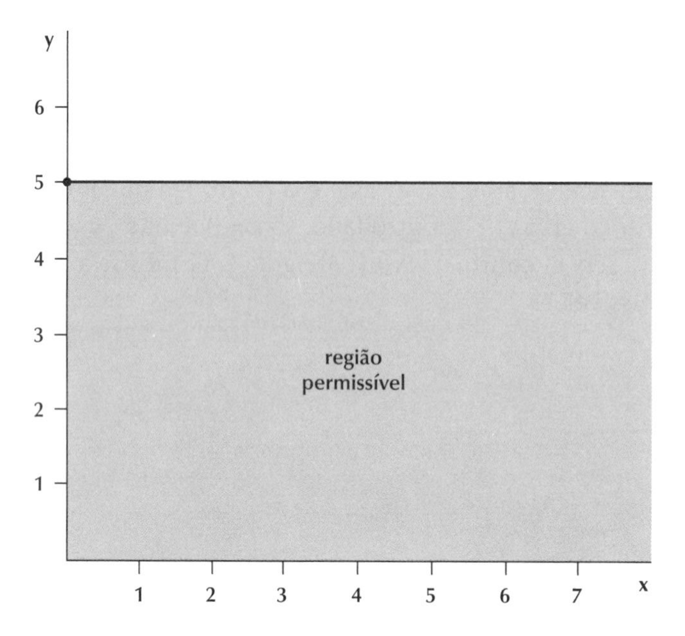

Figura 2.18 Restrição $y \leq 5$.

A última restrição diz que $x \leq 4$. Sua representação está na Figura 2.19 a seguir. Repare o leitor que a região permissível fica entre o eixo y e a reta $x = 4$.

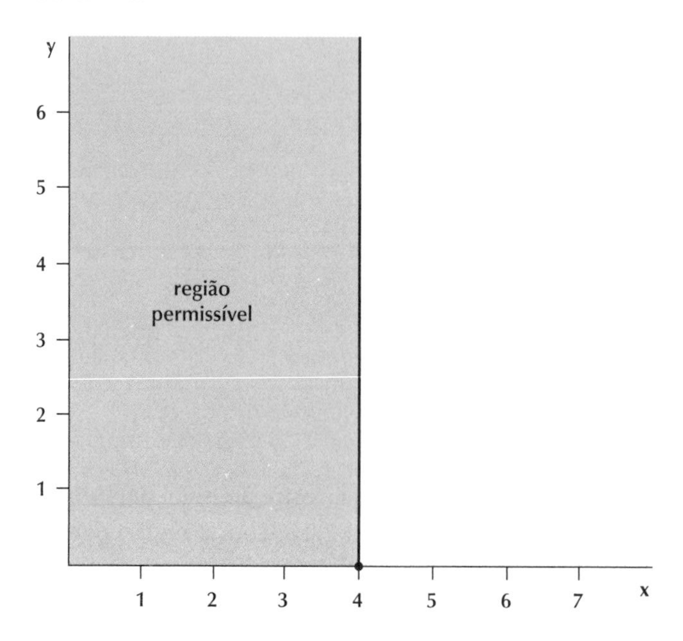

Figura 2.19 Restrição $x \leq 4$.

A região permissível final está representada na Figura 2.20 a seguir.

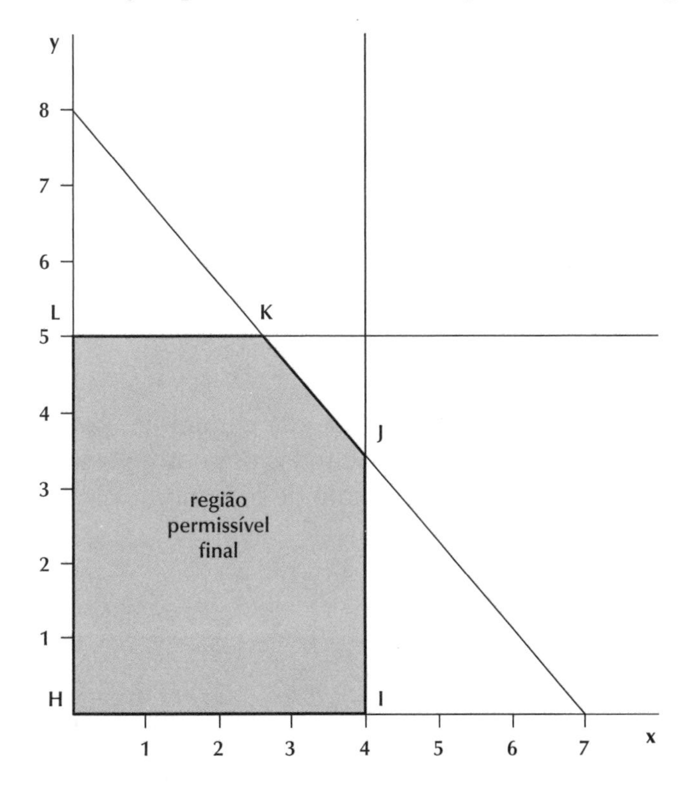

Figura 2.20 Todas as restrições e região permissível final.

As três restrições delimitam uma região comum, que é o polígono HIJKL; todos os pontos internos a essa região, ou sobre as retas que a formam, obedecem simultaneamente a todas as restrições. Sabemos que a solução estará nas coordenadas de um dos pontos extremos da região permissível final.

Determinemos as coordenadas dos pontos extremos. Para os pontos H, I e L, não há dificuldade:

H ($x = 0$; $y = 0$) é a origem dos eixos

I ($x = 4$; $y = 0$)

L ($x = 0$; $y = 5$)

O ponto extremo J tem coordenada $x = 4$; o valor de y correspondente é:

$8x + 7y = 56$

$8 (4) + 7y = 56$

$7y = 24$

$y = 24/7$

Para concluir, o ponto K tem coordenada y = 5; o valor de x correspondente é:

$8x + 7y = 56$

$8x + 7 (5) = 56$

$8x = 21$

$x = 21/8$

Sabemos que a resposta ao nosso problema está em um dos pontos extremos. Vamos substituir as coordenadas de todos os pontos possíveis na função objetivo e verificar onde está o ponto de máximo. A verificação está na Tabela 2.5.

Tabela 2.5 Pontos extremos e a função objetivo

Ponto extremo	Valor de x	Valor de y	Função objetivo 4x + 6y
H	0	0	0
I	4	0	16
J	4	24/7	36,57
K	21/8	5	40,5
L	0	5	30

O ponto extremo K é a solução do nosso problema de maximização, com x = 21/8 (ou 2,625) e y = 5.

Verifiquemos graficamente o fato de o ponto K ser o ponto extremo solução. A função objetivo 4x + 6y define uma família de retas paralelas no plano dos eixos x, y. A determinação dessas retas já foi vista em exemplos anteriores, e deixamos a cargo do leitor a verificação do seu traçado. A Figura 2.21 mostra as várias paralelas à função objetivo, e percebe-se claramente que a reta que passa pelo ponto K é a mais extrema em relação à região permissível e, portanto, o ponto K é a solução ao nosso problema. O valor máximo assumido pela função objetivo será:

$4x + 6y =$

$4 (21/8) + 6 (5) = 40,5$

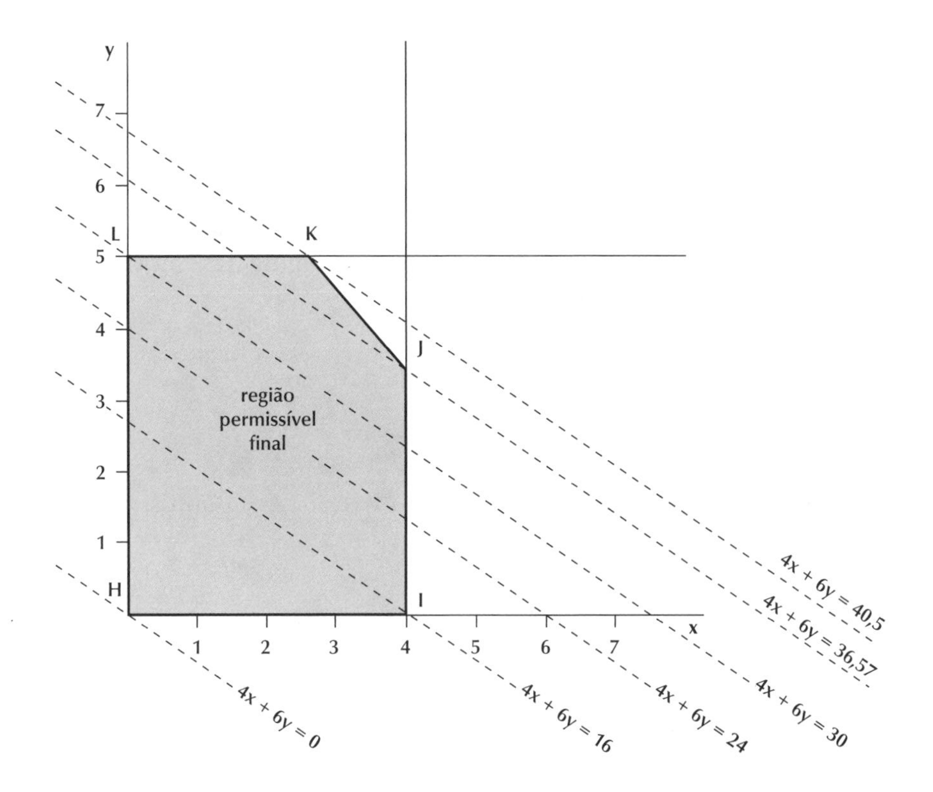

Figura 2.21 Retas paralelas à função objetivo: maximização. Exercício Resolvido nº 1.

Exercício resolvido nº 2

Resolver graficamente:

Minimizar $2x + 4y$

Sujeito a

$5x + 5y \geq 25$

$2x + 6y \geq 18$

$x \geq 2$

$x, y \geq 0$

Solução

Neste ponto, o leitor provavelmente estará bem habituado à rotina da solução gráfica. Caso isso não aconteça, recomendamos que retorne a um dos problemas anteriores e estude-o com atenção. Caso esteja em condições razoáveis de entendimento, vamos prosseguir.

A primeira restrição determina que $5x + 5y \geq 25$.

Transformando a inequação em uma equação, temos:

$$5x + 5y = 25$$

Fazendo $y = 0$, tem-se $5x = 25$ e $x = 5$. Este é o ponto em que a reta que traçaremos encontra o eixo x. Por outro lado, se $x = 0$, então $5y = 25$ e $y = 5$, ponto em que a reta encontra o eixo y. A Figura 2.22 mostra a restrição e a região permissível.

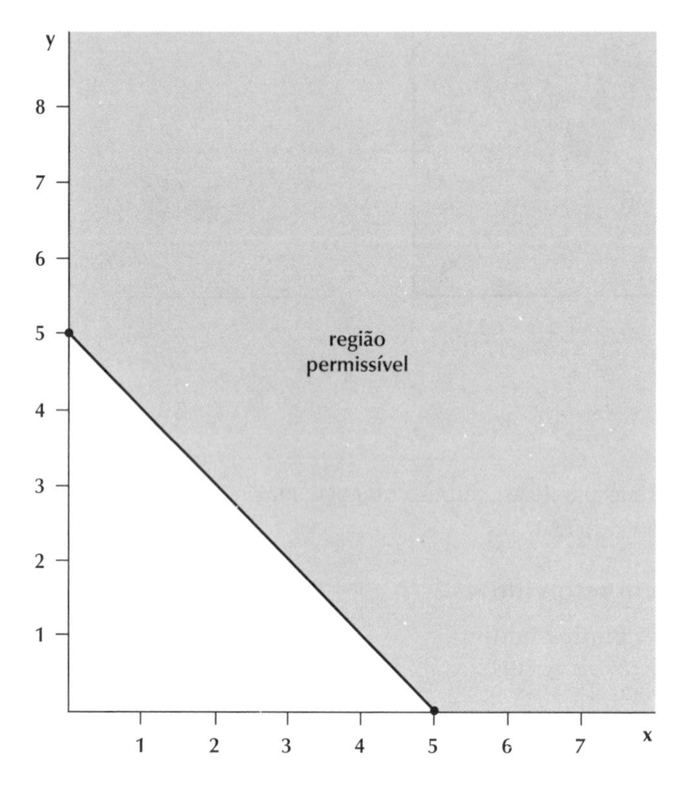

Figura 2.22 Restrição $5x + 5y \geq 25$.

A segunda restrição diz que:

$$2x + 6y \geq 18$$

Para $y = 0$, $x = 9$ (ponto em que a reta encontra o eixo x), e para $x = 0$, $y = 3$ (ponto em que a reta encontra o eixo y). A Figura 2.23 mostra a reta da restrição, bem como a região permissível.

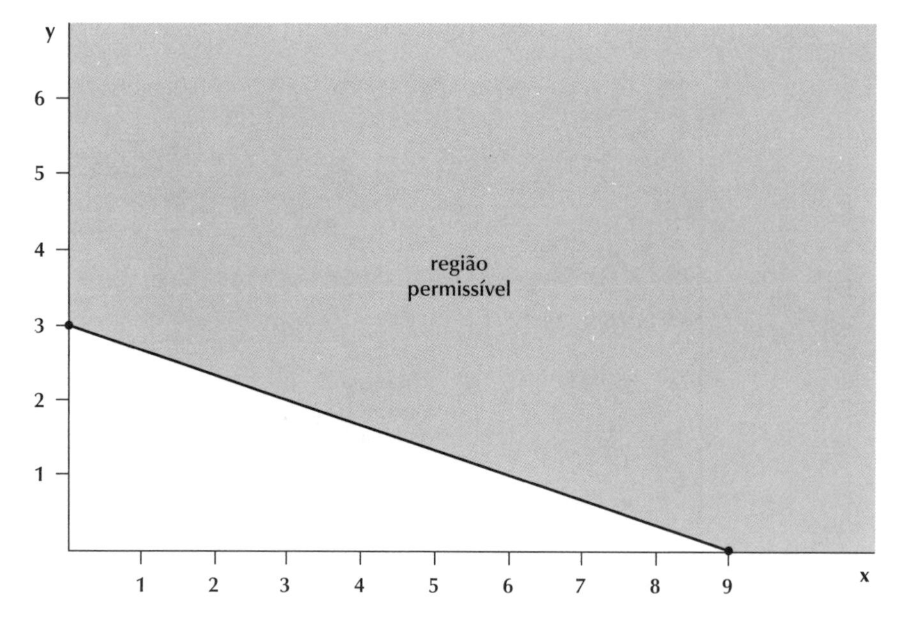

Figura 2.23 Restrição $2x + 6y \geq 18$.

A última restrição diz que $x \geq 2$. Sua representação está na Figura 2.24 a seguir. Repare o leitor que a região permissível fica à direita da reta $x = 2$, delimitada pelo eixo x.

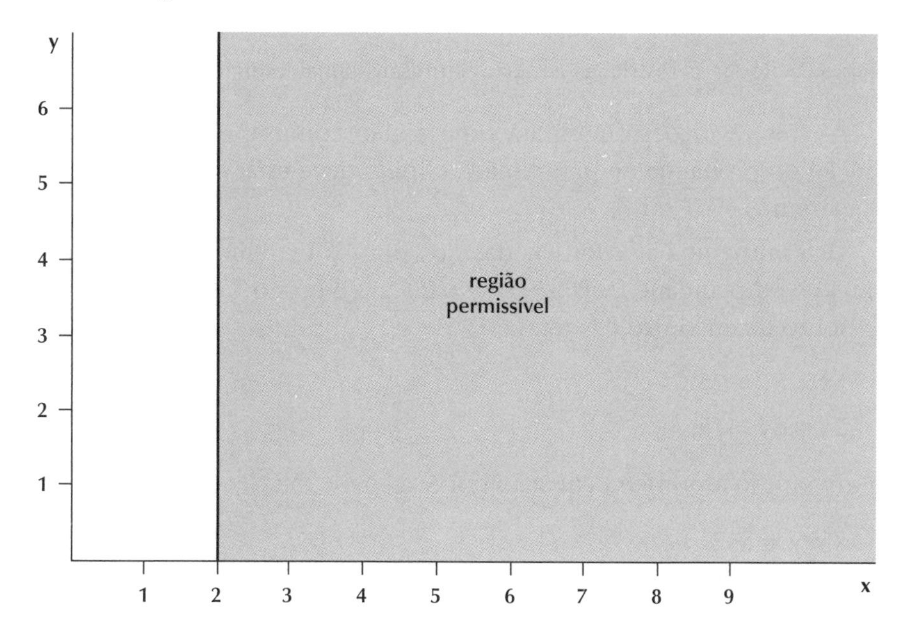

Figura 2.24 Restrição $x \geq 2$.

A região permissível final está representada na Figura 2.25 a seguir.

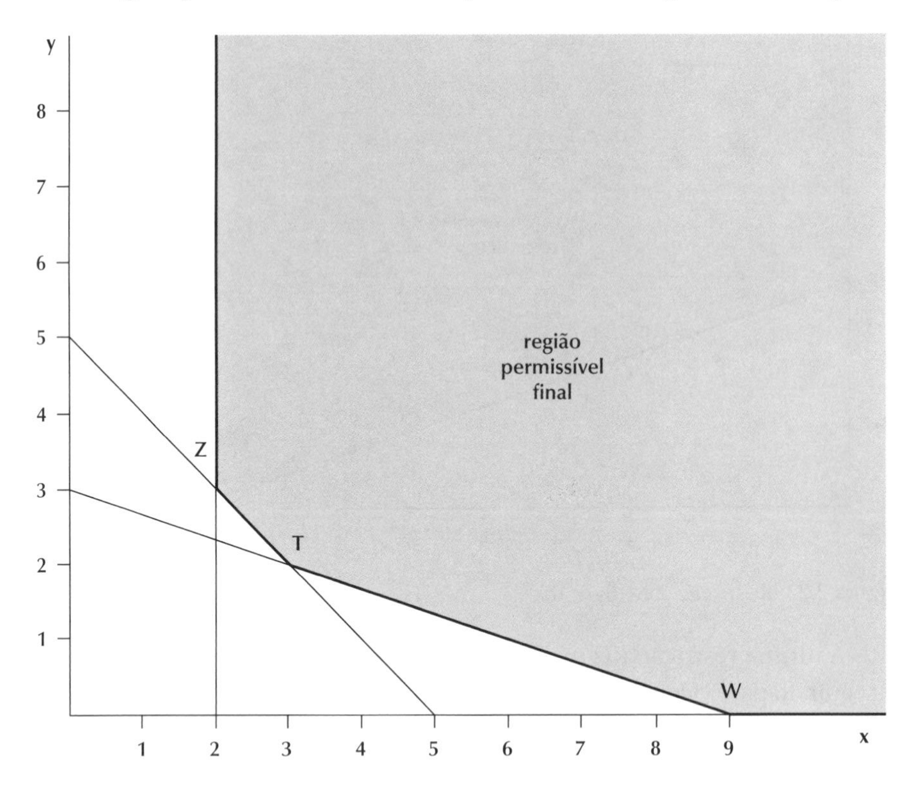

Figura 2.25 Todas as restrições e região permissível final: Exercício Resolvido nº 2.

As três restrições delimitam uma região comum, e sabemos que a solução do problema de programação linear deve estar em um dos pontos extremos W, T ou Z.

Determinemos as coordenadas dos pontos extremos. Para o ponto W, não há dificuldade, pois x = 9 e y = 0. Para o ponto T, sabemos que ele é o ponto de encontro das retas:

$$5x + 5y = 25$$
$$2x + 6y = 18$$

ou, dividindo a primeira equação por 5:

$$x + y = 5$$
$$2x + 6y = 18$$

Multiplicando agora a primeira equação por 2:

$2x + 2y = 10$

$2x + 6y = 18$

Subtraindo membro a membro:

$-4y = -8$

$y = 2$

e, substituindo o valor de y em qualquer uma das equações anteriores, temos que $x = 3$.

O ponto Z, finalmente, tem coordenada $x = 2$ e um ponto comum com a reta $5x + 5y = 25$. Logo:

$5\,(2) + 5y = 25$

$5y = 15$

$y = 3$

Como a resposta ao nosso problema está em um dos pontos extremos, vamos substituir as coordenadas de todos os pontos possíveis na função objetivo e verificar onde está o ponto de máximo. A verificação está na Tabela 2.6.

Tabela 2.6 Pontos extremos e a função objetivo

Ponto extremo	Valor de x	Valor de y	Função objetivo 2x + 4y
W	9	0	18
T	3	2	14
Z	2	3	16

O ponto extremo T é a solução do nosso problema de minimização ($x = 3$ e $y = 2$).

A função objetivo $2x + 4y$, como sabemos, define uma família de retas paralelas no plano dos eixos x, y. A Figura 2.26 mostra algumas retas paralelas à função objetivo, sendo que a reta que passa pelo ponto T é a mais extrema em relação à região permissível e, portanto, o ponto T é a nossa solução, no qual a função objetivo assume o seguinte valor:

$2x + 4y =$

$2\,(3) + 4\,(2) = 14$

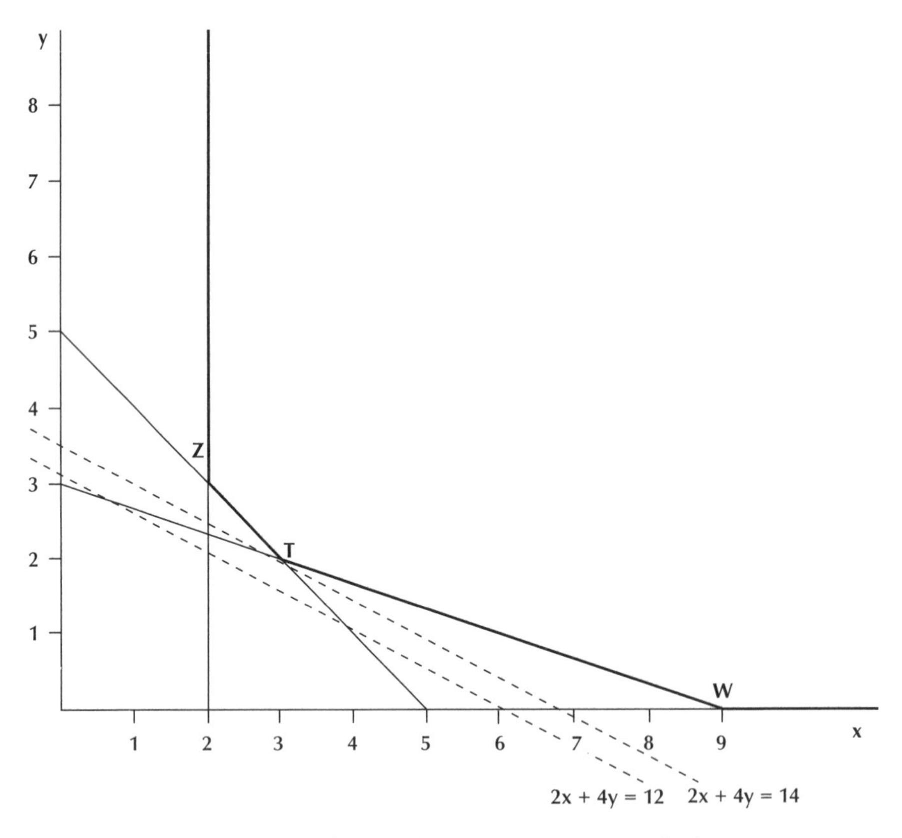

Figura 2.26 Retas paralelas à função objetivo. Exercício Resolvido nº 2.

Questões propostas

1. Descrever sucintamente as características fundamentais de um modelo de programação linear.
2. O que são parâmetros e variáveis de decisão?
3. Conceituar Programação Linear Simples e Programação Linear Inteira.
4. O que é a função objetivo? Qual o seu papel em um problema de programação linear?
5. O que são as restrições? Qual o seu papel em um problema de programação linear?
6. É possível solucionar graficamente um problema de programação linear com mais de duas variáveis de decisão? Por quê?
7. O que são as retas associadas às restrições? O que significa a região permissível delimitada por uma restrição?

8. O que é a região permissível final?
9. Qual a importância dos pontos extremos da região permissível final?
10. Quando um problema de programação linear apresenta uma solução sem fronteiras?
11. Quando se diz que uma restrição é redundante?
12. Qual o papel da análise de sensibilidade?
13. Escrever a formulação geral do problema de programação linear.

Glossário

Análise de sensibilidade: é o estudo da sensibilidade da solução ótima aos dados do modelo de programação linear montado pelo analista.

Coeficientes tecnológicos: são os coeficientes das variáveis nas equações ou inequações das restrições. Os coeficientes tecnológicos representam a quantidade de recursos necessária para produzir uma unidade da variável.

Condições de não negatividade: um conjunto de restrições que requer que cada variável em um problema de programação linear seja não negativa, isto é, maior ou igual a zero.

Função objetivo: é uma expressão matemática em que aparecem as variáveis de decisão, a qual deverá ser maximizada ou minimizada.

Ponto extremo da região permissível: na solução gráfica, são os vértices da região permissível delimitada por todas as restrições.

Programação linear: uma técnica matemática usada para ajudar na alocação mais efetiva de recursos.

Região permissível: o conjunto de todas as soluções possíveis.

Restrição: é a expressão matemática de um limite aplicável a uma dada variável ou combinação de variáveis, expressa na forma de uma equação ou inequação.

Restrição redundante: qualquer restrição que não afete a região *permissível*, isto é, uma restrição que pode ser removida sem afetar a região possível.

Solução sem fronteiras: situação na qual o valor da solução pode aumentar sempre, sem violar qualquer uma das restrições.

Solução ótima de um problema de programação linear: qualquer conjunto de valores das variáveis que, ao mesmo tempo, satisfaça todas as restrições e maximize (ou minimize) a função objetivo, conforme for o caso.

Solução permissível: uma solução que obedeça ao mesmo tempo a todas as restrições.

Soluções alternativas: quaisquer soluções que satisfaçam todas as restrições e maximizem (ou minimizem) a função objetivo, conforme for o caso.

Exercícios propostos

1. Na fabricação de dois de seus produtos, uma empresa utiliza dois equipamentos que limitam a produção. Em um dado período de tempo, estão disponíveis 30 horas do equipamento 1 e 80 horas do equipamento 2. Para a fabricação de uma unidade do produto A, usa-se 1 hora do equipamento 1 e 2 horas do equipamento 2. Já para uma unidade do produto B, são gastas 2 horas do equipamento 2. O equipamento 1 não toma parte na produção do produto B. Por outro lado, uma unidade do produto A leva a um lucro de R$ 150, enquanto cada unidade do produto B gera um lucro de R$ 50. Pede-se:
   a) formular o problema como um modelo de programação linear, visando maximizar o lucro.
   b) resolvê-lo graficamente.
2. Uma empresa do ramo de confecções está considerando quanto deve produzir de seus dois modelos de terno, denominados Executivo Master e Caibem, de forma a maximizar o lucro. Será impossível fabricar quanto se queira de cada um dos modelos, porque existem limitações nas horas disponíveis para a costura e o acabamento, as duas operações básicas na fabricação. No caso da costura, existem apenas 180 horas-máquina disponíveis, enquanto para o acabamento, que é feito manualmente, haverá, no máximo, 240 homens-hora. Em termos de lucro unitário e produção, os dois modelos apresentam as seguintes características:

   Executivo Master

   - lucro unitário: R$ 120
   - horas-máquina de costura por unidade: 2
   - homens-hora de acabamento por unidade: 2

   Caibem

   - lucro unitário: R$ 70
   - horas-máquina de costura por unidade: 1
   - homens-hora de acabamento por unidade: 4

Pede-se:

a) formular o problema como um modelo de programação linear;

b) resolver graficamente o problema.

3. Na fabricação de dois produtos, X e Y, as seguintes restrições são válidas quanto aos dois recursos escassos que são utilizados:

$x + 2y \leq 80$

$2x + 2y \leq 120$, onde

x = número de unidades produzidas do produto X

y = número de unidades produzidas do produto Y

Sabe-se também que cada unidade do produto X fornece um lucro de R$ 20 e cada unidade do produto Y leva a um lucro de R$ 30. Pede-se:

a) formular o modelo de programação linear apropriado, visando maximizar o lucro;

b) resolver o problema graficamente.

4. Resolver graficamente:

Maximizar $3x + y$

Sujeito a

$2x + y \leq 30$

$x + 4y \leq 40$

$x, y \geq 0$

5. Resolver graficamente:

Maximizar $x + 2y$

Sujeito a

$x \leq 3$

$y \leq 5$

$2x + 2y \leq 12$

$x, y \geq 0$

6. Resolver graficamente:

Minimizar $2x + y$

Sujeito a

$x + y \geq 10$

$2x + 3y \geq 14$

$x, y \geq 0$

7. Resolver graficamente:

   Minimizar $4x + y$

   Sujeito a

   $2x + 2y \geq 10$

   $x + 6y \geq 20$

   $x, y \geq 0$

8. Considerar novamente o Exercício 1. Supor que o equipamento 1 tenha agora 31 horas disponíveis, em vez de 30, permanecendo inalterada a quantidade de horas disponíveis do equipamento 2. Conservar também todos os demais dados. Pede-se:
   a) resolver graficamente o novo problema;
   b) determinar o novo lucro total;
   c) determinar quanto foi adicionado ao lucro pela 31ª hora disponível do equipamento 1.

9. Retornando ao Exercício 1, supor agora que a quantidade de horas disponíveis do equipamento 2 passa a ser de 81 horas, permanecendo inalteradas todas as demais quantidades do exercício. Pede-se:
   a) resolver graficamente o novo problema;
   b) determinar o novo lucro total;
   c) determinar quanto foi adicionado ao lucro pela 81ª hora disponível do equipamento 2.

10. Em uma fábrica, existem três recursos em quantidades limitadas, os quais impõem limites às quantidades que podem ser produzidas de dois produtos, A e B. Existem 1.200 unidades disponíveis do recurso 1, 400 unidades disponíveis do recurso 2 e 80 unidades disponíveis do recurso 3. Por outro lado, o produto A proporciona um lucro unitário de R$ 100, contra R$ 300 do produto B. Sabe-se também que:

    1 unidade do produto A requer:

    - 20 unidades do recurso 1
    - 4 unidades do recurso 2
    - nenhuma unidade do recurso 3

1 unidade do produto B requer:

- 20 unidades do recurso 1
- 20 unidades do recurso 2
- 4 unidades do recurso 3

Pede-se:

a) colocar o problema como um modelo de programação linear;

b) resolver graficamente o problema.

Bibliografia

ANDRADE, E. L. *Introdução à pesquisa operacional.* 3. ed. Rio de Janeiro: LTC, 2004.

BAZARAA, M.; JARVIS, J.; SHERALI, M. *Linear programming and network flows.* 2. ed. Nova York: Wiley, 1990.

EHRLICH, P. J. *Pesquisa operacional.* Curso introdutório. São Paulo: Atlas, 1991.

GASS, S. I. *An illustrated guide to linear programming.* Nova York: Dover Publications, 1990.

ORDIN, A. LP from the ´40s to the ´90s. *Interfaces,* v. 23, n. 5, p. 2-12, 1993.

RENDER, B.; STAIR Jr., R. M. *Quantitative analysis for management.* 7. ed. Upper Saddle River: Prentice Hall, 2000.

WAGNER, H. *Principles of operations research, with applications to managerial decisions.* 2. ed. Englewood Cliffs: Prentice Hall, 1975.

3 Programação Linear: o Método Simplex

O Simplex é uma metodologia que envolve uma sequência de cálculos repetitivos por meio dos quais é possível chegar à solução de um problema de programação linear. Essa sequência de cálculos recebe o nome de *algoritmo*. Embora simples, os cálculos são tediosos, e para problemas com três ou mais variáveis de decisão, pode-se facilmente errar em alguma das etapas, invalidando assim todos os esforços. Rapidamente foram elaborados programas de computador para trabalhar com o algoritmo. Os alunos devem, no entanto, entender qual a lógica por trás do cálculo, para que não tenham a impressão de que o Simplex é apenas uma sequência sem sentido (e difícil de reter na memória) de operações numéricas simples. O desejável seria que todos os estudiosos de programação linear tivessem acesso a um microcomputador, para que pudessem concentrar-se na estruturação (formulação) dos problemas, atividade que exige intelectualmente muito mais do aluno, sendo bem mais estimulante. Por esse motivo, vamos nos restringir a exemplos abordando problemas simples, com duas ou, no máximo, três variáveis de decisão.

Antes de passar ao Simplex, ou à sequência de cálculos que o constitui, vejamos como, na verdade, ele funciona. Comecemos com os conceitos de *variável de folga* e de *solução básica* de um problema de programação linear.

3.1 Variáveis de folga e soluções básicas

Para o que se segue, vamos nos apoiar no exemplo do problema de maximização do capítulo anterior. Queríamos maximizar o lucro devido à venda de dois produtos, A e B, sob três restrições, sendo duas delas representadas por horas disponíveis em duas máquinas, M_1 e M_2, e a terceira representada por uma limitação da demanda do produto B. A formulação completa do problema era a seguinte:

Maximizar $80x + 60y$

Sujeito a

$4x + 6y \leq 24$ (restrição de horas disponíveis na máquina M_1)

$4x + 2y \leq 16$ (restrição de horas disponíveis na máquina M_2)

$0x + 1y \leq 3$ (restrição da demanda máxima do produto B)

$x \geq 0; y \geq 0$

É possível transformar as inequações (que refletem as restrições) em equações, acrescentando novas variáveis a cada uma delas. Na restrição de horas disponíveis na máquina M_1, por exemplo, podemos ter:

$$4x + 6y + s_1 = 24$$

onde a variável s_1 foi acrescentada. Essa nova variável é chamada de *variável de folga* (*slack* em inglês, daí a designação usual pela letra s). O nome *folga* é dado porque muitas vezes pode-se associar essa variável a recursos não utilizados ou não aproveitados. No caso da restrição que estamos analisando, s_1 representa o total de horas disponíveis na máquina M_1, não utilizado. Por exemplo, se $x = 0$ e $y = 3$ (o ponto extremo T na Figura 2.4), tem-se:

$$4\,(0) + 6\,(3) + s_1 = 24$$

$$s_1 = 24 - 18 = 6$$

Nesse caso, ou seja, para esse ponto extremo T, s_1 indica que 6 horas disponíveis na máquina M_1 não serão utilizadas. Claramente, tem-se sempre $s_1 \geq 0$.

Acrescentemos duas outras variáveis de folga às duas inequações seguintes:

$$4x + 2y + s_2 = 16$$

$$0x + 1y + s_3 = 3$$

Nesses casos, s_2 representa horas disponíveis na máquina M_2 e não utilizadas, mas s_3 representa demanda possível do produto B, não atendida (o máximo de unidades possíveis do produto B era 3, lembre-se). Tomando o mesmo ponto extremo T da Figura 2.4, tem-se:

$$4\,(0) + 2\,(3) + s_2 = 16$$

$$s_2 = 16 - 6 = 10$$

(O ponto extremo T corresponde a 10 horas disponíveis não utilizadas na máquina M_2.)

E ainda, no caso de s_3:

$$0x + 1\ (3) + s_3 = 3$$

$$s_3 = 3 - 3 = 0$$

(Isso significa que, no ponto extremo T, são produzidas as 3 unidades possíveis do produto B.)

Fica claro ao leitor que também $s_2 \geq 0$ e $s_3 \geq 0$, ou ainda, de uma forma geral, que qualquer variável de folga deve ser maior ou igual a zero.

A rigor, quando introduzimos as variáveis de folga e transformamos as inequações em equações, devemos colocá-las em todas as inequações existentes e também na função objetivo. Quando uma variável de folga não aparecer em uma inequação, nós a colocamos com coeficiente zero. No caso da função objetivo, todas as variáveis de folga devem aparecer com coeficiente zero. Temos, portanto, o seguinte quadro geral de formulação:

Maximizar

$$80x + 60y + 0s_1 + 0s_2 + 0s_3$$

Sujeito a

$$4x + 6y + 1s_1 + 0s_2 + 0s_3 = 24$$
$$4x + 2y + 0s_1 + 1s_2 + 0s_3 = 16$$
$$0x + 1y + 0s_1 + 0s_2 + 1s_3 = 3$$

Embora isso não aconteça aqui, é bom anotar que o Simplex exige que o segundo lado das equações não seja um número negativo. Veremos mais tarde como proceder quando este for o caso. O leitor há de notar que chegamos a um sistema indeterminado, pois temos cinco incógnitas (x, y, s_1, s_2, s_3) e apenas três equações. Sempre que o número k de incógnitas ($k = 5$, no nosso caso) for maior que o número q de equações ($q = 3$, no nosso caso), o sistema será indeterminado, ou seja, não poderemos chegar aos valores finais das variáveis.

Por outro lado, se fixarmos os valores de $(k - q)$ variáveis, o número de variáveis desconhecidas torna-se igual ao número de equações, e o sistema torna-se determinado, ou seja, será possível determinar o valor das variáveis desconhecidas restantes. No nosso exemplo, deveríamos fixar o valor de duas variáveis, de modo a obter o valor das outras três. Atendo-nos ao exemplo, vamos supor que fixamos as variáveis, duas a duas, como sendo igual a zero. As duas variáveis igualadas a zero chamam-se uma *solução não básica* ao problema de programação linear. Por sua vez, as q variáveis restantes, calculadas, são chamadas de uma *solução básica* ao problema de programação linear. Além disso, uma solução básica pode ser possível ou não, dependendo dos valores encontrados para as variáveis obedecerem ou não às restrições.

Vamos analisar o que acontece com os valores das cinco variáveis nos pontos extremos da região possível. Para comodidade do leitor, reproduzimos a seguir a Figura 2.4, que mostra a região possível e os pontos extremos para o problema de maximização em pauta. Para cada um desses pontos, suas coordenadas definem um par de valores (x, y). Já sabemos que a solução de um problema de programação linear está em um dos pontos extremos dessa região; como todos os pontos pertencem às regiões permissíveis, todos os pontos extremos representam soluções básicas possíveis.

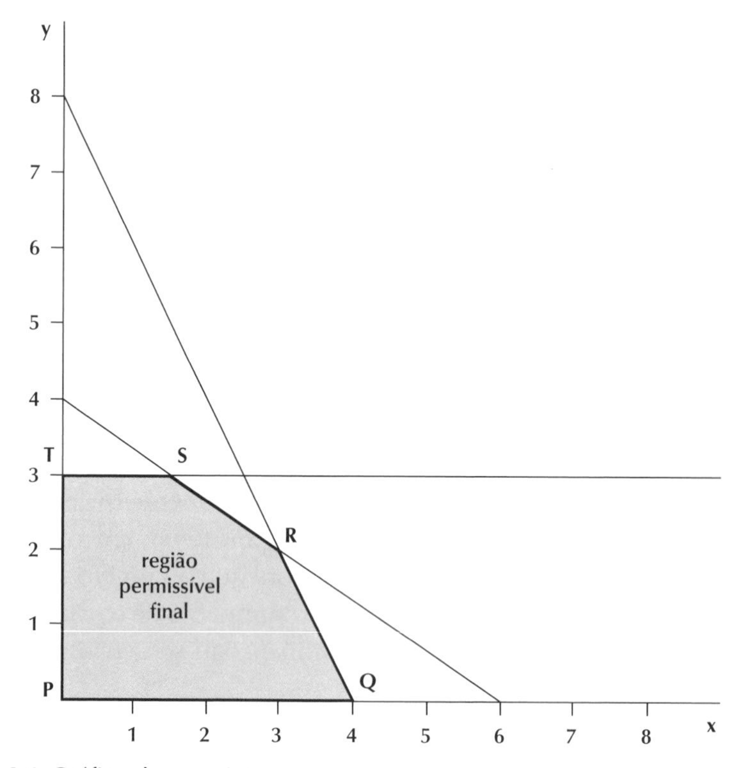

Figura 2.4 Gráfico das restrições: maximização.

Tomando os valores (x, y) em cada um dos pontos e substituindo nas equações a que chegamos na nova formulação, construímos a Tabela 3.1 a seguir.

Tabela 3.1 Valores das variáveis nos pontos extremos

Ponto extremo	x	y	s_1	s_2	s_3
P	0	0	24	16	3
Q	4	0	8	0	3
R	3	2	0	0	1
S	3/2	3	0	4	0
T	0	3	6	10	0

Repare o leitor que, em qualquer um dos pontos extremos, existem sempre duas variáveis com valores nulos. Em termos gerais, podemos enunciar:

Em um problema de programação linear com k incógnitas e q equações, nos pontos extremos da região possível tem-se sempre (k – q) incógnitas com valor igual a zero.

É essa propriedade que fornece o *modus operandi* do Simplex, pois a solução encontra-se em um dos pontos extremos. Fazendo-se conjuntos diferentes de (k – q) incógnitas iguais a zero, determinam-se soluções básicas possíveis. Com os valores das variáveis assim obtidos, determina-se o valor correspondente da função objetivo e, portanto, chega-se à solução ótima. É o que explicaremos um pouco mais na seção seguinte, quando veremos (intuitivamente) como funciona o Simplex.

3.2 Como opera o Simplex

Sabemos que o Simplex é tão-somente uma sequência de cálculos simples levando à solução de um problema de programação linear. É interessante, porém, ter uma visão geral de como progridem esses cálculos, o que pode ser feito com auxílio da região permissível delimitada na Figura 2.4, reproduzida ainda há pouco (página 64). Como já sabemos, os pontos P, Q, R, S e T são os pontos extremos da região possível. Em cada um desses pontos, o Simplex fará uma interação, até chegar à solução do problema. O Simplex começa sempre testando a origem (ponto P) como solução. Na origem, x = 0 e y = 0, e o valor da função objetivo também é zero. A origem não é solução, mas é um ponto de partida para o Simplex.

Da origem, o Simplex passa ao ponto Q, onde x = 4 e y = 0, porque a variável x é a que, sozinha, dá a maior contribuição isolada ao lucro expresso na função objetivo (o coeficiente de x é 80, enquanto o de y é menor, 60).

Do ponto Q, o Simplex passa ao teste do ponto R, que melhora ainda mais a solução e onde, aliás, se encontra a solução do problema. Aí se encerram as interações, já que o valor da função objetivo é máximo nesse ponto.

A técnica implica a geração de uma série de cálculos que são colocados em forma de tabela. Cada tabela gerada recebe o nome de *tableau*. Cada interação do Simplex (ou seja, cada teste de um ponto extremo) corresponde à criação de um tableau. O tableau é construído de tal forma que, inspecionando-se sua linha mais baixa, é possível dizer se a solução que ele representa é ou não a melhor possível.

O primeiro tableau corresponde à origem, em que o valor da função objetivo é zero. Melhora-se essa solução, passando-se a outro ponto extremo da região permissível. Havendo outro ponto extremo em que a solução seja ainda melhor, para lá se deslocarão os cálculos, e assim por diante, até que a melhor solução possível seja encontrada.

Rotina de cálculos do Simplex:

1. monta-se um tableau inicial que corresponde à origem;
2. esse primeiro tableau é transformado em um segundo, que apresenta uma solução melhorada, por meio de uma série de cálculos;
3. esse procedimento se repete até que se chegue a um tableau que reflita a solução ótima;
4. quando da criação de cada tableau, existe um teste para verificar se a solução ótima foi ou não atingida.

Passemos agora a um exemplo simples, em que o leitor poderá acompanhar, passo a passo, a montagem dos tableaux e as interações.

3.3 Exemplo de solução pelo Simplex: maximização

Em um primeiro momento, vamos ilustrar a sequência de cálculos do Simplex usando um exemplo que irá levar a dois tableaux apenas. O primeiro tableau, ou tableau inicial, como recorda o leitor, corresponde à origem, com $x = y = 0$. O problema tratado é de maximização, apenas com restrições do tipo $\leq$; veremos depois como são tratados outros tipos de restrições ($\geq$ ou meramente $=$) e como lidar com problemas de minimização.

Consideremos o seguinte problema de maximização:

Exemplo 3.1

Maximizar x + 2y

Sujeito a

$3x + 4y \leq 24$

$5x + 2y \leq 20$

$x \geq 0; y \geq 0$

O tableau inicial parte do problema colocado na forma genérica, como veremos a seguir.

3.3.1 *Construindo o tableau inicial*

Vamos colocar o problema em forma genérica, transformando as inequações em equações, com a ajuda de variáveis de folga:

$3x + 4y + 1s_1 + 0s_2 = 24$

$5x + 2y + 0s_1 + 1s_2 = 20$

A colocação de coeficientes zero para s_2 na primeira equação e s_1 na segunda, respectivamente, não é mera filigrana. Os coeficientes nulos comporão no primeiro tableau, e é conveniente que estejam evidentes nas equações.

É preciso também alterar a função objetivo (alterar na forma, não na substância) para incorporar as novas variáveis de folga. Tanto s_1 como s_2 devem aparecer na função objetivo, com coeficientes nulos. A nova formulação (completa) que deverá ser a base para o primeiro tableau é a seguinte:

Maximizar $1x + 2y + 0s_1 + 0s_2$

Sujeito a

$3x + 4y + 1s_1 + 0s_2 = 24$

$5x + 2y + 0s_1 + 1s_2 = 20$

O leitor irá reparar que o problema está escrito em uma forma tal que facilita bastante a montagem do primeiro tableau, que passaremos agora a construir, passo a passo. Uma parte desse tableau é construída tomando-se os coeficientes como aparecem na formulação, distribuídos da forma a seguir, que configura um aspecto parcial do primeiro tableau:

Tabela 3.2 Início da construção do primeiro tableau (ainda parcial)

		Variáveis de decisão					
		1	2	0	0		(linha objetivo)
c_j	Variáveis na solução	x	y	s_1	s_2	b_j	$\frac{b_j}{a_{ij}}$
0	s_1	3	4	1	0	24	
0	s_2	5	2	0	1	20	

Analisemos a Tabela 3.2, que apresenta quatro linhas distintas. Na primeira delas estão listadas as contribuições de cada variável à função objetivo, dadas pelos coeficientes dessas variáveis na própria função objetivo. Como s_1 e s_2 em nada contribuem, aparecem com coeficientes zero, como já foi visto.

A segunda linha é uma espécie de "linha guia", pois lista os elementos básicos que constituem o tableau. Da esquerda para a direita, aparece primeiro c_j, que irá mostrar a contribuição, para a função objetivo, das variáveis presentemente na solução, ou seja, aquelas que estão sendo testadas. No caso da Tabela 3.2, os dois valores de c_j são iguais a zero (ver a coluna de c_j), pois correspondem a s_1 e s_2. Ainda na segunda linha, vem em seguida a coluna de "Variáveis na solução", que irá indicar quais as variáveis que compõem na solução presente, no caso as variáveis de folga, s_1 e s_2, por onde se começa a construção do primeiro tableau.

A segunda linha lista, em seguida, as variáveis que aparecem na função objetivo e nas restrições, ou seja, x, y, e as variáveis de folga, s_1 e s_2. A coluna b_j indica o lado direito das restrições, e a relação b_j / a_{ij} indica um cálculo intermediário na sequência de cálculos do Simplex, cuja utilidade será vista mais adiante.

Note o leitor que, na Tabela 3.2, os números que aparecem nas colunas de x, y, s_1, s_2 e b_j são copiados exatamente das restrições, ou seja, são os coeficientes das variáveis e os valores do lado direito das restrições. Como o tableau inicial corresponde a x = y = 0, ou seja, à origem dos eixos x, y, os valores de s_1 e s_2, lidos diretamente na coluna b_j, representam recursos ociosos, que não estão sendo usados.

Falta ainda uma parte a acrescentar na Tabela 3.2 para que se complete o primeiro tableau. Duas linhas serão ainda colocadas, a linha Z e a linha C – Z. A linha Z terá seus valores nas colunas de x, y, s_1, s_2 e b_j. Dada uma coluna qualquer, correspondente a uma dada variável, o valor da linha Z nessa coluna indica a redução na função objetivo que iria ocorrer se uma unidade da variável fosse acrescentada à solução. O valor da linha C – Z, sob uma dada coluna, indica o acréscimo potencial à função objetivo se uma unidade da variável fosse acrescentada à solução.

Embora, em nosso exemplo, para o tableau inicial a linha Z seja uma linha só de zeros, é útil enunciar uma regra geral para sua construção e aplicá-la desde o começo. Para calcular a linha Z, partimos das linhas que representam as variáveis na solução – em nosso caso presente, as linhas de s_1 e s_2. Multiplicam-se os coeficientes das variáveis e os lados direitos das restrições, em cada coluna, pelos valores c_j correspondentes que se encontram à esquerda e somam-se os produtos. Essas somas, coluna a coluna, constituem a linha Z. Vejamos:

c_j	x	y	s_1	s_2	b_j
0	3 (0)	4 (0)	1 (0)	0 (0)	24 (0)
0	5 (0)	2 (0)	0 (0)	1 (0)	20 (0) (+)
z	0	0	0	0	0

Importante: a soma sob a coluna b_j, na linha Z, indica sempre o valor da função objetivo associado com o tableau. Sabíamos já que, no caso do primeiro tableau, esse valor era igual a zero, pois x = y = 0.

Para calcular a linha C – Z, em cada coluna, subtraímos a linha Z, coluna a coluna, dos coeficientes das variáveis na função objetivo:

Variável	x	y	s_1	s_2
Coeficientes	1	2	0	0
Linha Z	0	0	0	0 (–)
Linha C – Z	1	2	0	0

Podemos agora completar nosso tableau inicial, representado na Tabela 3.3.

Dado que o tableau está completo, segue-se a pergunta: como saber se a solução que ele representa é a solução ótima? Em outras palavras, como saber se a solução x = y = 0 é ótima?

Regra para teste da solução: se na linha C – Z os valores são todos nulos ou negativos, então a solução ótima foi encontrada. A inspeção da linha C – Z revela que existem ainda dois valores positivos; logo, devemos continuar a caminho do segundo tableau, rumo a uma nova solução.

Tabela 3.3 O tableau inicial, completo

		Variáveis de decisão					
		1	2	0	0		(linha objetivo)
c_j	Variáveis na solução	x	y	s_1	s_2	b_j	$\frac{b_j}{a_{ij}}$
0	s_1	3	4	1	0	24	
0	s_2	5	2	0	1	20	
	Linha Z	0	0	0	0	0	
	Linha C – Z	1	2	0	0		

3.3.2 *Construindo o segundo tableau*

O segundo tableau começa com a consideração de qual variável fornece, isoladamente, a maior contribuição à função objetivo. Basta, para tanto, inspecionar a linha C – Z que acabamos de construir, pois ela mostra, coluna a coluna, a contribuição de cada unidade da variável respectiva à função objetivo. Claramente, a variável y é a que oferece essa maior contribuição, com o valor 2. Isso quer dizer que, a cada unidade de y acrescida à solução, a função objetivo crescerá duas unidades.

Na terminologia da programação linear, diz-se que, nesse caso, y é a "variável que entra" no tableau, o que se dará à custa de outra "variável que sai". É aqui que entra o cálculo b_j / a_{ij}. Para descobrir a "variável que sai", divide-se cada valor b_j pelo valor correspondente (na mesma linha) na coluna da variável que entra, y. A linha em que aparecer o menor coeficiente indica a variável que irá sair. Veja o leitor os cálculos na Tabela 3.4.

Tabela 3.4 Determinação da variável que sai do tableau

		Variáveis de decisão					
		1	2	0	0		(linha objetivo)
c_j	Variáveis na solução	x	y	s_1	s_2	b_j	$\frac{b_j}{a_{ij}}$
0	s_1	3	4	1	0	24	$\frac{24}{4} = 6$
0	s_2	5	2	0	1	20	$\frac{20}{2} = 10$
	Linha Z	0	0	0	0	0	
	Linha C – Z	1	2	0	0		

Quem deverá sair, portanto, é a variável s_1, pois apresenta a menor relação b_j / a_{ij} (24/4 = 6).

Novos valores deverão ser determinados, tanto para a linha da variável que sai como para as linhas das outras variáveis (em nosso tableau, há apenas mais uma linha, a da variável s_2). A linha da variável que sai recebe o nome de *linha principal.*

Determinação da nova linha principal

O número que aparece na intersecção da coluna da variável que entra (y) com a linha principal, da variável que sai (s_1), é chamado de *elemento pivô* e tem importante papel. Em nosso caso, esse elemento vale 4. Para obter os novos valores da linha principal, todos os valores da antiga linha principal são divididos pelo pivô:

Variável	x	y	s_1	s_2	b_j
Antiga linha principal	3	4	1	0	24
(dividida por 4)	$\frac{3}{4}$	$\frac{4}{4}$	$\frac{1}{4}$	$\frac{0}{4}$	$\frac{24}{4}$
Nova linha principal	$\frac{3}{4}$	1	$\frac{1}{4}$	0	6

Determinação da nova linha da variável s_2

A variável s_1 saiu do tableau, entrando em seu lugar a variável y. Encontramos já os novos valores da linha principal e vamos agora determinar novos valores para a outra variável, que permaneceu no tableau, ou seja, s_2. Em primeiro lugar, determinemos o número que se encontra na intersecção da linha da variável s_2 com a coluna da variável que entrou no tableau (y). Esse número é 2. Procedimento para definir a nova linha de s_2:

a) multiplicar cada valor da nova linha principal (já determinada) pelo número encontrado no cruzamento referido (número 2):

Variável	x	y	s_1	s_2	b_j
Nova linha principal	$\frac{3}{4}$	1	$\frac{1}{4}$	0	6
(multiplicada por 2)	$\frac{3}{4}$ (2)	1 (2)	$\frac{1}{4}$ (2)	0 (2)	6 (2)
Valores resultantes	$\frac{3}{2}$	2	$\frac{1}{2}$	0	12

b) os valores resultantes são agora subtraídos da antiga linha de s_2:

Variável	x	y	s_1	s_2	b_j
Antiga linha de s_2	5	2	0	1	20
(menos)	$\frac{3}{2}$	2	$\frac{1}{2}$	0	12
= Nova linha de s_2	$\frac{7}{2}$	0	$-\frac{1}{2}$	1	8

Até o momento, o segundo tableau, que não está completo, tem o seguinte aspecto (Tabela 3.5):

Tabela 3.5 Aspecto parcial do segundo tableau

		Variáveis de decisão					
		1	2	0	0		(linha objetivo)
c_j	Variáveis na solução	x	y	s_1	s_2	b_j	$\frac{b_j}{a_{ij}}$
2	y	$\frac{3}{4}$	1	$\frac{1}{4}$	0	6	
0	s_2	$\frac{7}{2}$	0	$-\frac{1}{2}$	1	8	

Para completar o segundo tableau, precisamos das linhas Z e C – Z. A linha Z ficará assim:

c_j	x	y	s_1	s_2	b_j
2	$\frac{3}{4}$(2)	1 (2)	$\frac{1}{4}$(2)	0 (2)	6 (2)
0	$\frac{7}{2}$(0)	0 (0)	$-\frac{1}{2}$(0)	1 (0)	8 (0) (+)
Z	$\frac{3}{2}$	2	$\frac{1}{2}$	0	12

A linha C – Z ficará, portanto:

Variável	x	y	s_1	s_2
Coeficientes	1	2	0	0
Linha Z	$\frac{3}{2}$	2	$\frac{1}{2}$	0 (–)
Linha C – Z	$-\frac{1}{2}$	0	$-\frac{1}{2}$	0

Estamos agora em condições de apresentar o segundo tableau completo, que está na Tabela 3.6.

Tabela 3.6 O segundo tableau, completo

		Variáveis de decisão					
		1	2	0	0		(linha objetivo)
c_j	Variáveis na solução	x	y	s_1	s_2	b_j	$\frac{b_j}{a_{ij}}$
2	y	$\frac{3}{4}$	1	$\frac{1}{4}$	0	6	
0	s_2	$\frac{7}{2}$	0	$-\frac{1}{2}$	1	8	
	Linha Z	$\frac{3}{2}$	2	$\frac{1}{2}$	0	12	
	Linha C - Z	$-\frac{1}{2}$	0	$-\frac{1}{2}$	0		

A inspeção da linha C – Z nos indica que encontramos a solução ótima, já que todos os valores são nulos ou negativos. Observando a coluna b_j, o leitor perceberá que

$x = 0$ (pois x não aparece)

$y = 6$

e o valor da função objetivo é 12.

Façamos um exercício complementar útil. Vamos substituir os valores de $x = 0$ e $y = 6$ nas restrições:

$$3x + 4y + 1s_1 = 24$$

$$3\,(0) + 4\,(6) + 1s_1 = 24$$

$24 + 1s_1 = 24$, ou $s_1 = 0$ (não há recursos ociosos correspondentes a s_1)

e também

$$5\,x + 2y + 1s_2 = 20$$

$$5\,(0) + 2\,(6) + 1s_2 = 20$$

$$12 + 1s_2 = 20$$

$s_2 = 8$ (existem 8 unidades de recursos ociosos correspondentes a s_2).

Pode-se notar que as restrições foram obedecidas, embora existam 8 unidades de recursos não aproveitados, incorporadas pela variável de folga s_2.

Na Figura 3.1, que mostra a solução gráfica do problema que acabamos de solucionar pelo Simplex, o leitor pode observar como o Simplex operou nesse caso. A região possível é determinada pelo quadrilátero

ABCD. Inicialmente, foi feito o teste do ponto A, a origem, com a solução x = 0 e y = 0. Em seguida, fomos movidos diretamente para o ponto D, onde x = 0 e y = 6, que é a solução ótima, encontrada com apenas duas interações (dois tableaux).

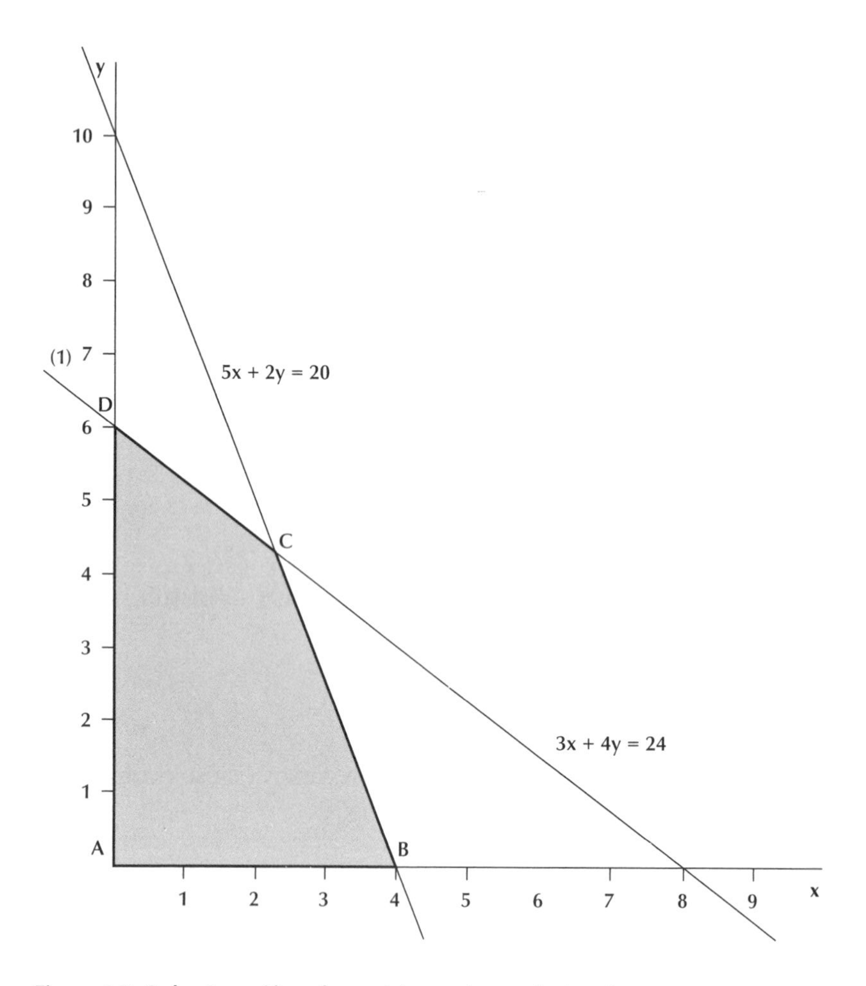

Figura 3.1 Solução gráfica do problema de maximização.

3.4 Como lidar com restrições com lado direito negativo

Como o tableau exige que o lado direito das restrições seja um número positivo, sempre que isso não ocorrer, deveremos fazer uma intervenção. Considere o leitor os três casos a seguir:

$3x - 7y \leq -12$ (caso A)

$-2x + 3y \geq -8$ (caso B)

$-2x - 5x = -9$ (caso C)

A regra básica é: para eliminar o lado direito negativo, multiplique ambos os lados da restrição por (–1) e inverta o símbolo de desigualdade, nos casos A e B. No caso C, tratando-se de uma igualdade, basta fazer a multiplicação por (–1) e conservar a igualdade. Assim, temos, fazendo as operações indicadas:

$-3x + 7y \geq 12$

$2x - 3y \leq 8$

$2x + 5y = 9$

bastando, daí por diante, tratar as restrições como de costume para a construção do tableau.

3.5 Como lidar com restrições do tipo "=" ou "≥"

Vimos que, para transformar uma restrição do tipo ≤ (menor ou igual) em uma igualdade (o Simplex exige que todas as inequações sejam transformadas em igualdades), devemos acrescentar uma variável de folga, que simbolicamente apropria-se do recurso correspondente não usado. Muitas vezes, entretanto, um problema apresenta também restrições do tipo "=" ou "≥".

3.5.1 *Restrições do tipo "≥"*

Vejamos inicialmente o caso da restrição do tipo "maior ou igual", bastante comum em problemas de minimização, mas que pode ser encontrada também em problemas de maximização. Seja, por exemplo, a restrição:

$3x + 2y \geq 30$

Para transformar essa restrição em uma igualdade, precisamos somar ao segundo membro uma certa variável s_1:

$3x + 2y = 30 + s_1$

Ao contrário da variável de folga, s_1 agora representa uma *variável de excesso* (*surplus* em inglês, daí também o uso da letra s para indicá-la), ou seja, aquilo que $3x + 2y$ está acima de 30, no caso da restrição em pauta.

Entretanto, s_1 pode ser pensado também como uma variável de folga negativa, bastando trocá-la de membro:

$3x + 2y - s_1 = 30$

Porém, o artifício de acrescentar uma variável de folga, que funcionou tão bem com a restrição do tipo "≤", ainda não será suficiente neste presente caso da restrição "≥", pois quando fizermos $x = y = 0$, teremos

$3\ (0) + 2\ (0) - s_1 = 30$ ou

$s_1 = -30$

Como já vimos, o Simplex não admite o segundo membro da igualdade como um número negativo.

A solução é, então, usar um artifício matemático, criando uma variável chamada *variável artificial*, sem um sentido particular tal como o que se pode atribuir à variável de folga ou de excesso. A variável artificial é uma criação meramente matemática, que não comporá na solução final. Nossa equação deve, portanto, ficar como

$3x + 2y + a_1 - s_1 = 30$

Agora é possível pensar em $x = y = 0$, sem violar quaisquer regras da programação linear.

3.5.2 *Restrições do tipo "="*

Aparentemente, como devemos transformar todas as restrições em igualdades, talvez não devêssemos alterar nada na igualdade original. Isso não é verdade, entretanto. Basta considerar a seguinte igualdade como exemplo:

$x + 5y = 42$

Se fizermos $x = y = 0$, teremos

$0 = 42$, o que é um absurdo.

A solução é lançar mão de uma variável artificial: a_2, por exemplo

$x + 5y + a_2 = 42$

Se estamos nos referindo a um recurso, por exemplo, então a_2 representa totalmente o recurso disponível quando $x = y = 0$. Repare o leitor que não há agora a necessidade de acrescentar uma variável de folga ou de excesso.

3.6 Mudanças na função objetivo

Quando introduzimos uma variável de excesso (ou variável de folga negativa) em uma restrição do tipo $\geq$ (maior ou igual), devemos inseri-la também na função objetivo, tal como fazíamos com a variável de folga. Como a variável de folga, a variável de excesso também aparecerá na função objetivo com coeficiente zero, que irá compor depois no Simplex.

Já o tratamento dado às variáveis artificiais é diferente. Como elas são meros artifícios matemáticos, não devem aparecer na solução final. Devemos inseri-las na função objetivo de forma a assegurar, portanto, que não componham na solução definitiva. Isso é conseguido com o auxílio de um artifício conhecido por alguns autores como "o grande M".

Quando o problema for de maximização, cada variável artificial entra na função objetivo com o coeficiente (–M), sendo M um número positivo, suposto muito grande, maior do que qualquer outro número que possa aparecer nas várias fases do Simplex. O fato de M aparecer com sinal negativo assegura que nenhuma variável artificial aparecerá na solução.

Se, por outro lado, o problema for de minimização, basta colocar cada variável artificial com coeficiente (+M). O sinal positivo assegurará que nenhuma variável artificial aparecerá na solução.

Exemplo 3.2

Considere o seguinte problema de programação linear:

Maximizar $x + 3y$

Sujeito a

$3x - 2y \geq 10$

$2x + 3y = 34$

$4x + 12y \leq 104$

$x \geq 0; y \geq 0$

Reescrever o problema de forma a compor diretamente no primeiro tableau do Simplex e solucioná-lo.

Solução

Transformemos de início as restrições, de forma que se convertam em igualdades. Aparecem na formulação os três tipos de restrições. Para transformá-las em igualdades, teremos de acrescentar:

- uma variável de excesso e uma variável artificial na primeira restrição, do tipo $\geq$;
- uma variável artificial na segunda restrição, do tipo $=$;
- uma variável de folga na terceira restrição, do tipo $\leq$.

Temos, portanto, $3x - 2y \geq 10$ transformando-se em

$3x - 2y - 1s_1 + 1a_1 = 10$, onde s_1 é uma variável de excesso e a_1 é uma variável artificial para a primeira restrição.

Por sua vez, $2x + 3y = 34$ já é uma igualdade, bastando acrescentar uma variável artificial:

$$2x + 3y + 1a_2 = 34$$

Finalmente, acrescentamos a variável de folga s_3 na terceira restrição, que fica

$$4x + 12y + 1s_3 = 104$$

Passemos à transformação da função objetivo. As variáveis de folga ou excesso aparecem com coeficiente zero (para efeito de tableau) e as variáveis artificiais aparecem com coeficiente $-M$, já que o problema é de maximização. Temos, portanto, a nova formulação da função objetivo:

$$1x + 3y + 0s_1 + 0s_3 - Ma_1 - Ma_2$$

A nova formulação completa do problema será

Maximizar $1x + 3y + 0s_1 + 0s_3 - Ma_1 - Ma_2$

Sujeito a

$$3x - 2y - 1s_1 + 0s_3 + 1a_1 + 0a_2 = 10$$
$$2x + 3y + 0s_1 + 0s_3 + 0a_1 + 1a_2 = 34$$
$$4x + 12y + 0s_1 + 1s_3 + 0a_1 + 0a_2 = 104$$

Temos seis incógnitas: x, y, s_1, s_3, a_1 e a_2, e apenas três equações.

Vimos anteriormente que, em um problema simples de maximização, com apenas restrições do tipo $\leq$ (menor ou igual), o conjunto inicial de soluções colocava no tableau as variáveis de folga, igualando cada variável de decisão a zero. No caso presente, quando existem tipos misturados de restrições, a solução inicial consistirá de todas as variáveis artificiais e de todas as variáveis de folga, ou seja, a_1, a_2 e s_3. O aspecto do tableau inicial, ainda incompleto, sem as linhas Z e C – Z, é o seguinte:

			Variáveis de decisão						
		1	3	0	0	–M	–M		
c_j	Variáveis na solução	x	y	s_1	s_3	a_1	a_2	b_j	$\frac{b_j}{a_{ij}}$
–M	a_1	3	–2	–1	0	1	0	10	
–M	a_2	2	3	0	0	0	1	34	
0	s_3	4	12	0	1	0	0	104	

Passemos à construção da linha Z:

c_j	x	y	s_1	s_3	a_1	a_2	b_j
–M	3 (–M)	–2 (–M)	–1 (–M)	0 (–M)	1 (–M)	0 (–M)	10 (–M)
–M	2 (–M)	3 (–M)	0 (–M)	0 (–M)	0 (–M)	1 (–M)	34 (–M)
0	4 (0)	12 (0)	0 (0)	0 (0)	0 (0)	0 (0)	104 (0)
Z	–5M	–M	M	0	–M	–M	–44M

E agora ao cálculo da linha C – Z:

Variável	x	y	s_1	s_3	a_1	a_2
Coeficientes	1	3	0	0	–M	–M
Linha Z	–5M	–M	M	0	–M	–M
Linha C – Z	1 + 5M	3 + M	–M	0	0	0

A seguir apresentamos o primeiro tableau completo:

			Variáveis de decisão						
		1	3	0	0	–M	–M		
c_j	Variáveis na solução	x	y	s_1	s_3	a_1	a_2	b_j	$\frac{b_j}{a_{ij}}$
–M	a_1	3	–2	–1	0	1	0	10	
–M	a_2	2	3	0	0	0	1	34	
0	s_3	4	12	0	1	0	0	104	
	Linha Z	–5M	–M	M	0	–M	–M	–44M	
	Linha C – Z	1 + 5M	3 + M	–M	0	0	0		

Não encontramos ainda a solução ótima, pois a linha C – Z ainda tem elementos positivos. Nessa primeira solução, $x = y = s_1 = 0$ e $a_1 = 10$, $a_2 = 34$ e $s_3 = 104$. O valor da função objetivo é –44M.

A variável que entra é x, com a maior contribuição expressa na linha C – Z, ou seja, 1 + 5M, claramente maior que a contribuição de y, que é 3 + M. Para determinar a variável que sai, calculemos os índices b_j / a_{ij}, sendo a_{ij} os valores na coluna da variável que entra (x):

c_j	Variáveis na solução	x	y	s_1	s_3	a_1	a_2	b_j	b_j / a_{ij}
–M	a_1	3	–2	–1	0	1	0	10	$\frac{10}{3}$
–M	a_2	2	3	0	0	0	1	34	$\frac{34}{2}$
0	s_3	4	12	0	1	0	0	104	$\frac{104}{4}$

O menor valor b_j / a_{ij} é 10/3, na linha da variável a_1, que fica sendo assim a variável que sai. Temos, então, que sai a variável a_1 e entra a variável x na nova solução, para compor no segundo tableau. O elemento pivô é 3, no cruzamento da linha da variável que sai com a coluna da variável que entra.

Determinemos os valores da nova linha principal e das novas linhas das variáveis a_2 e s_3.

Nova linha principal

A nova linha principal é obtida dividindo-se cada elemento da antiga linha principal pelo elemento pivô.

Variável	x	y	s_1	s_3	a_1	a_2	b_j
Antiga linha principal	3	–2	–1	0	1	0	10
(dividida por 3)	$\frac{3}{3}$	$-\frac{2}{3}$	$-\frac{1}{3}$	$\frac{0}{3}$	$\frac{1}{3}$	$\frac{0}{3}$	$\frac{10}{3}$
Nova linha principal	1	$-\frac{2}{3}$	$-\frac{1}{3}$	0	$\frac{1}{3}$	0	$\frac{10}{3}$

Nova linha da variável a_2

A intersecção da linha da variável a_2 com a coluna da variável que entra (x) é 2. Para determinar os valores da nova linha de a_2, em primeiro lugar multiplicam-se os valores da nova linha principal por 2:

Variável	x	y	s_1	s_3	a_1	a_2	b_j
Nova linha principal	1	$-\frac{2}{3}$	$-\frac{1}{3}$	0	$\frac{1}{3}$	0	$\frac{10}{3}$
(multiplicada por 2)	1 (2)	$-\frac{2}{3}(2)$	$-\frac{1}{3}(2)$	0 (2)	$\frac{1}{3}(2)$	0 (2)	$\frac{10}{3}(2)$
Valores resultantes	2	$-\frac{4}{3}$	$-\frac{1}{3}$	0	$\frac{2}{3}$	0	$\frac{20}{3}$

Os valores resultantes são agora subtraídos da antiga linha de a_2:

Variável	x	y	s_1	s_3	a_1	a_2	b_j
Antiga linha de a_2	2	3	0	0	0	1	34
(menos)	2	$-\frac{4}{3}$	$-\frac{2}{3}$	0	$\frac{2}{3}$	0	$\frac{20}{3}$
Nova linha de a_2	0	$\frac{13}{3}$	$\frac{2}{3}$	0	$-\frac{2}{3}$	1	$\frac{82}{3}$

Nova linha da variável s_3

A intersecção da linha de s_3 com a coluna da variável que entra (x) é 4, valor pelo qual são multiplicados os valores da nova linha principal:

Variável	x	y	s_1	s_3	a_1	a_2	b_j
Nova linha principal	1	$-\frac{2}{3}$	$-\frac{1}{3}$	0	$\frac{1}{3}$	0	$\frac{10}{3}$
(multiplicada por 4)	1 (4)	$-\frac{2}{3}(4)$	$-\frac{1}{3}(4)$	0 (4)	$\frac{1}{3}(4)$	0 (4)	$\frac{10}{3}(4)$
Valores resultantes	4	$-\frac{8}{3}$	$-\frac{4}{3}$	0	$\frac{4}{3}$	0	$\frac{40}{3}$

Os valores resultantes são subtraídos da antiga linha de s_3:

Variável	x	y	s_1	s_3	a_1	a_2	b_j
Antiga linha de s_3	4	12	0	1	0	0	104
(menos)	4	$-\frac{8}{3}$	$-\frac{4}{3}$	0	$\frac{4}{3}$	0	$\frac{40}{3}$
Nova linha de s_3	0	$\frac{44}{3}$	$\frac{4}{3}$	1	$-\frac{4}{3}$	0	$\frac{272}{3}$

Por enquanto, o segundo tableau apresenta o seguinte aspecto:

			Variáveis de decisão						
		1	3	0	0	–M	–M		
c_j	Variáveis na solução	x	y	s_1	s_3	a_1	a_2	b_j	$\frac{b_j}{a_{ij}}$
1	x	1	$-\frac{2}{3}$	$-\frac{1}{3}$	0	$\frac{1}{3}$	0	$\frac{10}{3}$	
–M	a_2	0	$\frac{13}{3}$	$\frac{2}{3}$	0	$-\frac{2}{3}$	1	$\frac{82}{3}$	
0	s_3	0	$\frac{44}{3}$	$\frac{4}{3}$	1	$-\frac{4}{3}$	0	$\frac{272}{3}$	

Passemos à construção da linha Z:

c_j	x	y	s_1	s_3	a_1	a_2	b_j
1	1 (1)	$-\frac{2}{3}$ (1)	$-\frac{1}{3}$ (1)	0 (1)	$\frac{1}{3}$ (1)	0 (1)	$\frac{10}{3}$ (1)
–M	0 (–M)	$\frac{13}{3}$ (–M)	$\frac{2}{3}$(–M)	0 (–M)	$-\frac{2}{3}$(–M)	1 (–M)	$\frac{82}{3}$ (–M)
0	0 (0)	$\frac{44}{3}$ (0)	$\frac{4}{3}$ (0)	1 (0)	$-\frac{4}{3}$ (0)	0 (0)	$\frac{272}{3}$ (0)
Z	1	$-\frac{2}{3} - \frac{13}{3}M$	$\frac{1}{3} - \frac{2}{3}M$	0	$\frac{1}{3} + \frac{2}{3}M$	–M	$\frac{10}{3} - \frac{82}{3}M$

E agora ao cálculo da linha C – Z:

Variável	x	y	s_1	s_3	a_1	a_2
Coeficientes	1	3	0	0	–M	–M
Linha Z	1	$-\frac{2}{3} - \frac{13}{3}M$	$-\frac{1}{3} - \frac{2}{3}M$	0	$\frac{1}{3} + \frac{2}{3}M$	–M
Linha C – Z	0	$\frac{11}{3} + \frac{5}{3}M$	$\frac{1}{3} + \frac{2}{3}M$	0	$-\frac{1}{3} - \frac{5}{3}M$	0

O segundo tableau completo ficará assim:

			Variáveis de decisão						
		1	3	0	3	–M	–M		
c_j	Variáveis na solução	x	y	s_1	s_3	a_1	a_2	b_j	$\frac{b_j}{a_{ij}}$
1	x	1	$-\frac{2}{3}$	$-\frac{1}{3}$	0	$\frac{1}{3}$	0	$\frac{10}{3}$	
–M	a_2	0	$\frac{13}{3}$	$\frac{2}{3}$	0	$-\frac{2}{3}$	1	$\frac{82}{3}$	
0	s_3	0	$\frac{44}{3}$	$\frac{4}{3}$	1	$-\frac{4}{3}$	0	$\frac{272}{3}$	
	Linha Z	1	$-\frac{2}{3} - \frac{13}{3}M$	$-\frac{1}{3} - \frac{2}{3}M$	0	$\frac{1}{3} + \frac{2}{3}M$	–M	$\frac{10}{3} - \frac{82}{3}M$	
	Linha C – Z	0	$\frac{11}{3} + \frac{5}{3}M$	$\frac{1}{3} + \frac{2}{3}M$	0	$-\frac{1}{3} - \frac{5}{3}M$	0		

Não temos ainda a solução ótima, pois a linha C – Z ainda tem elementos positivos. Nessa segunda solução, $x = 10/3$, $y = s_1 = a_1 = 0$ e $a_2 = 82/3$, $s_3 = 272/3$. O valor da função objetivo é $10/3 - 8/3M$.

Dessa vez, a variável que deve entrar é y, com a maior contribuição expressa na linha C – Z, ou seja, $11/3 + 5/3M$. Para determinar a variável que sai, calculemos os índices b_j/a_{ij}, sendo a_{ij}, os valores na coluna da variável que entra (y):

c_j	Variáveis na solução	x	y	s_1	s_3	a_1	a_2	b_j	b_j / a_{ij}
1	x	1	$-\frac{2}{3}$	$-\frac{1}{3}$	0	$\frac{1}{3}$	0	$\frac{10}{3}$	(*)
–M	a_2	0	$\frac{13}{3}$	$\frac{2}{3}$	0	$-\frac{2}{3}$	1	$\frac{82}{3}$	$\frac{82}{13}$
0	s_3	0	$\frac{44}{3}$	$\frac{4}{3}$	1	$-\frac{4}{3}$	0	$\frac{272}{3}$	$\frac{272}{44}$

(*) Não se pode dividir por um a_{ij} negativo.

O menor quociente é 272/44, e assim s_3 é a variável que sai; o elemento pivô é 44/3.

Vamos calcular agora os valores da nova linha principal e das novas linhas das variáveis x e a_2.

Nova linha principal

A nova linha principal é obtida dividindo-se cada elemento da antiga linha principal pelo elemento pivô.

Variável	x	y	s_1	s_3	a_1	a_2	b_j
Antiga linha principal	0	$\frac{44}{3}$	$\frac{4}{3}$	1	$-\frac{4}{3}$	0	$\frac{272}{3}$
(dividida por 44/3)	$\frac{0}{\left(\frac{44}{3}\right)}$	$\frac{\frac{44}{3}}{\left(\frac{44}{3}\right)}$	$\frac{\frac{4}{3}}{\left(\frac{44}{3}\right)}$	$\frac{1}{\left(\frac{44}{3}\right)}$	$\frac{-\frac{4}{3}}{\left(\frac{44}{3}\right)}$	$\frac{0}{\left(\frac{44}{3}\right)}$	$\frac{\frac{272}{3}}{\left(\frac{44}{3}\right)}$
Nova linha principal	0	1	$\frac{1}{11}$	$\frac{3}{44}$	$-\frac{1}{11}$	0	$\frac{68}{11}$

Nova linha da variável x

A intersecção da linha da variável x com a coluna da variável que entra (y) é –2/3. Para determinar os valores da nova linha de x, em primeiro lugar multiplicam-se os valores da nova linha principal por –2/3:

Variável	x	y	s_1	s_3	a_1	a_2	b_j
Nova linha principal	0	1	$\frac{1}{11}$	$\frac{3}{44}$	$-\frac{1}{11}$	0	$\frac{68}{11}$
(Multiplicada por –2/3)	$0\left(-\frac{2}{3}\right)$	$1\left(-\frac{2}{3}\right)$	$\frac{1}{11}\left(-\frac{2}{3}\right)$	$\frac{3}{44}\left(-\frac{2}{3}\right)$	$-\frac{1}{11}\left(-\frac{2}{3}\right)$	$0\left(-\frac{2}{3}\right)$	$\frac{68}{11}\left(-\frac{2}{3}\right)$
Valores resultantes	0	$-\frac{2}{3}$	$-\frac{2}{33}$	$-\frac{2}{44}$	$\frac{2}{33}$	0	$-\frac{136}{33}$

Os valores resultantes são agora subtraídos da antiga linha de x:

Variável	x	y	s_1	s_3	a_1	a_2	b_j
Antiga linha de x	1	$-\frac{2}{3}$	$-\frac{1}{3}$	0	$\frac{1}{3}$	0	$\frac{10}{3}$
(menos)	0	$-\frac{2}{3}$	$-\frac{2}{33}$	$-\frac{2}{44}$	$\frac{2}{33}$	0	$-\frac{136}{33}$
Nova linha de x	1	0	$-\frac{9}{33}$	$\frac{2}{44}$	$\frac{9}{33}$	0	$-\frac{246}{33}$

Nova linha da variável a_2

A intersecção da linha de a_2 com a coluna da variável que entra (y) é 13/3, valor pelo qual são multiplicados os valores da nova linha principal:

Variável	x	y	s_1	s_3	a_1	a_2	b_j
Nova linha principal	0	1	$\frac{1}{11}$	$\frac{3}{44}$	$-\frac{1}{11}$	0	$\frac{68}{11}$
(multiplicada por 13/3)	$0\left(\frac{13}{3}\right)$	$1\left(\frac{13}{3}\right)$	$\frac{1}{11}\left(\frac{13}{3}\right)$	$\frac{3}{44}\left(\frac{13}{3}\right)$	$-\frac{1}{11}\left(\frac{13}{3}\right)$	$0\left(\frac{13}{3}\right)$	$\frac{68}{11}\left(\frac{13}{3}\right)$
Valores resultantes	0	$\frac{13}{3}$	$\frac{13}{33}$	$\frac{13}{44}$	$-\frac{13}{33}$	0	$\frac{884}{33}$

Os valores resultantes são subtraídos da antiga linha de x:

Variável	x	y	s_1	s_3	a_1	a_2	b_j
Antiga linha de a_2	0	$\frac{13}{3}$	$\frac{2}{3}$	0	$-\frac{2}{3}$	1	$\frac{82}{3}$
(menos)	0	$\frac{13}{3}$	$\frac{13}{33}$	$\frac{13}{44}$	$-\frac{13}{33}$	0	$\frac{884}{33}$
Nova linha de a_2	0	0	$\frac{9}{33}$	$-\frac{13}{44}$	$-\frac{9}{33}$	1	$\frac{18}{33}$

Até aqui, o terceiro tableau apresenta o seguinte aspecto:

			Variáveis de decisão						
		1	3	0	0	–M	–M		
c_j	Variáveis na solução	x	y	s_1	s_3	a_1	a_2	b_j	$\frac{b_j}{a_{ij}}$
1	x	1	0	$-\frac{9}{33}$	$\frac{2}{44}$	$\frac{9}{33}$	0	$\frac{246}{33}$	
–M	a_2	0	0	$\frac{9}{33}$	$-\frac{13}{44}$	$-\frac{9}{33}$	1	$\frac{18}{33}$	
3	y	0	1	$\frac{1}{11}$	$\frac{3}{44}$	$-\frac{1}{11}$	0	$\frac{68}{11}$	

Vamos à construção da linha Z:

c_j	x	y	s_1	s_3	a_1	a_2	b_j
1	1 (1)	0 (1)	$-\frac{9}{33}(1)$	$\frac{2}{44}(1)$	$\frac{9}{33}(1)$	0 (1)	$\frac{246}{33}(1)$
–M	0 (–M)	0 (–M)	$\frac{9}{33}(-M)$	$-\frac{13}{44}(-M)$	$-\frac{9}{33}(M)$	1 (–M)	$\frac{18}{33}(-M)$
3	0 (3)	1 (3)	$\frac{1}{11}(3)$	$\frac{3}{44}(3)$	$-\frac{1}{11}(3)$	0 (3)	$\frac{68}{11}(3)$
Z	1	3	$-\frac{9}{33}M$	$\frac{11}{44}+\frac{13}{44}M$	$\frac{9}{33}M$	–M	$\frac{758}{33}-\frac{18}{33}-M$

E agora, ao cálculo da linha C – Z:

Variável	x	y	s_1	s_3	a_1	a_2
Coeficientes	1	3	0	0	–M	–M
Linha Z	1	3	$-\frac{9}{33}M$	$\frac{11}{44}+\frac{13}{44}M$	$\frac{9}{33}M$	–M
Linha C – Z	0	0	$\frac{9}{33}M$	$-\frac{11}{44}-\frac{13}{44}M$	$-\frac{42}{33}M$	0

Eis o terceiro tableau completo:

		Variáveis de decisão							
		1	3	0	0	–M	–M		
c_j	Variáveis na solução	x	y	s_1	s_3	a_1	a_2	b_j	$\frac{b_j}{a_{ij}}$
1	x	1	0	$-\frac{9}{33}$	$\frac{2}{44}$	$\frac{9}{33}$	0	$\frac{246}{33}$	
–M	a_2	0	0	$\frac{9}{33}$	$-\frac{13}{44}$	$-\frac{9}{33}$	1	$\frac{18}{33}$	
3	y	0	1	$\frac{1}{11}$	$\frac{3}{44}$	$-\frac{1}{11}$	0	$\frac{68}{11}$	
	Linha Z	1	3	$-\frac{9}{33}M$	$\frac{11}{44}+\frac{13}{44}M$	$\frac{9}{33}M$	–M	$\frac{758}{33}-\frac{18}{33}M$	
	Linha C – Z	0	0	$\frac{9}{33}M$	$-\frac{11}{44}-\frac{13}{44}M$	$-\frac{42}{33}M$	0		

Não atingimos ainda a solução ótima, pois a linha C – Z ainda tem um elemento positivo. Nessa terceira solução, x = 246/33 (ou 7,455), y = 68/11 (ou 6,182), $s_1 = s_3 = a_1 = 0$ e $a_2 = 18/33$. O valor da função objetivo é 758/33 – 18/33M.

A variável que entra é agora s_1, pois tem a maior contribuição expressa na linha C – Z, ou seja, 9/33M. Para determinar a variável que sai, calculemos os índices b_j / a_{ij}, sendo a_{ij} os valores na coluna da variável que entra (s_1):

c_j	Variáveis na solução	x	y	s_1	s_3	a_1	a_2	b_j	b_j / a_{ij}
1	x	1	0	$-\frac{9}{33}$	$\frac{2}{44}$	$\frac{9}{33}$	0	$\frac{246}{33}$	(*)
–M	a_2	0	0	$\frac{9}{33}$	$-\frac{13}{44}$	$-\frac{9}{33}$	1	$\frac{18}{33}$	$\frac{\frac{18}{33}}{\frac{9}{33}} = 2$
3	y	0	1	$\frac{1}{11}$	$\frac{3}{44}$	$-\frac{1}{11}$	0	$\frac{68}{11}$	$\frac{\frac{68}{11}}{\frac{1}{11}} = 68$

(*) Não se pode dividir por um a_{ij} negativo.

O menor quociente é 2, logo a_2 é a variável que sai, e o elemento pivô é 9/33.

Precisamos calcular agora os valores da nova linha principal e das novas linhas das variáveis x e y.

Nova linha principal

A nova linha principal é obtida dividindo-se cada elemento da antiga linha principal pelo elemento pivô.

Variável	x	y	s_1	s_3	a_1	a_2	b_j
Antiga linha principal	0	0	$\frac{9}{33}$	$-\frac{13}{44}$	$-\frac{9}{33}$	1	$\frac{18}{33}$
(dividida por 9/33)	$\frac{0}{\frac{9}{33}}$	$\frac{0}{\frac{9}{33}}$	$\frac{\frac{9}{33}}{\frac{9}{33}}$	$-\frac{\frac{13}{44}}{\frac{9}{33}}$	$-\frac{\frac{9}{33}}{\frac{9}{33}}$	$\frac{1}{\frac{9}{33}}$	$\frac{\frac{18}{33}}{\frac{9}{33}}$
Nova linha principal	0	0	1	$-\frac{429}{396}$	–1	$\frac{33}{9}$	2

Nova linha da variável x

A intersecção da linha da variável x com a coluna da variável que entra (s_1) é –9/33. Para determinar os valores da nova linha de x, em primeiro lugar multiplicam-se os valores da nova linha principal por –9/33:

Variável	x	y	s_1	s_3	a_1	a_2	b_j
Nova linha principal	0	0	1	$-\frac{429}{396}$	–1	$\frac{33}{9}$	2
(multiplicada por –9/33)	$0\left(-\frac{9}{33}\right)$	$0\left(-\frac{9}{33}\right)$	$1\left(-\frac{9}{33}\right)$	$-\frac{429}{396}\left(-\frac{9}{33}\right)$	$-1\left(-\frac{9}{33}\right)$	$\frac{33}{9}\left(-\frac{9}{33}\right)$	$2\left(-\frac{9}{33}\right)$
Valores resultantes	0	0	$-\frac{9}{33}$	$\frac{143}{484}$	$\frac{9}{33}$	–1	$-\frac{18}{33}$

Os valores resultantes são agora subtraídos da antiga linha de x:

Variável	x	y	s_1	s_3	a_1	a_2	b_j
Antiga linha de x	1	0	$-\frac{9}{33}$	$\frac{2}{44}$	$\frac{9}{33}$	0	$\frac{246}{33}$
(menos)	0	0	$-\frac{9}{33}$	$\frac{143}{484}$	$\frac{9}{33}$	–1	$-\frac{18}{33}$
Nova linha de x	1	0	0	$-\frac{1}{4}$	0	1	$\frac{264}{33} = 8$

Nova linha da variável y

A intersecção da linha de y com a coluna da variável que entra (s_1) é 1/11, valor pelo qual são multiplicados os valores da nova linha principal:

Variável	x	y	s_1	s_3	a_1	a_2	b_j
Nova linha principal	0	0	1	$-\frac{429}{396}$	−1	$\frac{33}{9}$	2
(multiplicada por 1/11)	$0\left(\frac{1}{11}\right)$	$0\left(\frac{1}{11}\right)$	$1\left(\frac{1}{11}\right)$	$-\frac{429}{396}\left(\frac{1}{11}\right)$	$-1\left(\frac{1}{11}\right)$	$\frac{33}{9}\left(\frac{1}{11}\right)$	$2\left(\frac{1}{11}\right)$
Valores resultantes	0	0	$\frac{1}{11}$	$-\frac{39}{396}$	$-\frac{1}{11}$	$\frac{1}{3}$	$\frac{2}{11}$

Os valores resultantes são subtraídos da antiga linha de y:

Variável	x	y	s_1	s_3	a_1	a_2	b_j
Antiga linha de y	0	1	$\frac{1}{11}$	$\frac{3}{44}$	$-\frac{1}{11}$	0	$\frac{68}{11}$
(menos)	0	0	$\frac{1}{11}$	$-\frac{39}{396}$	$-\frac{1}{11}$	$\frac{1}{3}$	$\frac{2}{11}$
Nova linha de y	0	1	0	$\frac{66}{396}$	0	$-\frac{1}{3}$	$\frac{66}{11}=6$

O quarto tableau apresenta o seguinte aspecto parcial:

		Variáveis de decisão							
		1	3	0	0	−M	−M		
c_j	Variáveis na solução	x	y	s_1	s_3	a_1	a_2	b_j	$\frac{b_j}{a_{ij}}$
1	x	1	0	0	$-\frac{1}{4}$	0	1	8	
0	s_1	0	0	1	$-\frac{429}{396}$	−1	$\frac{33}{9}$	2	
3	y	0	1	0	$\frac{66}{396}$	0	$-\frac{1}{3}$	6	

Segue-se a construção da linha Z:

c_j	x	y	s_1	s_3	a_1	a_2	b_j
1	1 (1)	0 (1)	0 (1)	$-\frac{1}{4}$ (1)	0 (1)	1 (1)	8 (1)
0	0 (0)	0 (0)	1 (0)	$-\frac{429}{396}$ (0)	–1 (0)	$\frac{33}{9}$ (0)	2 (0)
3	0 (3)	1 (3)	0 (3)	$\frac{66}{396}$ (3)	0 (0)	$-\frac{1}{3}$ (3)	6 (3)
Z	1	3	0	$\frac{99}{396}$	0	0	26

Finalmente, o cálculo da linha C – Z:

Variável	x	y	s_1	s_3	a_1	a_2
Coeficientes	1	3	0	0	–M	–M
Linha Z	1	3	0	$\frac{99}{396}$	0	0
Linha C – Z	0	0	0	$-\frac{99}{396}$	–M	–M

Temos, então, o quarto tableau completo:

			Variáveis de decisão						
		1	3	0	0	–M	–M		
c_j	Variáveis na solução	x	y	s_1	s_3	a_1	a_2	b_j	$\frac{b_j}{a_{ij}}$
1	x	1	0	0	$-\frac{1}{4}$	0	1	8	
0	s_1	0	0	1	$-\frac{429}{396}$	–1	$\frac{33}{9}$	2	
3	y	0	1	0	$\frac{66}{396}$	0	$-\frac{1}{3}$	6	
	Linha Z	1	3	0	$\frac{99}{396}$	0	0	26	
	Linha C – Z	0	0	0	$-\frac{99}{396}$	–M	–M		

Como todos os elementos da linha C – Z são nulos ou negativos, encontramos a solução ótima, que apresenta os seguintes valores:

$x = 8;\ y = 6;\ s_1 = 2$

O valor da função objetivo é 26.

É um exercício interessante observar como o Simplex foi testando as várias soluções, o que pode ser visto na Figura 3.2. A primeira solução testada está na origem, onde x = y = 0 (ponto A). O Simplex deslocou-se, então, para o ponto B, em seguida para o ponto C e, finalmente, para o ponto D, da solução ótima. Repare o leitor que a solução ótima deve estar sobre o segmento DE, já que isso acaba sendo exigido pela restrição $2x + 3y = 34$.

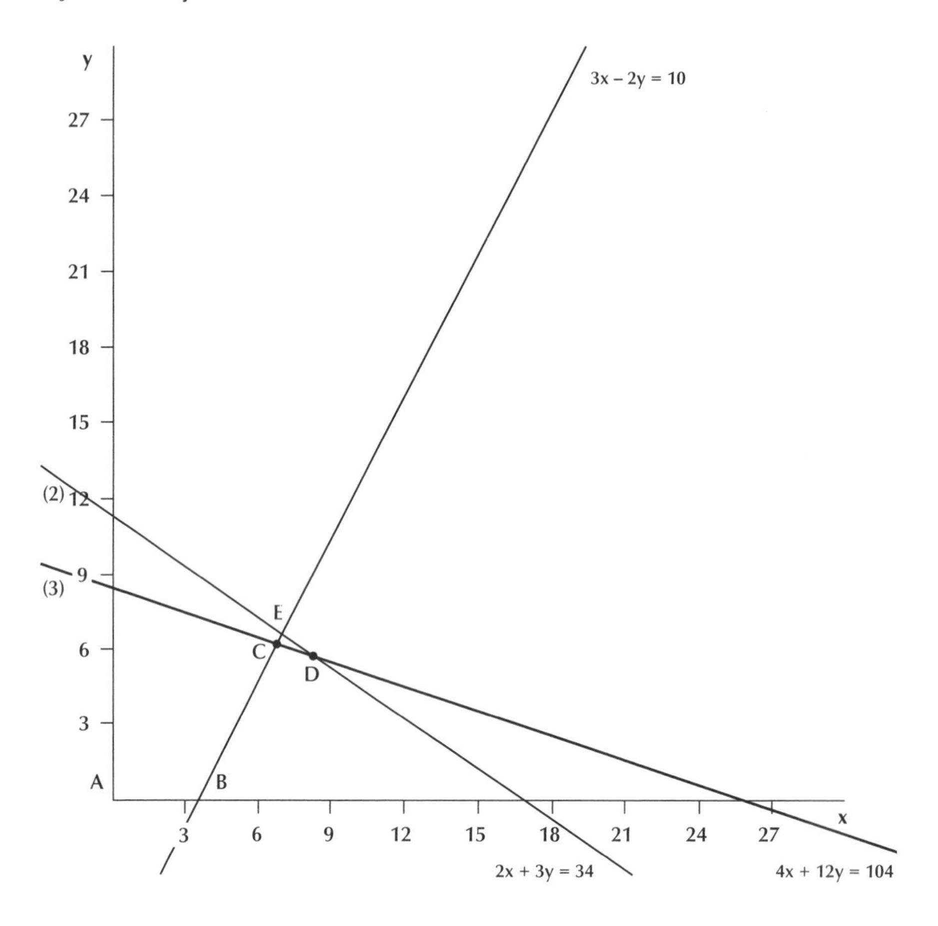

Figura 3.2 Teste de pontos extremos. Exemplo 3.2.

3.7 O Simplex em problemas de minimização

Uma forma muito simples de tratar um problema de minimização consiste em transformá-lo em outro problema, de maximização, bastando para isso multiplicar todos os coeficientes da função objetivo por (–1). Assim, por exemplo,

Minimizar $3x + 4y + 0s_1 + 0s_2 + Ma_3$

Transforma-se em

Maximizar $-3x - 4y - 0s_1 - 0s_2 - Ma_3$

Quanto às restrições, são conservadas como estavam originalmente. Os valores finais das variáveis de decisão estarão corretos, e o valor final da função objetivo é o da linha Z, coluna b_j, com sinal trocado.

Exemplo 3.3

Considerar o seguinte problema de programação linear:

Minimizar

$6x + 4y$

Sujeito a

$3x + y \geq 24$

$x + y \geq 16$

$2x + 6y \geq 48$

Reescrever o problema como um problema equivalente de maximização, de forma a compor diretamente no primeiro tableau do Simplex.

Solução

Transformemos as restrições em igualdades. Como são todas do tipo $\geq$ (maior ou igual), deveremos acrescentar a cada uma delas uma variável de excesso e uma variável artificial, ficando com

$3x + y - s_1 + a_1 = 24$

$x + y - s_2 + a_2 = 16$

$2x + 6y - s_3 + a_3 = 48$

Por sua vez, a função objetivo será reescrita assim:

$6x + 4y + 0s_1 + 0s_2 + 0s_3 + Ma_1 + Ma_2 + Ma_3$

incorporando as novas variáveis de excesso e artificiais.

Para transformá-lo em um problema de maximização equivalente, basta multiplicar todos os coeficientes da função objetivo por (–1), deixando as restrições como estão. Para compor diretamente no primeiro tableau como um problema de maximização, portanto, o problema será assim enunciado:

Maximizar

$-6x - 4y + 0s_1 + 0s_2 + 0s_3 - Ma_1 - Ma_2 - Ma_3$

Sujeito a

$3x + 1y - 1s_1 + 0s_2 + 0s_3 + 1a_1 + 0a_2 + 0a_3 = 24$

$1x + 1y + 0s_1 - 1s_2 + 0s_3 + 0a_1 + 1a_2 + 0a_3 = 16$

$2x + 6y + 0s_1 + 0s_2 - 1s_3 + 0a_1 + 0a_2 + 1a_3 = 48$

Temos agora oito incógnitas e apenas três equações; deverão compor no tableau inicial apenas as variáveis artificiais, já que não existem variáveis de folga, apenas variáveis de excesso. O aspecto do tableau inicial incompleto é o seguinte:

			Variáveis de decisão							
		–6	–4	0	0	0	–M	–M	–M	
c_j	Variáveis na solução	x	y	s_1	s_2	s_3	a_1	a_2	a_3	$\frac{b_j}{a_{ij}}$
–M	a_1	3	1	–1	0	0	1	0	0	24
–M	a_2	1	1	0	–1	0	0	1	0	16
–M	a_3	2	6	0	0	–1	0	0	1	48
	Linha Z									
	Linha C – Z									

Na solução representada pelo tableau, temos $x = y = s_1 = s_2 = s_3 = 0$ e $a_1 = 24$, $a_2 = 16$ e $a_3 = 48$. Deixamos a cargo do leitor a solução final do problema (tenha coragem, são cinco interações!). Como orientação, os valores das variáveis de decisão são $x = 4$ e $y = 12$, e o valor da função objetivo maximizada é –72. Lembrar, então, que o valor da função objetivo minimizada será 72.

Na Figura 3.3 estão marcados os pontos testados pelo Simplex, que seguiu a ordem: A (origem, $x = y = 0$); B ($x = 0$, $y = 8$); C ($x = 6$, $y = 6$); D ($x = 12$, $y = 4$) e E ($x = 4$, $y = 12$), onde se encontra a solução ótima, sendo 72 o valor da função objetivo.

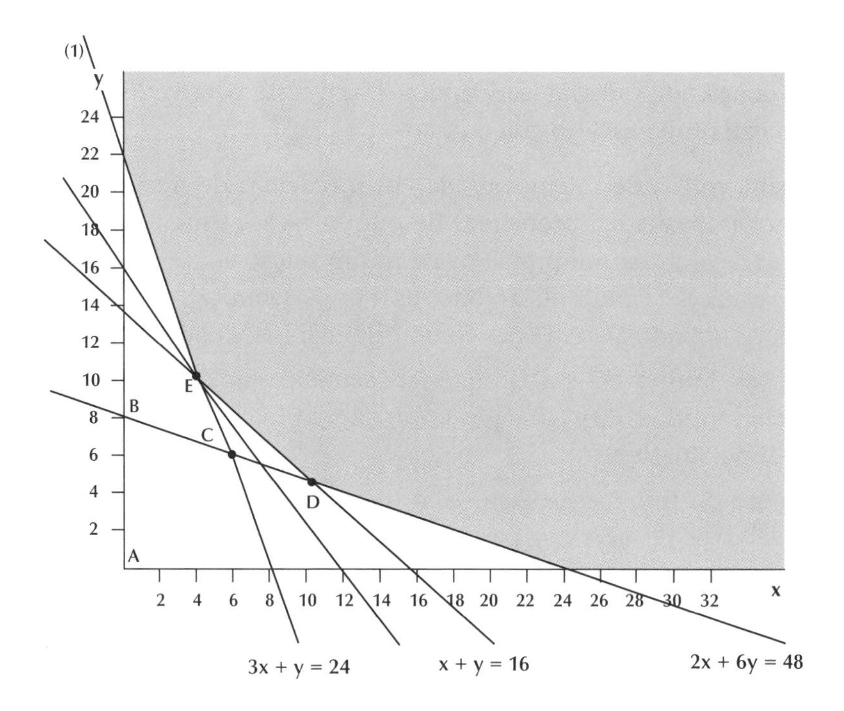

Figura 3.3 Teste de pontos extremos. Exemplo 3.3.

Pontos principais do capítulo

1. O Simplex é um método de solução de problemas de programação linear que envolve uma sequência de cálculos repetitivos.
2. A variável de folga pode ser interpretada como uma quantidade de recurso não utilizado; são usadas para transformar relações do tipo ≤ em igualdades.
3. Dado um problema de programação linear na forma padrão, com k incógnitas e q restrições, com k > q, fixando (k – q) variáveis iguais a zero, o número de variáveis resultantes será igual ao número de restrições (q). Essas q variáveis restantes podem ser determinadas, resultando no que se chama de uma solução básica ao problema de programação linear. Se a solução básica satisfizer às condições estabelecidas nas restrições, ela é chamada de solução básica possível.
4. A rotina de cálculos do Simplex é a seguinte:
   - monta-se um tableau (tabela) inicial que corresponde à origem;
   - o primeiro tableau é transformado em um segundo, com uma solução melhorada;

- esse procedimento vai se repetindo até se chegar a um tableau que traga a solução ótima;
- na criação de cada tableau, aplica-se um teste para verificar se a solução ótima foi atingida ou não.

5. A mesma rotina de cálculos usada em problemas de maximização pode ser utilizada em problemas de minimização. Uma forma simples de transformar um problema de minimização em um problema de maximização é multiplicar todos os termos da função objetivo por (–1), conservando as restrições como originalmente dadas.
6. Restrições do tipo "=" exigem que seja acrescida uma variável artificial, sem sentido físico, para que a restrição possa compor no tableau original do Simplex.
7. Restrições do tipo "≥" exigem, além da variável artificial, também uma variável de excesso, para que a restrição possa compor no tableau original do Simplex.

Exercícios resolvidos

Exercício resolvido nº 1

Resolver, por meio do Simplex, o seguinte problema de programação linear:

Maximizar $2x + 7y$

Sujeito a

$3x + 2y \geq 20$

$4x + 4y = 32$

$x \geq 0; y \geq 0$

Em seguida, visualizar graficamente a sequência de passos para a solução.

Solução

Para a construção do tableau inicial, é preciso colocar o problema em forma genérica, transformando as inequações em equações, com a ajuda de variáveis de folga, de excesso ou artificiais. Lembrando que uma inequação do tipo ≥ exige a introdução de uma variável de excesso e uma variável artificial e que uma igualdade exige uma variável artificial, temos:

$3x + 2y - 1s_1 + 1a_1 + 0a_2 = 20$

$4x + 4y + 0s_1 + 0a_1 + 1a_2 = 32$

Por sua vez, a função objetivo transforma-se em:

$2x + 7y + 0s_1 - Ma_1 - Ma_2$

onde M representa um número muito grande, que aparece com sinal negativo porque o problema é de maximização.

Podemos agora apresentar o primeiro tableau, ainda sem as linhas Z e C – Z:

		Variáveis de decisão						
		2	7	0	–M	–M		
c_j	Variáveis na solução	x	y	s_1	a_1	a_2	bj	$\frac{b_j}{a_{ij}}$
–M	a_1	3	2	–1	1	0	20	
–M	a_2	4	4	0	0	1	32	

Como o leitor se recorda, é preciso colocar ainda duas linhas no tableau: a linha Z e a linha C – Z. A linha Z terá seus valores nas colunas de x, y, s_1, a_1, a_2 e b_j. Como visto também, dada uma coluna qualquer, correspondente a uma dada variável, o valor da linha Z nessa coluna indica a redução na função objetivo que iria ocorrer se uma unidade da variável fosse acrescentada à solução. O valor da linha C – Z, sob uma dada coluna, indica o acréscimo potencial à função objetivo se uma unidade da variável fosse acrescentada à solução.

Cálculo da linha Z:

c_j	x	y	s_1	a_1	a_2	b_j
–M	3 (–M)	2 (–M)	–1 (–M)	1 (–M)	0 (–M)	20 (–M)
–M	4 (–M)	4 (–M)	0 (–M)	0 (–M)	1 (–M)	32 (–M)
Z	–7M	–6M	M	–M	–M	–52M

Para calcular a linha C – Z, em cada coluna, subtraímos a linha Z, coluna a coluna, dos coeficientes das variáveis na função objetivo:

Variável	x	y	s_1	a_1	a_2
Coeficientes	2	7	0	–M	–M
Linha Z	–7M	–6M	M	–M	–M
Linha C – Z	2 + 7M	7 + 6M	–M	0	0

Podemos agora completar nosso tableau inicial.

		Variáveis de decisão						
		2	7	0	–M	–M		
c_j	Variáveis na solução	x	y	s_1	a_1	a_2	b_j	$\frac{b_j}{a_{ij}}$
–M	a_1	3	2	–1	1	0	20	
–M	a_2	4	4	0	0	1	32	
	Linha Z	–7M	–6M	M	–M	–M	–52M	
	Linha C – Z	2 + 7M	7 + 6M	–M	0	0		

Na solução que aparece no tableau inicial, temos:

$x = y = s_1 = 0;\ a_1 = 20;\ a_2 = 32$

A inspeção da Linha C – Z mostra que a variável a entrar é x (maior contribuição à função objetivo). Para saber qual a variável que sai, calculemos as relações b_j / a_{ij}, como está mostrado a seguir.

		Variáveis de decisão						
		2	7	0	–M	–M		
c_j	Variáveis na solução	x	y	s_1	a_1	a_2	b_j	$\frac{b_j}{a_{ij}}$
–M	a_1	3	2	–1	1	0	20	$\frac{20}{3}$
–M	a_2	4	4	0	0	1	32	$\frac{32}{4}$
	Linha Z	–7M	–6M	M	–M	–M	–52M	
	Linha C – Z	2 + 7M	7 + 6M	–M	0	0		

Quem deverá sair é a variável a_1, pois apresenta a menor relação $–b_j / a_{ij}$ (20/3).

Determinemos agora os novos valores, para a linha da variável que sai (linha principal) e para a linha da variável a_2.

Determinação da nova linha principal

O elemento pivô (que aparece na intersecção da coluna da variável que entra com a linha principal) é 3. Para obter os novos valores da linha principal, todos os valores da antiga linha principal são divididos pelo pivô:

Variável	x	y	s_1	a_1	a_2	b_j
Antiga linha principal	3	2	–1	1	0	20
(dividida por 3)	$\frac{3}{3}$	$\frac{2}{3}$	$-\frac{1}{3}$	$\frac{1}{3}$	$\frac{0}{3}$	$\frac{20}{3}$
Nova linha principal	1	$\frac{2}{3}$	$-\frac{1}{3}$	$\frac{1}{3}$	0	$\frac{20}{3}$

Determinação da nova linha da variável a_2

Para determinar uma nova linha para a variável a_2, em primeiro lugar obtemos o número que se encontra na intersecção da linha da variável a_2 com a coluna da variável que entrou no tableau (x). Esse número é 4. Em seguida, devemos:

a) multiplicar cada valor da nova linha principal (anteriormente determinada) pelo número encontrado no cruzamento referido (4):

Variável	x	y	s_1	a_1	a_2	b_j
Nova linha principal	1	$\frac{2}{3}$	$-\frac{1}{3}$	$\frac{1}{3}$	0	$\frac{20}{3}$
(multiplicada por 4)	1 (4)	$\frac{2}{3}$ (4)	$-\frac{1}{3}$(4)	$\frac{1}{3}$(4)	0 (4)	$\frac{20}{3}$ (4)
Valores resultantes	4	$\frac{8}{3}$	$-\frac{4}{3}$	$\frac{4}{3}$	0	$\frac{80}{3}$

b) subtrair os valores resultantes da antiga linha de a_2:

Variável	x	y	s_1	a_1	a_2	b_j
Antiga linha de a_2	4	4	0	0	1	32
(menos)	4	$\frac{8}{3}$	$-\frac{4}{3}$	$\frac{4}{3}$	0	$\frac{80}{3}$
= Nova linha de a_2	0	$\frac{4}{3}$	$\frac{4}{3}$	$-\frac{4}{3}$	1	$\frac{16}{3}$

Eis agora o aspecto parcial do segundo tableau:

		Variáveis de decisão						
		2	7	0	–M	–M		
c_j	Variáveis na solução	x	y	s_1	a_1	a_2	b_j	$\frac{b_j}{a_{ij}}$
2	x	1	$\frac{2}{3}$	$-\frac{1}{3}$	$\frac{1}{3}$	0	$\frac{20}{3}$	
–M	a_2	0	$\frac{4}{3}$	$\frac{4}{3}$	$-\frac{4}{3}$	1	$\frac{16}{3}$	

Precisamos das linhas Z e C – Z. A linha Z ficará assim:

c_j	x	y	s_1	a_1	a_2	b_j
2	1 (2)	$\frac{2}{3}$ (2)	$-\frac{1}{3}$ (2)	$\frac{1}{3}$ (2)	0 (2)	$\frac{20}{3}$ (2)
–M	0 (–M)	$\frac{4}{3}$ (–M)	$\frac{4}{3}$ (–M)	$-\frac{4}{3}$ (–M)	1 (–M) (+)	$\frac{16}{3}$ (–M)
Z	2	$\frac{4-4M}{3}$	$\frac{-(2+4M)}{3}$	$\frac{2+4M}{3}$	–M	$\frac{40-16M}{3}$

A linha C – Z será:

Variável	x	y	s_1	a_1	a_2
Coeficientes	2	7	0	–M	–M
Linha Z	2	$\frac{4-4M}{3}$	$\frac{-(2+4M)}{3}$	$\frac{2+4M}{3}$	–M
Linha C – Z	0	$\frac{17+4M}{3}$	$\frac{2+4M}{3}$	$\frac{-(2+7M)}{3}$	0

Temos, portanto, o segundo tableau completo:

		Variáveis de decisão						
		2	7	0	–M	–M		
c_j	Variáveis na solução	x	y	s_1	a_1	a_2	b_j	$\frac{b_j}{a_{ij}}$
2	x	1	$\frac{2}{3}$	$-\frac{1}{3}$	$\frac{1}{3}$	0	$\frac{20}{3}$	$\frac{\frac{40}{3}}{\frac{4}{3}} = 10$
–M	a_2	0	$\frac{4}{3}$	$\frac{4}{3}$	$-\frac{4}{3}$	1	$\frac{16}{3}$	$\frac{-\frac{16}{3}M}{\frac{2}{3}}$
	Linha Z	2	$\frac{4-4M}{3}$	$\frac{-(2+4M)}{3}$	$\frac{2+4M}{3}$	–M	$\frac{40-16M}{3}$	
	Linha C – Z	0	$\frac{17+4M}{3}$	$\frac{2+4M}{3}$	$\frac{-(2+7M)}{3}$	0		

Não encontramos a solução ótima, pois a linha C – Z ainda apresenta valores positivos. A variável que entra é y (maior contribuição). No próprio tableau já estão calculados os índices b_j / a_{ij}. A variável que sai, como seria de se esperar, é a_2.

Calculemos, então, a nova linha principal.

O elemento pivô (que aparece na intersecção da coluna da variável que entra com a linha principal) é 4/3. Para obter os novos valores da linha principal, todos os valores da antiga linha principal são divididos pelo pivô:

Variável	x	y	s_1	a_1	a_2	b_j
Antiga linha principal	0	$\frac{4}{3}$	$\frac{4}{3}$	$-\frac{4}{3}$	1	$\frac{16}{3}$
(dividida por 4/3)	$\frac{0}{\frac{4}{3}}$	$\frac{\frac{4}{3}}{\frac{4}{3}}$	$\frac{\frac{4}{3}}{\frac{4}{3}}$	$-\frac{\frac{4}{3}}{\frac{4}{3}}$	$\frac{1}{\frac{4}{3}}$	$\frac{\frac{16}{3}}{\frac{4}{3}}$
Nova linha principal	0	1	1	–1	$\frac{3}{4}$	4

Determinemos agora a nova linha da variável x:

Para determinar uma nova linha para a variável x, em primeiro lugar obtemos o número que se encontra na intersecção da linha da variável x com a coluna da variável que entrou no tableau (y). Esse número é 2/3. Em seguida, devemos:

a) multiplicar cada valor da nova linha principal (anteriormente determinada) pelo número encontrado no cruzamento referido (2/3):

Variável	x	y	s_1	a_1	a_2	b_j
Nova linha principal	0	1	1	–1	$\frac{3}{4}$	4
(multiplicada por 2/3)	$0\left(\frac{2}{3}\right)$	$1\left(\frac{2}{3}\right)$	$1\left(\frac{2}{3}\right)$	$-1\left(\frac{2}{3}\right)$	$\frac{3}{4}\left(\frac{2}{3}\right)$	$4\left(\frac{2}{3}\right)$
Valores resultantes	0	$\frac{2}{3}$	$\frac{2}{3}$	$-\frac{2}{3}$	$\frac{1}{2}$	$\frac{8}{3}$

b) subtrair os valores resultantes da antiga linha de x:

Variável	x	y	s_1	a_1	a_2	b_j
Antiga linha de x	1	$\frac{2}{3}$	$-\frac{1}{3}$	$\frac{1}{3}$	0	$\frac{20}{3}$
(menos)	0	$\frac{2}{3}$	$\frac{2}{3}$	$-\frac{2}{3}$	$\frac{1}{2}$	$\frac{8}{3}$
= Nova linha de x	1	0	–1	1	$-\frac{1}{2}$	4

Aspecto parcial do terceiro tableau:

		Variáveis de decisão						
		2	7	0	–M	–M		
c_j	Variáveis na solução	x	y	s_1	a_1	a_2	b_j	$\frac{b_j}{a_{ij}}$
2	x	1	0	–1	1	$-\frac{1}{2}$	4	
7	y	0	1	1	–1	$\frac{3}{4}$	4	

A linha Z será assim calculada:

c_j	x	y	s_1	a_1	a_2	b_j
2	1 (2)	0 (2)	–1 (2)	1 (2)	$-\frac{1}{2}$(2)	4 (2)
7	0 (7)	1 (7)	1 (7)	–1 (7)	$\frac{3}{4}$(7)	4 (7)
z	2	7	5	–5	$\frac{17}{4}$	36

A linha C – Z será:

Variável	x	y	s_1	a_1	a_2
Coeficientes	2	7	0	–M	–M
Linha Z	2	7	5	–5	$\frac{17}{4}$
Linha C - Z	0	0	–5	–M + 5	$-M - \frac{17}{4}$

Temos, portanto, o terceiro tableau completo:

		Variáveis de decisão						
		2	7	0	–M	–M		
c_j	Variáveis na solução	x	y	s_1	a_1	a_2	b_j	$\frac{b_j}{a_{ij}}$
2	x	1	0	–1	1	$-\frac{1}{2}$	4	
7	y	0	1	1	–1	$\frac{3}{4}$	4	
	Linha Z	2	7	5	–5	$\frac{17}{4}$	36	
	Linha C - Z	0	0	–5	–M + 5	$-M - \frac{17}{4}$		

Como os valores da linha C – Z são todos nulos ou negativos, o problema chegou à sua solução. Temos, portanto:

$x = 4$; $y = 4$; $s_1 = a_1 = a_2 = 0$ e o valor da função objetivo é 36.

Na Figura 3.4, o leitor pode acompanhar os passos do Simplex. O primeiro tableau representa a solução na origem, ou seja, x = y = 0 (ponto A). Em seguida, a solução move-se para o ponto B, onde x = 20/3 e y = 0 (segundo tableau). Finalmente, a solução ótima (terceiro tableau) está no ponto C, com x = 4 e y = 4. Ao todo, são requeridas três interações para se chegar à solução ótima.

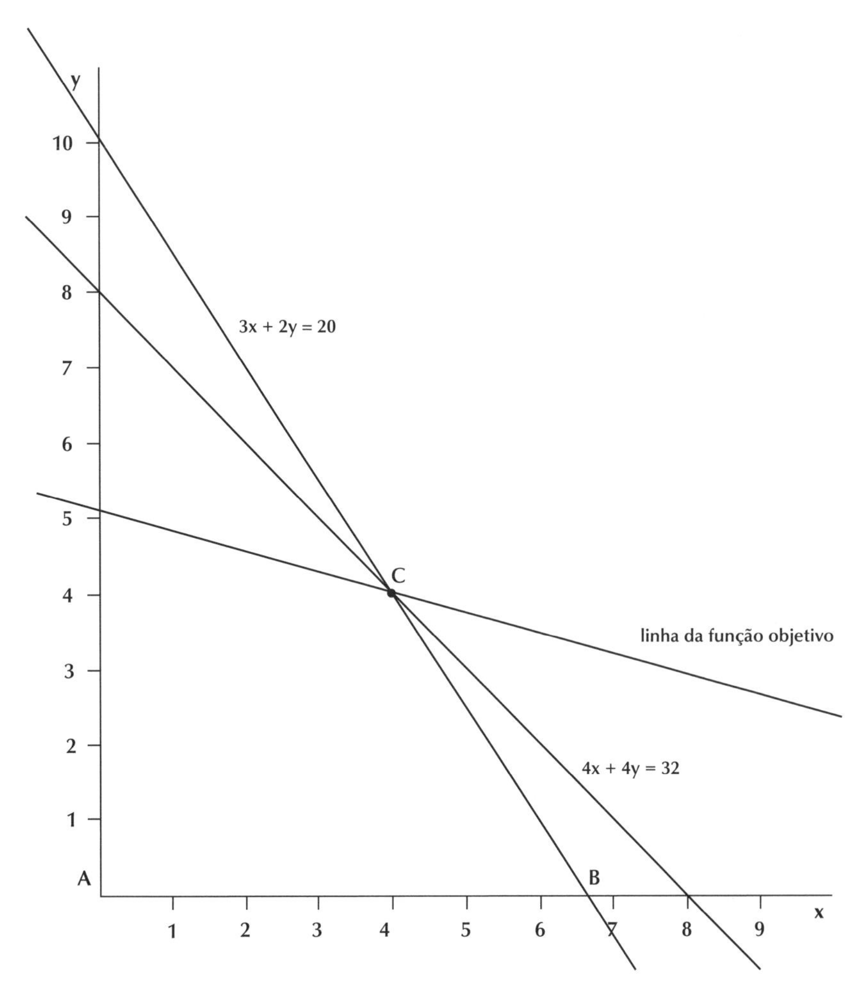

Figura 3.4 Solução Gráfica. Exercício Resolvido nº 1.

Exercício resolvido nº 2

Resolver pelo Simplex e visualizar graficamente a solução do seguinte problema de programação linear:

Minimizar $x + 2y$

Sujeito a

$5x - 5y \geq 10$

$3x + y \leq 12$

$x \geq 0; y \geq 0$

Solução

Para a montagem do tableau inicial, vamos colocar o problema em forma genérica, transformando as inequações em equações, com a ajuda de variáveis de folga, de excesso ou artificiais. Temos, imediatamente:

$$5x - 5y - 1s_1 + 0s_2 + 1a_1 = 10$$

$$3x + 1y + 0s_1 + 1s_2 + 0a_1 = 12$$

A função objetivo transforma-se em:

Minimizar $1x + 2y + 0s_1 + 0s_2 + Ma_1$, onde M representa um número muito grande. Para resolver o problema como sendo de maximização, basta multiplicar a função objetivo por (–1):

Maximizar

$$-1x - 2y + 0s_1 + 0s_2 - Ma_1$$

Adotemos como solução inicial $x = y = 0 = s_1$ e $a_1 = 10$ e $s_2 = 12$. Eis, então, o aspecto parcial do primeiro tableau (sem as linhas Z e C – Z):

		Variáveis de decisão						
		–1	–2	0	0	–M		
c_j	Variáveis na solução	x	y	s_1	s_2	a_1	b_j	$\frac{b_j}{a_{ij}}$
–M	a_1	5	–5	–1	0	1	10	
0	s_2	3	1	0	1	0	12	

Passemos à linha Z e à linha C – Z.

Cálculo da linha Z:

c_j	x	y	s_1	s_2	a_1	b_j
–M	5 (–M)	–5 (–M)	–1 (–M)	0 (–M)	1(–M)	10 (–M)
0	3 (0)	1 (0)	0 (0)	1 (0)	0 (0)	12 (0)
Z	–5M	5M	M	0	–M	–10M

Para calcular a linha C – Z, em cada coluna, subtraímos a linha Z, coluna a coluna, dos coeficientes das variáveis na função objetivo:

Variável	x	y	s_1	s_2	a_1
Coeficientes	–1	–2	0	0	–M
Linha Z	–5M	5M	M	0	–M
Linha C – Z	–1 + 5M	–2 – 5M	–M	0	0

O tableau inicial completo ficará assim:

		Variáveis de decisão						
		–1	–2	0	–M	–M		
c_j	Variáveis na solução	x	y	s_1	s_2	a_1	b_j	$\frac{b_j}{a_{ij}}$
–M	a_1	5	–5	–1	0	1	10	$\frac{10}{5} = 2$
0	s_2	3	1	0	1	0	12	$\frac{12}{3} = 4$
	Linha Z	–5M	5M	M	0	–M	–10M	
	Linha C – Z	–1 + 5M	–2 – 5M	–M	0	0		

A inspeção da Linha C – Z mostra que não atingimos ainda a solução ótima, pois há um valor positivo, correspondente à contribuição da variável x, que será a variável a entrar. Na própria Tabela 3 foram calculados os índices b_j / a_{ij}, mostrando que a variável a sair é a_2.

Determinemos agora novos valores, para a linha da variável que sai (linha principal) e para a linha da variável s_2.

Determinação da nova linha principal

Para obter os novos valores da linha principal, todos os valores da antiga linha principal são divididos pelo pivô, que é 5:

Variável	x	y	s_1	s_2	a_1	b_j
Antiga linha principal	5	–5	–1	0	1	10
(dividida por 5)	$\frac{5}{5}$	$-\frac{5}{5}$	$-\frac{1}{5}$	$\frac{0}{5}$	$\frac{1}{5}$	$\frac{10}{5}$
Nova linha principal	1	–1	$-\frac{1}{5}$	0	$\frac{1}{5}$	2

Determinação da nova linha da variável s_2

Para determinar uma nova linha para a variável s_2, em primeiro lugar obtemos o número que se encontra na intersecção da linha da variável s_2 com a coluna da variável que entrou no tableau (x). Esse número é 3. Em seguida, devemos:

a) multiplicar cada valor da nova linha principal (anteriormente determinada) pelo número encontrado no cruzamento referido (3):

Variável	x	y	s_1	s_2	a_1	b_j
Nova linha principal	1	–1	$-\frac{1}{5}$	0	$\frac{1}{5}$	2
(multiplicada por 3)	1 (3)	–1 (3)	$-\frac{1}{5}$ (3)	0 (3)	$\frac{1}{5}$ (3)	2 (3)
Valores resultantes	3	–3	$-\frac{3}{5}$	0	$\frac{3}{5}$	6

b) subtrair os valores resultantes da antiga linha de s_2:

Variável	x	y	s_1	s_2	a_1	b_j
Antiga linha de s_2	3	1	0	1	0	12
(menos)	3	–3	$-\frac{3}{5}$	0	$\frac{3}{5}$	6
= Nova linha de s_2	0	4	$\frac{3}{5}$	1	$-\frac{3}{5}$	6

Aspecto parcial do segundo tableau:

		Variáveis de decisão						
		–1	–2	0	0	–M		
c_j	Variáveis na solução	x	y	s_1	s_2	a_1	b_j	$\frac{b_j}{a_{ij}}$
–1	x	1	–1	$-\frac{1}{5}$	0	$\frac{1}{5}$	2	
0	s_2	0	4	$\frac{3}{5}$	1	$-\frac{3}{5}$	6	

Por sua vez, a linha Z ficará assim:

c_j	x	y	s_1	s_2	a_1	b_j
–1	1 (–1)	–1 (–1)	$-\frac{1}{5}(-1)$	0 (–1)	$\frac{1}{5}(-1)$	2 (–1)
0	0 (0)	4 (0)	$\frac{3}{5}(0)$	1 (0)	$-\frac{3}{5}(0)$	6 (0)
Z	–1	1	$\frac{1}{5}$	0	$-\frac{1}{5}$	–2

A linha C – Z será:

Variável	x	y	s_1	s_2	a_1
Coeficientes	–1	–2	0	0	–M
Linha Z	–1	1	$\frac{1}{5}$	0	$-\frac{1}{5}$
Linha C – Z	0	–3	$-\frac{1}{5}$	0	$-M+\frac{1}{5}$

Segundo tableau completo:

		Variáveis de decisão						
		–1	–2	0	–M	–M		
c_j	Variáveis na solução	x	y	s_1	s_2	a_1	b_j	$\frac{b_j}{a_{ij}}$
–1	x	1	–1	$-\frac{1}{5}$	0	$\frac{1}{5}$	2	
0	s_2	0	4	$\frac{3}{5}$	1	$-\frac{3}{5}$	6	
	Linha Z	–1	1	$\frac{1}{5}$	0	$-\frac{1}{5}$	–2	
	Linha C – Z	0	–3	$-\frac{1}{5}$	0	$-M+\frac{1}{5}$		

Como a linha C – Z só apresenta valores nulos ou negativos, a solução ótima foi encontrada: x = 2; y = 0; $s_1 = 0$ e $s_2 = 6$. O valor da função objetivo é 2 (lembrar que o problema original era de minimização: é necessário inverter o sinal do valor da função objetivo na linha Z).

Os passos do Simplex podem ser vistos na Figura 3.5. Tivemos apenas duas interações. Na primeira delas, x = y = 0 (origem: ponto A) e, na segunda, x = 2 e y = 0 (ponto B).

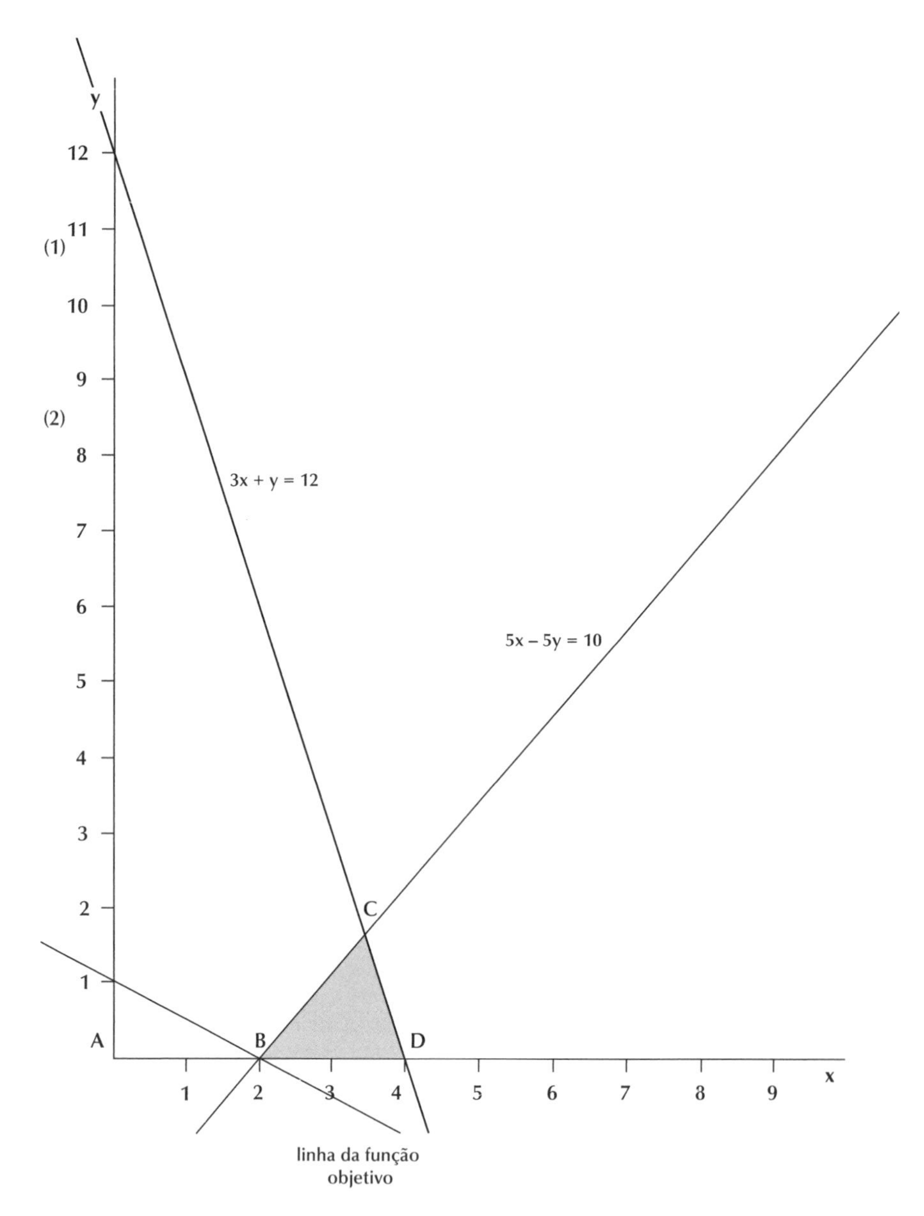

Figura 3.5 Solução Gráfica. Exercício Resolvido nº 2.

Questões propostas

1. O que é o método Simplex para a solução de um problema de programação linear?
2. Como opera o Simplex e qual sua rotina de cálculos?
3. Quais são as variáveis de decisão no tableau original?

4. O que são as variáveis na solução?
5. O que são "variável que entra" e "variável que sai"?
6. Como lidar com restrições com lado direito negativo?
7. Como lidar com restrições do tipo "=" ou "≥"?
8. O que são variáveis de folga, de excesso e artificiais?
9. O que é a linha principal?
10. O que é o elemento pivô?
11. Como adaptar um problema de minimização ao Simplex?

Glossário

Base: conjunto de variáveis que estão na solução, positivas e diferentes de zero.

Coluna pivô: coluna correspondente à variável que entra na solução.

Elemento pivô: é o número que está na intersecção da linha e da coluna pivô.

Linha C – Z: linha que indica perda ou ganho líquidos ao introduzir na solução uma unidade de cada variável indicada na coluna.

Linha pivô: linha correspondente à variável que sai para dar espaço à variável que entra na solução.

Linha Z: linha que contém os números que indicam ganho ou perda ao se adicionar uma unidade da variável na solução.

Simplex (ou método Simplex): algoritmo (sequência de cálculos interativos) destinado à solução de problemas de programação linear.

Solução corrente: solução atual onde nos encontramos no método Simplex.

Tableau: é a forma tabular na qual deve ser colocado um problema de programação linear para começar a aplicação do Simplex.

Variáveis artificiais: variáveis com figuração apenas matemática (sem sentido físico) usadas como ferramenta auxiliar na geração da solução inicial de um problema de programação linear.

Variáveis de excesso: são variáveis auxiliares inseridas em uma restrição do tipo ≥ para transformá-la em uma igualdade.

Variáveis de folga: são variáveis fictícias (isto é, são adicionadas ao problema de programação linear como um artifício auxiliar na solução) acrescidas ao lado esquerdo de uma restrição do tipo ≤ com o objetivo de converter a restrição em uma igualdade.

Exercícios propostos

1. Na formulação de um problema de programação linear, a função objetivo a ser maximizada é $2x + y$. Além das condições de não negatividade, existe uma só restrição:

   $x + y = 4$

   Pede-se:

   a) fazer um gráfico da restrição;
   b) à medida que se move a reta da função objetivo a partir da origem, determinar a primeira solução possível encontrada e a última;
   c) determinar qual é a melhor solução (obtida graficamente);
   d) solucionar o problema por meio do Simplex.

2. Construir o primeiro e o segundo tableaux para o seguinte problema de programação linear:

   Maximizar $2x + 3y$

   Sujeito a

   $x + y \leq 100$

   $x + 2y \leq 120$

   $x, y \geq 0$

3. No problema anterior:

   a) determinar as coordenadas dos pontos extremos da região possível, com auxílio do gráfico das restrições;
   b) determinar o valor da função objetivo em cada ponto extremo. Qual deles é a solução para o problema?

4. Colocar o problema a seguir na forma completa, acrescentando, quando necessário, as variáveis de folga e/ou artificiais:

   Minimizar $4x + 3y$

   Sujeito a

   $2x + y > 60$

   $2x + 3y \geq 120$

   $x + y > 100$

   $x, y \geq 0$

5. Resolver pelo Simplex:

   Maximizar $2x + 5y$

   Sujeito a

   $3x + 10y \leq 600$
   $x + 2y \leq 162$
   $x, y \geq 0$

6. Resolver pelo Simplex:

   Maximizar $2x + 3y$

   Sujeito a

   $x + 2y \leq 6$
   $3x + y \leq 8$
   $x, y \geq 0$

7. Resolver pelo Simplex, transformando antes o problema, de minimização em maximização:

   Minimizar $2x + y$

   Sujeito a

   $x + y \geq 10$
   $2x + 3y \geq 14$
   $x, y \geq 0$

8. Resolver pelo Simplex:

   Minimizar $4x + y$

   Sujeito a

   $2x + 2y \geq 10$
   $x + 6y \geq 20$
   $x, y \geq 0$

9. Concluir a solução do Exercício 2 pelo Simplex. Comparar com a solução gráfica obtida no Exercício 3.

10. Resolver pelo Simplex:

    Minimizar $x + 4y$

Sujeito a

$x + 2y = 75$

$x \leq 20$

$y \geq 14$

$x, y \geq 0$

Bibliografia

ANDRADE, E. L. *Introdução à pesquisa operacional*. 3. ed. Rio de Janeiro: LTC, 2004.

BRONSON, R.; NAADIMUTHU, G. *Schaum´s outline of operations research*. Nova York: McGraw-Hill, 1997.

CARTER, M. W.; PRICE, C. C. *Operations research*. A practical introduction. Boca Raton: CRC Press, 2001.

PRADO, D. *Programação linear*. Nova Lima: INDG, 2003.

RARDIN, R. L. *Optimization in operations research*. Upper Saddle River: Prentice Hall, 1997.

RESEARCH AND EDUCATION ASSOCIATION. *Operations research problem solver*, 1996.

4 Os Problemas de Transporte e Designação

Existem diversos problemas de interesse específico em programação linear, os quais merecem um estudo à parte, devido às aplicações que representam.

Dois desses problemas especiais, dentre os mais importantes, recebem o nome de *Problema de Transporte* (ou *Modelo de Transporte*) e *Problema de Designação* (ou *Modelo de Designação*). Graças à sua importância, esses problemas apresentam algoritmos especiais de solução, além, é claro, da solução-padrão por meio do Simplex.

Veremos inicialmente uma apresentação dos dois problemas, sendo tratados como exercícios normais de programação linear. A formulação de exemplos auxiliará o leitor a entender melhor a estrutura dos problemas. Em uma segunda etapa, apresentaremos ao leitor os algoritmos especiais para a solução.

4.1 O Problema de Transporte

O Problema de Transporte aparece quando há a necessidade de distribuição de bens e serviços de várias fontes de suprimento (como fábricas, por exemplo) para várias localizações de demanda, como armazéns ou centros distribuidores.

Em geral, a quantidade disponível de bens em cada fonte de suprimento é fixa ou limitada. Cada destino, por sua vez, tem também uma demanda especificada.

Há um problema de decisão envolvido nessa situação, pois existem rotas e custos de transporte diferentes entre cada fonte e cada destino. É preciso determinar quanto deve ser enviado de cada fonte, para cada destino, de maneira a satisfazer as demandas e minimizar o custo total de transporte.

Exemplo 4.1

Existem três fontes de suprimento de um dado produto, as quais serão indicadas por F_1, F_2 e F_3, com as seguintes capacidades mensais de produção:

F_1: 10.000 unidades

F_2: 15.000 unidades

F_3: 5.000 unidades,

perfazendo um total de 30.000 unidades disponíveis por mês. Essas três fontes devem suprir as necessidades de quatro armazéns (destinos), indicados por D_1, D_2, D_3 e D_4, com as seguintes demandas do produto por mês:

D_1: 8.000 unidades

D_2: 4.000 unidades

D_3: 7.000 unidades

D_4: 11.000 unidades,

chegando, portanto, a um total de 30.000 unidades de produto demandadas por mês.

A situação descrita pode ser representada por meio de uma rede, como mostrado na Figura 4.1.

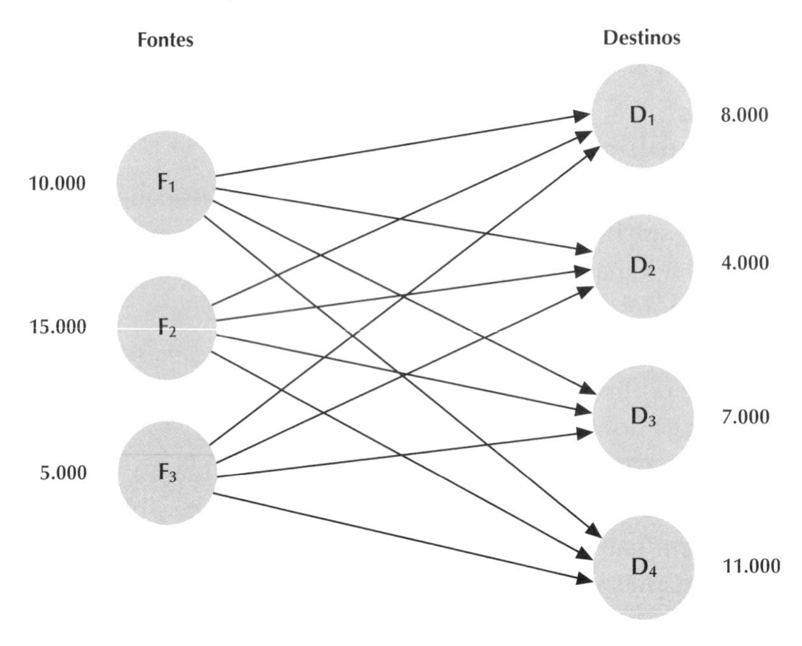

Figura 4.1 Rede de fontes de suprimento e destinos da demanda.

Na Figura 4.1, os círculos representam as fontes de suprimento e os destinos das demandas. Ao lado dos círculos, anotou-se a capacidade de produção de cada fonte de suprimento e o valor da demanda de cada um dos destinos. As linhas que unem os círculos representam as diversas rotas de transporte.

Por outro lado, admitamos que os custos de transporte nas várias rotas variem segundo a matriz a seguir (Tabela 4.1).

Tabela 4.1 Matriz de custos de transporte (R$/unidade). Exemplo 4.1

	D_1	D_2	D_3	D_4
F_1	13	8	9	12
F_2	12	9	10	14
F_3	8	8	9	6

Pede-se: formular a situação como um problema de programação linear.

Solução

Chamemos de x_{ij} ao número de unidades do produto despachadas da fonte de suprimento com o índice i (i = 1, 2, 3, pois temos três fontes de suprimento) para o destino com o índice j (j = 1, 2, 3, 4, pois temos quatro destinos). Fazendo uma síntese com os custos da Tabela 4.1, as informações sobre demanda dos destinos e capacidade de suprimento das fontes, podemos construir a chamada *matriz de transporte*, que está na Tabela 4.2:

Tabela 4.2 Matriz de transporte sem os valores despachados. Exemplo 4.1

	D_1	D_2	D_3	D_4	Suprimento
F_1	(13) x_{11}	(8) x_{12}	(9) x_{13}	(12) x_{14}	10.000
F_2	(12) x_{21}	(9) x_{22}	(10) x_{23}	(14) x_{24}	15.000
F_3	(8) x_{31}	(8) x_{32}	(9) x_{33}	(6) x_{34}	5.000
Demanda	8.000	4.000	7.000	11.000	30.000

As informações contidas na matriz de transporte são de reconhecimento imediato. Os números entre parênteses são os custos da rota entre a fonte e o destino correspondentes. Os vários x_{ij} são as variáveis de decisão do problema, ou seja, as quantidades que devem ser despachadas de cada fonte a cada destino. Como o leitor pode constatar, são ao todo 12 variáveis de decisão (número de fontes multiplicado pelo número de destinos). A última coluna à direita fornece a capacidade de suprimento de cada fonte, e a linha mais baixa fornece a demanda de cada um dos destinos.

Estamos prontos para começar a formulação propriamente dita, já que até aqui estávamos apenas estruturando o problema. Comecemos pela função objetivo. Sabemos que devemos buscar o menor custo possível de transporte do sistema. Ora, o custo de transporte de uma certa fonte a um certo destino é dado pelo produto da quantidade despachada dessa fonte para esse destino pelo custo que está entre parênteses na mesma célula, ou seja, o custo total será:

$$13x_{11} + 8x_{12} + 9x_{13} + 12x_{14} + 12x_{21} + 9x_{22} + 10x_{23} + 14x_{24} + 8x_{31} + \\ + 8x_{32} + 9x_{33} + 6x_{34}$$

As restrições, por sua vez, têm origem nos fatos de que:

a) cada fonte de suprimento tem produção limitada e de valor conhecido;

b) cada destino tem demanda especificada e conhecida.

Deveremos, portanto, ter dois conjuntos de restrições: um relativo à capacidade de produção das fontes e outro relativo à demanda dos destinos.

Restrições relativas à produção das fontes

Cada fonte é responsável pela geração de uma restrição; como temos três fontes, serão também três as restrições.

Restrição relativa à fonte F_1

Como a fonte F_1 pode produzir até 10.000 unidades do produto, tem-se:

$$x_{11} + x_{12} + x_{13} + x_{14} \leq 10.000$$

Como o leitor se recorda, na variável genérica x_{ij} o índice i representa a fonte (o número 1 corresponde a F_1), enquanto o índice j representa o destino. Quanto ao símbolo ≤, é preciso dizer que, em situações em que a demanda total seja exatamente igual à produção total, bastaria usarmos o símbolo =, já que obrigatoriamente deverá haver o consumo total da produção. Por uma questão de generalidade, entretanto, estamos usando o símbolo ≤, que, nesse caso, em nada altera a solução.

Restrição relativa à fonte F_2

Tem-se:

$$x_{21} + x_{22} + x_{23} + x_{24} \leq 15.000,$$

valendo as mesmas observações feitas com respeito à fonte F_1.

Restrição relativa à fonte F_3

Tem-se

$$x_{31} + x_{32} + x_{33} + x_{34} \leq 5.000,$$

sempre valendo as observações anteriores.

Restrições relativas às demandas dos destinos

Cada destino é responsável pela existência de uma restrição; portanto, teremos ao todo quatro restrições relativas aos destinos.

Restrição relativa ao destino D_1

Tem-se:

$$x_{11} + x_{21} + x_{31} = 8.000$$

Nesse caso, x_{11}, x_{21} e x_{31} indicam o total obtido de cada uma das fontes F_1, F_2 e F_3, devendo esse total ser exatamente igual a 8.000, que é a demanda de D_1.

Restrição relativa ao destino D_2

Tem-se:

$$x_{12} + x_{22} + x_{32} = 4.000,$$

sendo x_{12}, x_{22} e x_{32} o total recebido, respectivamente, das fontes F_1, F_2 e F_3, o qual deve ser igual à demanda total de D_2, ou seja, 4.000 unidades.

Restrição relativa ao destino D_3

Tem-se:

$$x_{13} + x_{23} + x_{33} = 7.000,$$

onde x_{13}, x_{23} e x_{33} representam o total que está sendo recebido das fontes F_1, F_2 e F_3, respectivamente, o qual deve ser igual a 7.000, que é a demanda total de D_3.

Restrição relativa ao destino D_4

Tem-se:

$$x_{14} + x_{24} + x_{34} = 11.000,$$

sendo x_{14}, x_{24} e x_{34} as quantidades recebidas, respectivamente, das fontes F_1, F_2 e F_3, as quais devem somar 11.000 (demanda total de D_4).

Tendo obtido a função objetivo e as restrições, podemos agora escrever o problema em sua forma genérica. Repare o leitor que temos sete restrições (além das condições de não negatividade), sendo três delas relativas às fontes e quatro relativas aos destinos.

Temos, assim, o problema completo:

Minimizar

$$13x_{11} + 8x_{12} + 9x_{13} + 12x_{14} + 12x_{21} + 9x_{22} + 10x_{23} + 14x_{24} + 8x_{31} + 8x_{32} + 9x_{33} + 6x_{34}$$

Sujeito a

$$x_{11} + x_{12} + x_{13} + x_{14} \leq 10.000$$
$$x_{21} + x_{22} + x_{23} + x_{24} \leq 15.000$$
$$x_{31} + x_{32} + x_{33} + x_{34} \leq 5.000$$
$$x_{11} + x_{21} + x_{31} = 8.000$$
$$x_{12} + x_{22} + x_{32} = 4.000$$
$$x_{13} + x_{23} + x_{33} = 7.000$$
$$x_{14} + x_{24} + x_{34} = 11.000$$
$$x_{ij} \geq 0$$

Temos em mãos um problema complexo, com 12 variáveis de decisão e sete restrições. É complicado e muito custoso, em termos de tempo, resolver tal problema sem auxílio de um computador, usando o Simplex, que já conhecemos. Como estamos, porém, em uma fase de apresentação do Problema de Transporte, vamos fornecer diretamente a solução (que foi, sem dúvida, obtida com o auxílio de um programa de computador).

A Tabela 4.3 mostra a matriz de transporte, já com as quantidades que seguem de cada fonte para cada destino, de forma a tornar mínimo o custo total de transporte.

Tabela 4.3 Matriz de transporte completa. Exemplo 4.1

	D_1	D_2	D_3	D_4	Suprimento
F_1	(13) 0	(8) 0	(9) 4.000	(12) 6.000	10.000
F_2	(12) 8.000	(9) 4.000	(10) 3.000	(14) 0	15.000
F_3	(8) 0	(8) 0	(9) 0	(6) 5.000	5.000
Demanda	8.000	4.000	7.000	11.000	30.000

Vê-se, portanto, que são satisfeitas integralmente tanto a demanda de cada destino como a capacidade de produção de cada fonte. O valor da função objetivo, ou o custo total de transporte, é de R$ 300.000 mensais.

4.2 Alguns casos especiais do Problema de Transporte

O primeiro caso especial de interesse é aquele em que não coincidem a demanda total dos destinos e a oferta total das fontes de suprimento. Esse caso se subdivide em dois outros, que são:

- a demanda total dos destinos é menor que a oferta total das fontes de suprimento;
- a demanda total dos destinos é maior que a oferta total das fontes de suprimento, o que indica que, na melhor das hipóteses, haverá pelo menos um abastecimento incompleto de um destino particular.

Nossa formulação original em nada se altera se a demanda total dos destinos for inferior à oferta total das fontes de suprimento. Agora, entretanto, é obrigatório usar o símbolo $\leq$ nas restrições relativas às capacidades das fontes, já que, sem dúvida, uma parte dessas capacidades não será usada.

Exemplo 4.2

Retomar os dados do Exemplo 4.1, alterando agora a capacidade de suprimento das fontes, como se segue:

Fonte	Capacidade antiga	Nova capacidade	Aumento de capacidade
F_1	10.000	12.000	2.000
F_2	15.000	15.000	não houve
F_3	5.000	9.000	4.000
Total	30.000	36.000	6.000

Mostrar a solução final obtida por computador e comentar.

Solução

Como supomos que permanece inalterada a demanda dos destinos (em 30.000 unidades), haverá um excesso de 6.000 unidades que não será alocado. Não há necessidade de reformular o problema, que ficaria de forma idêntica à que já apresentamos.

Mais uma vez, encontramos a solução ótima por computador, obtendo a nova matriz de transporte da Tabela 4.4.

Tabela 4.4 Matriz de transporte. Exemplo 4.2

	D_1	D_2	D_3	D_4	Suprimento usado	Excesso não usado
F_1	(13) 0	(8) 3.000	(9) 7.000	(12) 2.000	12.000	0
F_2	(12) 8.000	(9) 1.000	(10) 0	(14) 0	15.000	6.000
F_3	(8) 0	(8) 0	(9) 0	(6) 9.000	9.000	0
Demanda	8.000	4.000	7.000	11.000	30.000	

Houve um conjunto interessante de alterações, em relação aos valores da matriz de transporte da Tabela 4.3. Foram usadas tanto as 2.000 unidades adicionais da fonte F_1 como as 4.000 unidades adicionais da fonte F_3. Ao mesmo tempo, 6.000 unidades da fonte F_2 deixaram de ser usadas. Se o leitor observar os custos de transporte, verá que simplesmente foram esgotadas, inicialmente, as fontes de menor custo de transporte, deixando-se de lado o envio de produção com maior custo de transporte, ou seja, da fonte F_2. No caso presente, o valor da função objetivo reduziu-se a R$ 270.000 mensais, isto é, R$ 30.000 a menos que no caso anterior.

Consideremos agora o caso em que a demanda dos destinos é maior que a oferta das fontes de suprimento. Nesse caso, haverá obrigatoriamente algum tipo de desabastecimento em pelo menos um dos destinos.

Em princípio, se seguirmos a formulação usual, o problema resulta impossível de ser resolvido, porque será impossível obedecer às restrições de demanda dos destinos. Para contornar esse impasse, introduzimos uma fonte fictícia, com capacidade de oferta exatamente igual ao excesso de demanda em relação à oferta. Assinalamos custo zero a cada rota, ligando a fonte fictícia a cada destino; assim, o custo total de transporte não irá se alterar. O problema fica solúvel, mas os destinos que receberem da fonte fictícia, na verdade, terão déficit de suprimento.

Exemplo 4.3

Retomar os dados do Exemplo 4.1, alterando as demandas dos destinos, como se segue:

Destino	Nova demanda	Demanda antiga	Aumento
D_1	8.000	8.000	Não houve
D_2	4.000	4.000	Não houve
D_3	11.000	7.000	4.000
D_4	13.000	11.000	2.000
Total	36.000	30.000	6.000

Formular o novo problema e comentar a solução por computador.

Solução

Como supomos inalteradas as capacidades das fontes, a capacidade total de suprimento ainda é de 30.000 unidades mensais. Há necessidade de se criar uma fonte fictícia (F_4), com capacidade total de 6.000 unidades mensais. Os custos de transporte associados a essa nova fonte são todos iguais a zero. Se chamarmos de x_{41}, x_{42}, x_{43} e x_{44} as quantidades que a nova fonte F_4 irá fornecer aos destinos D_1, D_2, D_3 e D_4, respectivamente, o leitor não terá dificuldade em reconhecer essa nova formulação do problema, lembrando que agora existem oito restrições, já que se acrescentou uma fonte F_4 ao problema.

Nova formulação

Minimizar

$$13x_{11} + 8x_{12} + 9x_{13} + 12x_{14} + 12x_{21} + 9x_{22} + 10x_{23} + 14x_{24} + 8x_{31} +$$
$$+ 8x_{32} + 9x_{33} + 6x_{34} + 0x_{41} + 0x_{42} + 0x_{43} + 0x_{44}$$

Sujeito a

$$x_{11} + x_{12} + x_{13} + x_{14} \leq 10.000$$
$$x_{21} + x_{22} + x_{23} + x_{24} \leq 15.000$$
$$x_{31} + x_{32} + x_{33} + x_{34} \leq 5.000$$
$$x_{41} + x_{42} + x_{43} + x_{44} \leq 6.000$$
$$x_{11} + x_{21} + x_{31} + x_{41} = 8.000$$
$$x_{12} + x_{22} + x_{32} + x_{42} = 4.000$$
$$x_{13} + x_{23} + x_{33} + x_{43} = 11.000$$
$$x_{14} + x_{24} + x_{34} + x_{44} = 13.000$$
$$x_{ij} \geq 0$$

A solução ótima foi encontrada por computador, obtendo-se os valores da matriz de transporte a seguir:

	D_1	D_2	D_3	D_4	Suprimento usado
F_1	(13) 0	(8) 0	(9) 8.000	(12) 12.000	10.000
F_2	(12) 8.000	(9) 4.000	(10) 3.000	(14) 0	15.000
F_3	(8) 0	(8) 0	(9) 0	(6) 5.000	5.000
F_4	(0) 0	(0) 0	(0) 0	(0) 16.000	6.000
Demanda	8.000	4.000	11.000	13.000	36.000

O que se observa é que o destino D_4 não será abastecido parcialmente, isto é, 2.000 unidades são supridas por F_1 e 5.000, unidades são supridas por F_3, entretanto, 6.000 unidades mensais são supridas pela fonte F_4, que, na verdade, não existe. Na nova configuração, o valor da função objetivo altera-se em relação aos valores exibidos nos exemplos anteriores, assumindo o custo total de R$ 288.000 mensais.

Um segundo caso especial no Problema de Transporte diz respeito ao fato de que, às vezes, o interesse está em maximizar alguma receita, lucro ou outra medida qualquer, em vez de minimizar custos de transporte. Nesse caso, praticamente nada se altera na formulação do problema, a não ser que se trata de maximizar a função objetivo. As restrições em nada irão se alterar devido a essa circunstância.

Em alguns casos, talvez não seja possível utilizar determinadas rotas. Uma maneira muito simples de lidar com tal situação é eliminar do problema as variáveis de decisão correspondentes às rotas proibidas. Assim, por exemplo, na tabela a seguir, não são consideradas as rotas Londrina–São Paulo e Campo Grande–Porto Alegre. O correspondente Problema de Transporte deverá ser formulado com as dez variáveis restantes.

Destino / Fonte	Rio de Janeiro	São Paulo	Belo Horizonte	Porto Alegre
Bauru	x_{11}	x_{12}	x_{13}	x_{14}
Londrina	x_{21}	–	x_{23}	x_{24}
Campo Grande	x_{31}	x_{32}	x_{33}	–

Como variante, pode ser que determinada rota não seja totalmente impeditiva, mas exista um limite para a carga que possa fluir por ela. Exemplificando, nas duas rotas proibidas da tabela anterior, digamos que temos agora cargas máximas, como se segue:

Londrina–São Paulo: 20.000 unidades

Campo Grande–Porto Alegre: 15.000 unidades

Nesse caso, além de considerarmos na formulação as duas variáveis de decisão respectivas, deveríamos também acrescentar as restrições:

$x_{22} \leq 20.000$

$x_{34} \leq 15.000$

4.3 O Problema de Designação

O Problema de Designação, como o leitor não tardará a perceber, é um caso especial do Problema de Transporte. O Problema de Designação envolve a atribuição de pessoas a projetos ou tarefas, de trabalhos a máquinas, e assim por diante. Assume-se a hipótese de que cada elemento a ser designado (pessoa, trabalho etc.) corresponderá a um único objeto (projeto, tarefa, máquina etc.). Geralmente, cada atribuição tem uma variável de decisão associada – custo, tempo, lucro etc. Monta-se uma função objetivo representando o custo total, ou lucro total, ou tempo despendido total, a qual deve ser, conforme o caso, maximizada ou minimizada.

Exemplo 4.4

Admitamos que três trabalhos, T_1, T_2, T_3, existentes em uma fábrica possam ser processados por três máquinas disponíveis, M_1, M_2, M_3. Como cada máquina difere das demais em termos de idade, tecnologia e outras características, o tempo de processamento de cada trabalho é diferente em cada máquina. Dada a matriz de tempos de processamento, em horas, formular o problema de programação linear correspondente.

Tempos de processamento (horas)

Trabalho / Máquina	T_1	T_2	T_3
M_1	10	5	8
M_2	12	9	15
M_3	9	12	10

Solução

Devemos manter sempre em mente que cada máquina deverá ser designada a um só trabalho. Se tivéssemos um problema idêntico ao Problema de Transporte, ou seja, se cada trabalho pudesse ser feito um pouco em cada máquina, a matriz de variáveis de decisão seria a seguinte:

Trabalho / Máquina	T_1	T_2	T_3
M_1	x_{11}	x_{12}	x_{13}
M_2	x_{21}	x_{22}	x_{23}
M_3	x_{31}	x_{32}	x_{33}

Perceba o leitor que os vários x_{ij} que aparecem na matriz só podem assumir dois valores diferentes:

$x_{ij} = 1$ (se a máquina i for atribuída ao trabalho j)

$x_{ij} = 0$ (se a máquina i não for atribuída ao trabalho j)

Vamos às restrições. Há restrições referentes às linhas (máquinas) e às colunas (trabalhos). Reparar que, dada uma linha qualquer, o número 1 aparecerá apenas uma vez, enquanto o número 0 (zero) aparecerá duas vezes. Isolando a primeira linha, temos:

$x_{11} + x_{12} + x_{13} = 1$

Poderíamos também escrever

$x_{11} + x_{12} + x_{13} \leq 1$, caso não fosse obrigatório que a máquina M_1 fosse atribuída a um trabalho.

De forma idêntica, temos, para as duas outras linhas restantes:

$x_{21} + x_{22} + x_{23} = 1$ (atribuição de M_2 a um trabalho)

$x_{31} + x_{32} + x_{33} = 1$ (atribuição de M_3 a um trabalho)

Temos, portanto, as três restrições relativas às máquinas. Pensando agora nos trabalhos, cada um deles será forçosamente atribuído a uma máquina, o que nos permite escrever, coluna a coluna:

$x_{11} + x_{21} + x_{31} = 1$ (atribuição do trabalho T_1)

$x_{12} + x_{22} + x_{32} = 1$ (atribuição do trabalho T_2)

$x_{13} + x_{23} + x_{33} = 1$ (atribuição do trabalho T_3)

Estas são as três restrições relativas aos trabalhos.

Podemos supor que a função objetivo seja a expressão do tempo total de processamento acumulado (a soma dos tempos de processamento nas três máquinas) e que o problema seja (nesse caso) de minimização.

Teríamos, então, a seguinte formulação:

Minimizar

$$10x_{11} + 5x_{12} + 8x_{13} + 12x_{21} + 9x_{22} + 15x_{23} + 9x_{31} + 12x_{32} + 10x_{33}$$

Sujeito a

$x_{11} + x_{12} + x_{13} = 1$

$x_{21} + x_{22} + x_{23} = 1$

$x_{31} + x_{32} + x_{33} = 1$

$x_{11} + x_{21} + x_{31} = 1$

$x_{12} + x_{22} + x_{32} = 1$

$x_{13} + x_{23} + x_{33} = 1$

$x_{ij} \geq 0$

A solução desse problema de programação linear, ou seja, os valores das variáveis de decisão serão todos do tipo 1 ou 0. Esse problema é particularmente muito simples, e o leitor poderá resolvê-lo rapidamente por tentativas. De qualquer forma, os valores das variáveis de decisão (obtidos por computador) estão na tabela a seguir.

Máquina \ Trabalho	T_1	T_2	T_3
M_1	$x_{11} = 0$	$x_{12} = 0$	$x_{13} = 1$
M_2	$x_{21} = 0$	$x_{22} = 1$	$x_{23} = 0$
M_3	$x_{31} = 1$	$x_{32} = 0$	$x_{33} = 0$

O tempo total de processamento acumulado será de 8 + 9 + 9 = 26 horas.

4.4 Casos especiais do Problema de Designação

Tal como acontecia com o Problema de Transporte, também no Problema de Designação podem ocorrer alguns casos especiais.

O primeiro deles é o que diz respeito ao emparelhamento entre recursos a serem designados e objetos de designação. Se houver mais recursos que objetos de designação (por exemplo, mais máquinas que trabalhos), a formulação do problema não se altera. Entretanto, o excesso de recursos não será designado.

Se ocorrer o caso contrário, isto é, se houver mais objetos de designação do que recursos a designar, então o problema não tem solução em princípio, porque uma ou mais restrições não serão satisfeitas. A solução usual é acrescentar um ou mais recursos fantasmas, com custos ou tempos de atribuição iguais a zero. É claro que os objetos de designação que couberem aos recursos fictícios não estarão, na verdade, sendo atendidos.

Outro caso interessante ocorre quando algum recurso não pode ser atribuído a determinado objeto de designação, como, por exemplo, uma máquina que não pode ser atribuída a um dado trabalho. Nesse caso, pode-se retirar a variável de decisão correspondente da formulação do problema ou obrigar que ela tome valor zero (isto é, obrigar que não seja alocada).

Finalmente, se a função objetivo for estabelecida em termos de lucro ou receita, o problema torna-se de maximização, mas isso em nada altera o restante da formulação.

4.5 Algoritmos especiais para os Problemas de Transporte e Designação

Vimos que os Problemas de Transporte e Designação podem ser resolvidos como problemas comuns de programação linear. Dado um determinado Problema de Transporte ou Designação, podemos então formulá-lo como um problema de programação linear e resolvê-lo, em geral com o conveniente auxílio de um programa de computador adequado.

Entretanto, existem algoritmos especiais que foram desenvolvidos para a solução desses problemas. Esses algoritmos costumam ser mais simples, em termos de computação, que o Simplex. Para Render e Stair Jr. (2000, p. 409), autores de um livro muito popular sobre análise quantitativa, esses algoritmos especiais são particularmente interessantes porque:

a) seus tempos de computação, em geral, são cem vezes menores que os tempos do Simplex;
b) requerem menos memória de computador, permitindo a solução de problemas maiores;
c) produzem soluções inteiras, o que é fundamental em Problemas de Transporte e Designação.

Para o Problema de Transporte, devemos seguir dois passos: obter uma primeira solução (aproximada) e então prosseguir com o algoritmo especial de solução para melhorar a solução provisória, até se atingir a solução ótima. Em ambos os casos, existe mais de uma opção de trabalho. Assim, por exemplo, na obtenção de uma solução aproximada inicial, podemos usar métodos como a *regra do canto noroeste* ou o *Método de Aproximação de Vogel*. Pode-se até mesmo obter uma solução inicial empiricamente, usando só o bom senso.

Tendo, então, a solução inicial, pode-se usar também mais de um algoritmo para a solução ótima definitiva, tais como o *método stepping stone* ou o *método MODI*. Usaremos aqui o Método de Aproximação de Vogel para encontrar uma solução provisória inicial e o método MODI para melhorá-la até obter a solução ótima.

No caso do Problema de Designação, usaremos um algoritmo chamado *algoritmo de designação* ou, alternativamente, *algoritmo (método) húngaro*.

4.5.1 *Método de Aproximação de Vogel (VAM)*

O Método de Aproximação de Vogel (VAM – *Vogel Approximation Method*, em inglês) é uma rotina de cálculos que permite obter uma solução aproximada ao Problema de Transporte. A grande vantagem desse método é a de fornecer uma solução bem próxima à solução ótima ou, às vezes, a própria solução ótima.

Exemplo 4.5

Consideremos a matriz de transporte da Tabela 4.5, ainda sem as cargas alocadas. De acordo com nossa convenção, F_1, F_2 e F_3 são as fontes e D_1, D_2, D_3 e D_4, os destinos. Os custos são em R$/unidade de produto transportado; as demandas e os suprimentos são mensais.

Tabela 4.5 Matriz de transporte. Exemplo 4.5

	D_1	D_2	D_3	D_4	Suprimento
F_1	(3)	(2)	(2)	(3)	4.000
F_2	(4)	(4)	(5)	(5)	8.000
F_3	(7)	(7)	(6)	(4)	13.000
Demanda	9.000	8.000	3.000	5.000	25.000

O Método de Vogel faz as alocações de forma indireta, por meio dos custos. Considerando cada linha e cada coluna, separadamente, são inspecionados os custos de transporte, para se verificar qual o menor de todos e aquele que imediatamente se segue, ou seja, o primeiro e o segundo menor custo. Identificando o menor e o segundo menor custo, para cada linha e cada coluna, calcula-se a diferença entre os dois. Essa diferença representa um custo de arrependimento, caso se escolha o segundo menor custo em detrimento do primeiro, ou seja, é uma penalidade fictícia, na qual se incorreria caso se escolhesse alocar carga na célula em que está o segundo menor custo, em vez de no primeiro. Essa diferença só pode ser positiva ou nula – nesse último caso, os dois menores custos são exatamente iguais. Assim, por exemplo, na nossa matriz, se considerarmos a linha F_3, os dois menores custos são R$ 4 e R$ 6. Para essa linha, portanto, a penalidade é de R$ 6 – R$ 4 = R$ 2. Por outro lado, no caso da coluna D_1, o menor custo é R$ 3 e o segundo menor é R$ 4, sendo a penalidade associada, portanto, de R$ 4 – R$ 3 = R$ 1. Dessa forma, são calculadas as penalidades para cada linha e cada coluna.

No início da aplicação do VAM, portanto, cada linha e cada coluna terão suas penalidades calculadas, como mostrado na tabela a seguir, em que se omitiu o símbolo R$ nas penalidades.

	D_1	D_2	D_3	D_4	Suprimento	Penalidade
F_1	(3)	(2)	(2)	(3)	4.000	0
F_2	(4)	(4)	(5)	(5)	8.000	0
F_3	(7)	(7)	(6)	(4)	13.000	2
Demanda	9.000	8.000	3.000	5.000	25.000	
Penalidade	1	2	3	1		

A seguir, o método pede que sejam identificadas a maior penalidade e a linha ou coluna em que ela ocorre. Em nossa matriz, a maior penalidade é 3, que corresponde à coluna D_3. Em seguida, identifica-se o menor custo dessa linha ou coluna, que, em nosso caso, é 2, na célula F_1D_3.

Na célula em que se encontra o menor custo, faz-se, então, a alocação de carga, segundo a necessidade do destino ou a possibilidade da fonte de suprimento respectivas. Em nosso caso, a fonte F_1 pode suprir 4.000 unidades, mas o destino D_3 necessita apenas de 3.000 unidades. Faz-se, então, a alocação de 3.000 unidades para o destino D_3, o que esgota a necessidade de D_3 e deixa ainda (4.000 – 3.000) = 1.000 unidades da fonte F_1 para serem posteriormente alocadas.

Como o destino D_3 já teve sua demanda satisfeita, ele é excluído dos nossos cálculos posteriores. Todos os custos de transporte na célula D_3 deixam de ser considerados. Os cálculos das penalidades são, então, reiniciados com o restante da matriz de transporte. Confira o leitor a tabela a seguir, em que já está marcada a alocação de 3.000 unidades à célula F_1D_3 e estão calculadas as novas penalidades.

	D_1	D_2	D_3	D_4	Suprimento	Penalidade
F_1	(3)	(2)	(2) 3.000	(3)	4.000	1
F_2	(4)	(4)	(5) —	(5)	8.000	0
F_3	(7)	(7)	(6) —	(4)	13.000	3
Demanda	9.000	8.000	3.000	5.000	25.000	
Penalidade	1	2	—	1		

A maior penalidade agora é 3, correspondente à linha F_3, na qual o menor custo é 4, na célula F_3D_4. Devemos alocar 5.000 unidades à célula F_3D_4, que esgotará a demanda do destino D_4, embora deixe ainda (13.000 – 5.000) = 8.000 unidades da fonte F_3 a serem alocadas. A coluna D_4, tendo sua demanda satisfeita, não mais aparecerá nos cálculos. A tabela a seguir mostra as alocações feitas até aqui, bem como o cálculo das novas penalidades.

	D_1	D_2	D_3	D_4	Suprimento	Penalidade
F_1	(3)	(2)	(2) 3.000	(3) —	4.000	1
F_2	(4)	(4)	(5) —	(5) —	8.000	0
F_3	(7)	(7)	(6) —	(4) 5.000	13.000	0
Demanda	9.000	8.000	3.000	5.000	25.000	
Penalidade	1	2	—	—		

A maior penalidade é 2, na coluna D_2. O menor custo dessa coluna é 2, na célula F_1D_2. Aí, então, será feita a alocação de 1.000 unidades remanescentes da fonte F_1, que se esgota e é excluída dos cálculos. A nova matriz ficará assim, já com os cálculos das novas penalidades:

	D_1	D_2	D_3	D_4	Suprimento	Penalidade
F_1	(3) —	(2) 1.000	(2) 3.000	(3) —	4.000	—
F_2	(4)	(4)	(5) —	(5) —	8.000	0
F_3	(7)	(7)	(6) —	(4) 5.000	13.000	0
Demanda	9.000	8.000	3.000	5.000	25.000	
Penalidade	3	3	—	—		

A maior penalidade é 3, que aparece para dois destinos, D_1 e D_2. Em ambas as colunas, o menor custo ainda livre é 4, portanto devemos escolher ao acaso onde fazer a alocação. Escolhendo a célula F_2D_1, precisamos de 9.000 unidades, que é a demanda do destino D_1. A fonte F_2 pode ceder

8.000 unidades, que são então alocadas. A fonte F_2 se esgota e desaparece dos cálculos. O novo aspecto da tabela é o seguinte:

	D_1	D_2	D_3	D_4	Suprimento	Penalidade
F_1	(3) —	(2) 1.000	(2) 3.000	(3) —	4.000	—
F_2	(4) 8.000	(4) —	(5) —	(5) —	8.000	—
F_3	(7)	(7)	(6) —	(4) 5.000	13.000	
Demanda	9.000	8.000	3.000	5.000	25.000	
Penalidade	—		—	—		

O leitor perceberá que não podemos mais calcular penalidades, dada a configuração da tabela. Podemos, entretanto, alocar diretamente as cargas que ainda precisam ser alocadas. É preciso alocar 1.000 unidades ao destino D_1, o que só pode ser feito na célula F_3D_1, com cessão de 1.000 unidades pela fonte F_3; também precisamos de 7.000 unidades para o destino D_2, o que só pode ocorrer na célula F_3D_2, com a fonte F_3 cedendo suas 7.000 unidades restantes. O aspecto final das atribuições está na tabela a seguir:

	D_1	D_2	D_3	D_4	Suprimento
F_1	(3) —	(2) 1.000	(2) 3.000	(3) —	4.000
F_2	(4) 8.000	(4) —	(5) —	(5) —	8.000
F_3	(7) 1.000	(7) 7.000	(6) —	(4) 5.000	13.000
Demanda	9.000	8.000	3.000	5.000	25.000

Podemos calcular o custo total de transporte associado a essa solução. Multiplicando as cargas pelos respectivos custos de transporte, temos:

1.000 (2) + 3.000 (2) + 8.000 (4) + 1.000 (7) + 7.000 (7) + 5.000 (4) =
= 116.000

Como veremos mais adiante, a diferença entre o custo de transporte mínimo e o obtido é inferior a 3%.

Recapitulemos a rotina de procedimentos do VAM:

1. Para cada linha e cada coluna da matriz de transporte, determinar a diferença entre o menor custo e o segundo menor. Cada linha e cada coluna terão assim uma penalidade associada, que indica o custo de oportunidade por escolher o segundo menor custo em vez do menor.
2. Identificar a linha ou coluna com a maior penalidade, ou seja, com o maior custo de oportunidade.
3. Na linha ou coluna da maior penalidade, encontrar a célula com o mínimo custo.
4. Alocar tanta carga quanto possível à célula identificada. A quantidade a ser alocada será ou o total da demanda do destino ou o total do suprimento da fonte correspondentes à célula, o que for menor.
5. Eliminar dos cálculos restantes a linha ou coluna que foi completamente satisfeita pela alocação feita, ou seja, a coluna do destino se a demanda dela foi completamente satisfeita ou a linha da fonte se o suprimento dela se esgotou.
6. Recalcular as penalidades para a matriz de transporte, deixando de lado os valores de linhas ou colunas que já foram satisfeitas.
7. Repetir os procedimentos 2 a 5 até que não seja mais possível o cálculo de novas penalidades, e a alocação que falta seja feita por mera inspeção da tabela.

No caso de não ser possível definir uma maior penalidade (em outras palavras, no caso de serem obtidas penalidades idênticas), a alocação poderá ser feita na linha ou coluna que apresentar o menor custo. Se estes também forem iguais, realizar aleatoriamente a alocação, escolhendo uma das células possíveis.

Passemos agora à obtenção da solução ótima por meio do MODI.

4.5.2 *Obtenção da solução definitiva por meio do MODI*

Pode ser ou não que a solução inicial obtida pelo Método de Aproximação de Vogel seja a solução ótima. Como dissemos, existe mais de um caminho para se fazer esse teste. Usaremos aqui o *Método da Distribuição Modificada*, indicado pela sigla MODI (*Modified Distribution*, em inglês).

Fundamentalmente, o MODI opera por meio da realocação de carga, das células já ocupadas na matriz de transporte para as células não ocupadas. Não é toda realocação de carga que conduz a custos menores, é claro, mas o MODI possui um critério para decidir se uma determinada célula vazia deve receber uma realocação de carga.

Vamos visualizar melhor essa ideia da realocação de carga por meio de um exemplo. Tomemos a matriz de transporte que obtivemos pelo Método de Aproximação de Vogel, cuja solução deverá ser posteriormente melhorada:

	D_1	D_2	D_3	D_4	Suprimento
F_1	(3) —	(2) 1.000	(2) 3.000	(3) —	4.000
F_2	(4) 8.000	(4) —	(5) —	(5) —	8.000
F_3	(7) 1.000	(7) 7.000	(6) —	(4) 5.000	13.000
Demanda	9.000	8.000	3.000	5.000	25.000

Sem nos preocuparmos com o critério de realocação de carga, ou seja, sem julgarmos *a priori* se a realocação será ou não benéfica em termos de custos de transporte, vamos realocar uma unidade da célula F_2D_1 para a célula F_2D_2. Temos a seguinte situação:

	D_1	D_2	D_3	D_4	Suprimento
F_1	(3) —	(2) 1.000	(2) 3.000	(3) —	4.000
F_2	(4) 7.999	(4) 1	(5) —	(5) —	8.000
F_3	(7) 1.000	(7) 7.000	(6) —	(4) 5.000	13.000
Demanda	9.000	8.000	3.000	5.000	25.000

Criamos, então, um desbalanceamento nas colunas D_1 (passa a somar uma unidade a menos) e D_2 (passa a somar uma unidade a mais). Para voltar ao necessário balanceamento, basta ceder uma unidade da coluna D_2 para a coluna D_1:

	D_1	D_2	D_3	D_4	Suprimento
F_1	(3) —	(2) 1.000	(2) 3.000	(3) —	4.000
F_2	(4) 7.999	(4) 1	(5) —	(5) —	8.000
F_3	(7) 1.001	(7) 6.999	(6) —	(4) 5.000	13.000
Demanda	9.000	8.000	3.000	5.000	25.000

Na verdade, estabelecemos o que se pode chamar de "anel de realocação de carga". Começando na célula vazia, traçamos um circuito fechado, em movimentos perpendiculares entre si, no qual o sinal (+) indica que a célula receberá carga, e o sinal (–), que a célula cederá carga:

	D_1	D_2	D_3	D_4	Suprimento
F_1	(3) —	(2) 1.000	(2) 3.000	(3) —	4.000
F_2	(4) 7.999 (–)	(4) 1 (+)	(5) —	(5) —	8.000
F_3	(7) 1.001 (+)	(7) 6.999 (–)	(6) —	(4) 5.000	13.000
Demanda	9.000	8.000	3.000	5.000	25.000

O incremento no custo total de transporte devido às realocações feitas será:

(soma dos custos nas células que ganharam uma unidade)

menos

(soma dos custos nas células que perderam uma unidade) =

= (4 + 7) – (7 + 4) = 0,

isto é, a realocação não trará efeito algum sobre os custos, nem aumentando nem diminuindo. Não há necessidade de que seja feita, portanto. Na verdade, uma realocação que conduz a um incremento de custo igual a zero indica que existe mais de uma disposição de carga que se pode fazer sem alteração nos custos – mais de uma solução, portanto.

Tentemos agora uma realocação na célula vazia F_1D_1, ainda sem preocupação com o critério de realocação. Como o anel de realocação deve ter apenas uma célula vazia, deve ser fechado e ter tantos sinais positivos como negativos nas células, começando pela célula vazia com o sinal positivo que indica que receberá carga. O leitor compreenderá o traçado, a seguir, do anel de realocação de carga:

	D_1	D_2	D_3	D_4	Suprimento
F_1	(3) (+)	(2) 1.000 (–)	(2) 3.000	(3) —	4.000
F_2	(4) 8.000	(4)	(5) —	(5) —	8.000
F_3	(7) 1.000 (–)	(7) 7.000 (+)	(6) —	(4) 5.000	13.000
Demanda	9.000	8.000	3.000	5.000	25.000

Esse anel resultará na seguinte realocação:

	D_1	D_2	D_3	D_4	Suprimento
F_1	(3) 1 (+)	(2) 999 (–)	(2) 3.000	(3) —	4.000
F_2	(4) 8.000	(4)	(5) —	(5) —	8.000
F_3	(7) 999 (–)	(7) 7.001 (+)	(6) —	(4) 5.000	13.000
Demanda	9.000	8.000	3.000	5.000	25.000

com o seguinte aumento de custo:

$$(3 + 7) - (2 + 7) = 1$$

Nesse caso, a mudança implica que, para cada unidade realocada na célula F_1D_1, o custo de transporte aumentará em R$ 1, não devendo ser feita a realocação, portanto. Em outras palavras: a realocação só irá diminuir custos de transporte se o incremento, como calculado, for negativo, o que na verdade significará redução de custos.

Estamos fazendo as realocações, como exemplo, apenas com uma unidade de produto. Repare o leitor que há um limite máximo para o número de unidades que pode ser realocado, já que existe sempre a necessidade de promover depois o rebalanceamento de cargas. Poderemos realocar até a quantidade mínima que esteja em uma célula com sinal negativo, ou seja, que irá ceder carga.

Por último, deixamos ao leitor, como exercício, a tarefa de encontrar os anéis de realocação para as outras células vazias.

Deixando a exemplificação para trás, vejamos agora o critério para escolher as células em que será realocada carga.

Em primeiro lugar, define-se um valor L_i para cada linha i e um valor K_j para cada coluna j da matriz de transporte, de maneira que

$L_i + K_j = C_{ij}$, onde C_{ij} é o custo de transporte associado à célula do cruzamento da linha i com a coluna j.

Na determinação dos valores L_i e K_j, existem duas regras. A primeira delas diz que esses valores devem ser determinados usando-se as células ocupadas com carga. Retome o leitor a matriz que estamos utilizando e da qual achamos uma solução inicial pelo VAM:

	D_1	D_2	D_3	D_4	Suprimento
F_1	(3) —	(2) 1.000	(2) 3.000	(3) —	4.000
F_2	(4) 8.000	(4) —	(5) —	(5) —	8.000
F_3	(7) 1.000	(7) 7.000	(6) —	(4) 5.000	13.000
Demanda	9.000	8.000	3.000	5.000	25.000

Estão ocupadas as células F_1D_2, F_1D_3, F_2D_1, F_3D_1, F_3D_2 e F_3D_4, o que, de acordo com a regra enunciada, nos permite escrever as seguintes equações:

$$L_1 + K_2 = C_{12} = 2$$
$$L_1 + K_3 = C_{13} = 2$$
$$L_2 + K_1 = C_{21} = 4$$
$$L_3 + K_1 = C_{31} = 7$$
$$L_3 + K_2 = C_{32} = 7$$
$$L_3 + K_4 = C_{34} = 4$$

A segunda regra dá-nos um apoio para resolver o sistema de equações gerado, fazendo o valor da primeira linha (L_1) igual a zero. Temos, imediatamente:

$L_1 + K_2 = 2$	$0 + K_2 = 2$	$K_2 = 2$
$L_1 + K_3 = 2$	$0 + K_3 = 2$	$K_3 = 2$
$L_3 + K_2 = 7$	$L_3 + 2 = 7$	$L_3 = 5$

$L_3 + K_1 = 7$	$5 + K_1 = 7$	$K_1 = 2$
$L_2 + K_1 = 4$	$L_2 + 2 = 4$	$L_2 = 2$
$L_3 + K_4 = 4$	$5 + K_4 = 4$	$K_4 = -1$

Tendo os valores L_i e K_j, calculamos, em seguida, um *índice de melhoria* para cada célula não ocupada. Esse índice de melhoria é definido como

Índice de melhoria = $C_{ij} - L_i - K_j$

É possível demonstrar que o índice de melhoria de uma dada célula não ocupada mede exatamente o incremento de custo se uma unidade de carga for realocada a essa célula não ocupada. Em nossa matriz de transporte inicial, temos as seguintes células não ocupadas: F_1D_1, F_1D_4, F_2D_2, F_2D_3, F_2D_4 e F_3D_3, o que nos leva aos seguintes índices de melhoria:

Célula F_1D_1: $3 - L_1 - K_1 = 3 - 0 - 2 = 1$
Célula F_1D_4: $3 - L_1 - K_4 = 3 - 0 - (-1) = 4$
Célula F_2D_2: $4 - L_2 - K_2 = 4 - 2 - 2 = 0$
Célula F_2D_3: $5 - L_2 - K_3 = 5 - 2 - 2 = 1$
Célula F_2D_4: $5 - L_2 - K_4 = 5 - 2 - (-1) = 4$
Célula F_3D_3: $6 - L_3 - K_3 = 6 - 5 - 2 = -1$

Como já foi comentado, a presença de um índice de melhoria igual a zero indica que existe uma solução alternativa envolvendo o anel de realocação de carga correspondente à célula em que o índice é zero.

De todas as realocações possíveis, só é interessante para a queda nos custos de transporte aquela que pode ser feita para a célula F_3D_3, pois acarreta um incremento de custo negativo, isto é, uma queda no custo de transporte.

O anel de realocação de carga respectivo é mostrado a seguir:

	D_1	D_2	D_3	D_4	Suprimento
F_1	(3) —	(2) 1.000 (+)	(2) 3.000 (–)	(3) —	4.000
F_2	(4) 8.000	(4) —	(5) —	(5) —	8.000
F_3	(7) 1.000	(7) 7.000 (–)	(6) (+)	(4) 5.000	13.000
Demanda	9.000	8.000	3.000	5.000	25.000

Após a realocação inicial de 3.000 unidades da célula F_1D_3 para a célula F_3D_3, e os consequentes balanceamentos, a matriz ficará assim:

	D_1	D_2	D_3	D_4	Suprimento
F_1	(3) —	(2) 4.000	(2) —	(3) —	4.000
F_2	(4) 8.000	(4) —	(5) —	(5) —	8.000
F_3	(7) 1.000	(7) 4.000	(6) 3.000	(4) 5.000	13.000
Demanda	9.000	8.000	3.000	5.000	25.000

Como se comportam agora os índices de melhoria para as células vazias após a realocação? É preciso retomar esse cálculo, para saber se chegamos ou não à solução ótima. Observando as células vazias na matriz, temos os seguintes índices de melhoria:

Célula F_1D_1: $3 - L_1 - K_1 = 3 - 0 - 2 = 1$
Célula F_1D_3: $2 - L_1 - K_3 = 2 - 0 - 2 = 0$
Célula F_1D_4: $3 - L_1 - K_4 = 3 - 0 - (-1) = 4$
Célula F_2D_2: $4 - L_2 - K_2 = 4 - 2 - 2 = 0$
Célula F_2D_3: $5 - L_2 - K_3 = 5 - 2 - 2 = 1$
Célula F_2D_4: $5 - L_2 - K_4 = 5 - 2 - (--1) = 4$

Repare o leitor que aparecem novamente índices iguais a zero, indicando outras configurações alternativas. Como todos os índices de melhoria são maiores ou iguais a zero, chegamos à solução ótima. Podemos calcular, então, o custo mínimo de transporte, multiplicando cada carga pelo custo de transporte respectivo:

$4.000 (2) + 8.000 (4) + 1.000 (7) + 4.000 (7) + 3.000 (6) + 5.000 (4) =$
$= 113.000$

O leitor deve lembrar-se que, pelo VAM, havíamos chegado a uma matriz de transporte (da qual partimos para o MODI), com um custo total de R$ 116.000. Como mencionamos antes, a diferença entre os dois custos é de

$$\frac{116.000 - 113.000}{113.000} (100) = 2,65\%$$

indicando mais uma vez a precisão do Método de Aproximação de Vogel (VAM).

Vamos agora recapitular a rotina de passos do MODI:

1. Dada uma matriz de transporte com alguma solução provisória, verificar se o número de células ocupadas é pelo menos igual a (número de linhas + número de colunas – 1). Caso não seja, acrescentar um zero em alguma célula vazia, de modo a poder formar todos os anéis de realocação de carga;
2. Utilizando apenas as células ocupadas com carga, calcular os números L_i para cada linha e K_j para cada coluna, sendo $L_i + K_j = C_{ij}$, onde este último é o custo de transporte associado com a célula particular (i, j). Para possibilitar o cálculo, fazer $L_1 = 0$.
3. Para cada célula vazia (i, j), calcular um índice de melhoria por meio da fórmula: índice de melhoria = $C_{ij} - L_i - K_j$.
4. Selecionar a célula vazia com o maior índice negativo e realocar carga a ela, por meio da construção do anel de realocação de carga apropriado.
5. Repetir os passos 3 e 4 até que todos os índices de melhoria sejam positivos ou nulos.

Degeneração

Uma condição importante para que se aplique o método MODI é que exista um número suficiente de células ocupadas ao início ou durante a aplicação do método, número esse igual a

(número de linhas + número de colunas – 1)

Assim, por exemplo, se a matriz de transporte tiver três linhas e quatro colunas, o número de células ocupadas deverá ser (3 + 4 – 1) = 6. Se a matriz com a solução provisória obtida por qualquer método tiver, digamos, apenas cinco células ocupadas, será impossível traçar algum anel de realocação de carga ou calcular todos os valores L_i e K_j. Nesse caso, basta colocar um zero em uma célula não usada, em uma posição tal que permita que todos os anéis referentes às células vazias possam, então, ser traçados. E, a partir daí, tratar a célula com o zero como se efetivamente tivesse carga.

O procedimento de correção de curso é o mesmo, caso o número de células ocupadas seja menor que o necessário, em qualquer etapa do MODI. Note o leitor que isso ocorrerá caso o preenchimento de uma célula acarretar o esvaziamento total de duas outras no anel de realocação de carga. Esse fato acontecerá se duas células assinaladas com o sinal (–) em um anel de realocação de carga tiverem cargas idênticas.

4.5.3 *Solução do Problema de Designação por meio do algoritmo húngaro*

Recordando, o Problema de Designação tem como objetivo a alocação de recursos a objetos. Os recursos podem ser máquinas ou pessoas, por exemplo, e os objetos podem ser trabalhos ou projetos, respectivamente. Já vimos que o Problema de Designação é um caso especial do Problema de Transporte e, como este, pode ser resolvido por meio da programação linear, assunto que já discutimos anteriormente. O que está em foco, neste momento, é a apresentação de uma rotina especial de cálculos para a solução do Problema de Designação: o chamado *algoritmo húngaro.*

Para haver um Problema de Designação, além de termos o conjunto de recursos e o conjunto de objetos que serão correspondidos, devemos ter alguma medida de eficácia que ligue cada recurso a cada objeto. No exemplo que apresentamos anteriormente, tínhamos três máquinas a serem alocadas a três trabalhos, com a hipótese de que cada máquina caberia única e exclusivamente a um trabalho, e vice-versa. Conhecíamos os tempos de processamento dos trabalhos em cada uma das máquinas e buscávamos a melhor combinação máquina-trabalho, ou seja, aquela que conduziria ao menor custo total de processamento.

O exemplo a seguir vai nos ajudar a apresentar o algoritmo húngaro.

Exemplo 4.6

Em uma empresa de construção civil, há três projetos que podem ser alocados a três equipes diferentes. Tanto o tempo de experiência das equipes como suas orientações técnicas são diferentes, de modo que o tempo de término de cada projeto dependerá da equipe particular ao qual estará alocado. A matriz a seguir (Tabela 4.6) mostra os tempos de desenvolvimento dos projetos, conforme sejam alocados a cada uma das equipes. Aplicar o algoritmo húngaro para chegar à alocação ótima, isto é, ao menor tempo total de desenvolvimento (menor soma dos tempos de desenvolvimento de cada projeto após a alocação).

Tabela 4.6 Matriz de tempos de desenvolvimento (meses). Exemplo 4.6

	Projeto A	Projeto B	Projeto C
Equipe I	15	24	21
Equipe II	17	22	18
Equipe III	23	29	30

Solução

Em primeiro lugar, note o leitor que nosso problema é muito simples e pode ser resolvido facilmente, sem grande desperdício de tempo, apenas listando todas as alocações possíveis e calculando o tempo total de desenvolvimento associado a cada uma delas, como se segue:

Projeto A	Projeto B	Projeto C	Tempo total de desenvolvimento (meses)
Equipe I	Equipe II	Equipe III	15 + 22 + 30 = 67
Equipe I	Equipe III	Equipe II	15 + 29 + 18 = 62
Equipe II	Equipe I	Equipe III	17 + 24 + 30 = 71
Equipe II	Equipe III	Equipe I	17 + 29 + 21 = 67
Equipe III	Equipe I	Equipe II	23 + 24 + 18 = 65
Equipe III	Equipe II	Equipe I	23 + 22 + 21 = 66

Listando, portanto, todas as alternativas, chegamos à conclusão de que a alocação ótima é:

Projeto A	Projeto B	Projeto C	Tempo total de desenvolvimento
Equipe I	Equipe III	Equipe II	15 + 29 + 18 = 62 meses

O algoritmo húngaro trabalha com o princípio de *redução da matriz*, segundo o qual, pela adição ou subtração de certos números à matriz, podemos reduzi-la a uma matriz de custos de oportunidade. Esses custos mostram as penalidades em se associar cada equipe a cada projeto. As alocações ótimas podem ser feitas onde se conseguir uma penalidade ou custo de oportunidade zero. Nosso objetivo, então, será o de procurar obter uma matriz reduzida em que cada linha ou cada coluna tenha somente um zero; as células em que estejam esses zeros mostrarão as alocações ótimas.

O algoritmo húngaro, tal como iremos apresentá-lo agora, pressupõe que o número de linhas é igual ao número de colunas, ou seja, o número de objetos a serem alocados iguala os recursos a alocar; pressupõe também que não há restrições de alocação, ou seja, cada recurso pode ser alocado a qualquer um dos objetos. Pressupõe, por último, que a matriz é de custos ou alguma outra grandeza que deve ser minimizada de alguma forma. Em nosso caso, temos três equipes para três projetos, e cada equipe pode ser alocada a cada um dos projetos, minimizando-se o tempo total de desenvolvimento, cumprindo-se as exigências. Mais tarde, veremos como preparar a matriz caso essas condições não se cumpram, antes de aplicar o algoritmo húngaro.

Voltemos ao nosso exemplo. A Tabela 4.6 está reproduzida a seguir:

	Projeto A	Projeto B	Projeto C
Equipe I	15	24	21
Equipe II	17	22	18
Equipe III	23	29	30

Vamos aos passos do algoritmo húngaro. Inicialmente, deve-se construir uma *matriz de custos de oportunidade,* o que é feito em duas etapas. Em primeiro lugar, subtraímos o menor custo de cada linha de todos os outros na linha, obtendo a matriz a seguir:

	Projeto A	Projeto B	Projeto C
Equipe I	0	9	6
Equipe II	0	5	1
Equipe III	0	6	7

Em seguida, usando a matriz já modificada, subtraímos o menor custo de cada coluna de todos os outros na coluna, chegando à seguinte matriz:

	Projeto A	Projeto B	Projeto C
Equipe I	0	4	5
Equipe II	0	0	0
Equipe III	0	1	6

Até agora, obtivemos uma matriz que apresenta os custos de oportunidade em cada linha e cada coluna, os quais são penalidades incorridas por não termos feito as atribuições de menor custo. Os zeros indicam, portanto, as atribuições ótimas nas linhas e nas colunas.

Devemos agora testar a matriz reduzida para verificar se já encontramos a solução ótima. Para tanto, deve-se traçar o *menor* número possível de retas cobrindo os zeros gerados na matriz. O leitor pode ver facilmente que duas retas cumprem tal tarefa:

	Projeto A	Projeto B	Projeto C
Equipe I	0	4	5
Equipe II	0	0	0
Equipe III	0	1	6

Se o número mínimo de retas traçadas for igual à ordem da matriz (a ordem de uma matriz quadrada é o seu número de linhas ou colunas), então a solução ótima terá sido encontrada. Mais adiante, veremos como determiná-la. Em nosso caso, a ordem da matriz é 3, que é o número de linhas ou colunas, enquanto traçamos apenas duas retas. Nesse caso, em que o número de retas traçadas é menor que a ordem da matriz, o algoritmo diz para:

- subtrair o menor número não coberto de todos os outros números não cobertos;
- acrescentar o menor número não coberto a todos os números que se encontram nas intersecções das retas traçadas.

Na nossa matriz, o menor número não coberto é 1, enquanto há apenas uma intersecção entre as retas traçadas, em que aparece o número 0 (zero). Cumprindo as instruções anteriores, temos a nova matriz:

	Projeto A	Projeto B	Projeto C
Equipe I	0	3	4
Equipe II	1	0	0
Equipe III	0	0	5

Com tal procedimento, conseguimos gerar um novo zero na matriz, em outra posição em que antes ele não existia. Neste ponto, devemos novamente traçar o menor número possível de retas cobrindo todos os zeros. O leitor notará que agora devemos obrigatoriamente traçar três retas, embora exista mais de uma opção. O que mostramos a seguir é uma dessas opções:

	Projeto A	Projeto B	Projeto C
Equipe I	0– – – – –	– – – – –3– – – – –	– – – – –4
Equipe II	1– – – – –	– – – – –0– – – – –	– – – – –0
Equipe III	0– – – – –	– – – – –0– – – – –	– – – – –5

O fato de termos traçado três retas mostra que chegamos à solução ótima. Para determiná-la, verificamos que linhas e/ou colunas têm apenas um zero; onde estiver esse zero único, será feita a atribuição. Em nossa matriz, há dois zeros únicos: na primeira linha (intersecção Equipe I com Projeto A) e na última coluna (intersecção Equipe II com Projeto C). Assim, a Equipe III fica automaticamente alocada ao Projeto B. Temos, então, as seguintes alocações:

Projeto A	Projeto B	Projeto C	Tempo total de desenvolvimento
Equipe I	Equipe III	Equipe II	15 + 29 + 18 = 62 meses

que já sabíamos ser a solução ótima. Se o leitor assim o desejar, pode assumir outra configuração com as três retas traçadas. Irá chegar, ao fim, à mesma solução.

Resumindo, o algoritmo húngaro apresenta os seguintes passos:

1º) Transformar a matriz dada em uma matriz de custos de oportunidade, por meio dos seguintes procedimentos:

- subtrair o menor tempo de desenvolvimento (ou custo, se for o caso) em cada linha, de todos os outros tempos da mesma linha, gerando pelo menos um zero em cada linha;
- a seguir, já com a matriz obtida no procedimento anterior, subtrair o menor tempo de desenvolvimento (ou custo, se for o caso) em cada coluna, de todos os outros tempos da mesma coluna, gerando pelo menos um zero em cada coluna.

2º) Verificar se a matriz resultante já está pronta para fornecer a alocação ótima. Para tanto, traçar o menor número possível de retas cobrindo todos os zeros da matriz. Caso o número de retas seja igual ao número de linhas ou colunas da matriz (lembrar que a matriz é quadrada, isto é, tem o mesmo número de linhas e colunas), então a solução ótima foi encontrada, e passa-se ao 4º passo. Caso o número de retas traçadas seja menor que o número de colunas ou linhas da matriz, passa-se ao 3º passo.

3º) Quando o número mínimo de retas traçadas for menor que o número de linhas ou colunas da matriz, identificar o menor número não coberto pelas retas traçadas. Em seguida:

- subtrair esse número de todos os outros não cobertos pelas retas traçadas, gerando pelo menos mais um zero na matriz;
- somar esse número a todos os números que estejam nas intersecções das retas traçadas.

Retornar, então, ao 2º passo, ou seja, traçar de novo o menor número possível de retas para cobrir todos os zeros etc.

De forma simples: repetir o 2º e o 3º passos até que o número de retas traçadas para cobrir todos os zeros seja igual ao número de linhas ou colunas da matriz.

4º) Se o número de retas traçadas para cobrir todos os zeros for igual ao número de linhas ou colunas da matriz, então a solução ótima foi encontrada:

- verificar as linhas ou colunas que têm um único zero e fazer a alocação nessa célula;
- eliminar a linha ou coluna em que foi feita a alocação e procurar por outros zeros isolados em linhas ou colunas. Repetir tal procedimento até que todos os recursos estejam alocados.

Uma observação deve ser feita: quando a ordem da matriz é pequena – 3 ou 4, por exemplo –, não deve haver muita dúvida sobre o traçado das retas que cobrirão os zeros. Há casos, porém, em que não há certeza se conseguimos ou não traçar o número mínimo de retas. Uma forma indireta de perceber isso é no momento das alocações: se traçarmos mais retas que o necessário, não será possível achar zeros isolados e, portanto, a alocação será impossível. Deve-se, então, pensar novamente no traçado das retas até chegar ao número mínimo.

Entretanto, há uma boa dica para se chegar ao número mínimo de retas. Na matriz, identificar qualquer linha ou coluna com um só zero. Se for uma linha, traçar a reta através da coluna onde está o zero; se for uma coluna, traçar a reta através da linha onde está o zero. Continuar com tal procedimento até que todos os zeros estejam cobertos.

Alguns casos especiais de designação

Consideraremos três casos especiais:

a) o número de linhas e colunas não é igual

Quando o número de recursos a serem alocados (pessoas, equipes ou máquinas, por exemplo) for diferente do número de objetos para alocação (tarefas ou projetos, por exemplo), devem ser criadas, conforme o caso, linhas ou colunas fictícias. As linhas fictícias representam recursos inexistentes, enquanto as colunas fictícias representam objetos para alocação também inexistentes. Em ambos os casos, as linhas ou colunas fictícias são preenchidas com zeros, resolvendo-se o problema, daí em diante, como explanado.

b) a matriz exige maximização e não minimização

Esse caso também tem solução muito simples: em primeiro lugar, identifica-se o maior número da matriz. Em seguida, subtrai-se dele todos os outros números. Esse procedimento transforma a matriz em matriz de custos de oportunidade, e o algoritmo pode ser aplicado como foi explicado. A alocação de custos de oportunidade mínimos corresponderá à alocação ótima na maximização.

c) existem recursos e objetos para alocação que são incompatíveis

Este é o caso em que uma equipe, por exemplo, não pode, por quaisquer motivos, ser alocada a um projeto ou uma máquina não pode ser atribuída a determinada tarefa. Nesse caso, atribui-se um custo extremamente alto à combinação recurso/objeto incompatível, de forma que se assegure que a alocação não será feita. Frequentemente, pode-se usar simplesmente a letra M para designar tal custo elevado, considerando que qualquer subtração feita a M levará ainda a um número tão grande que pode continuar sendo designado por M.

Pontos principais do capítulo

1. O Problema (Modelo) de Transporte e o Problema (Modelo) de Designação são casos especiais de programação linear que, devido à sua importância, apresentam algoritmos especiais de solução.
2. No Problema de Transporte, existe a necessidade de distribuir bens e serviços de várias fontes de suprimento para várias localizações de demanda. O objetivo, no Problema de Transporte, é a minimização do custo total de transporte entre as fontes e os destinos.

3. A matriz de transporte é a representação tabular das fontes e destinos, apresentando as capacidades das fontes, a demanda dos destinos e o custo de transporte associado a cada rota possível.
4. O Problema de Designação é um caso especial do Problema de Transporte. O Problema de Designação consiste em atribuir pessoas a projetos ou tarefas, ou trabalhos a máquinas, e assim por diante. O objetivo pode ser de minimização (tempo ou custo, por exemplo) ou de maximização (lucro, por exemplo).
5. O Método de Aproximação de Vogel (VAM – *Vogel Approximation Method*) é uma rotina de cálculos utilizada para obter, em princípio, uma solução aproximada ao Problema de Transporte. Não obstante, o VAM fornece, muitas vezes, a solução ótima ou quase ótima.
6. O Método da Distribuição Modificada (MODI – *Modified Distribution*) é um procedimento numérico de realocação de cargas dentro da matriz de transporte, de células já ocupadas para células ainda não ocupadas com carga. O MODI permite reconhecer quando uma realocação irá conduzir a custos menores, melhorando assim a solução inicial fornecida pelo VAM.
7. O algoritmo húngaro é uma rotina especial de cálculos para se obter a solução do Problema de Designação. Basicamente, ele consiste em transformar a matriz dada (de custos, lucros, receitas, tempo etc.) em uma matriz de custos de oportunidade, na qual se gera pelo menos um zero em cada linha e coluna. Os zeros devem ser cobertos pelo menor número possível de retas. Quando esse número mínimo igualar a ordem da matriz, a solução ótima foi encontrada.

Exercícios resolvidos

Exercício resolvido nº 1

A Docelar é uma florescente fábrica de fogões domésticos, com escritórios centrais em São Paulo e fábricas em Londrina, Salvador e São Paulo. Atualmente, um dos modelos mais conceituados da Docelar é o Brasileirinho 05, um fogão de seis bocas de grande aceitação em todo o Brasil. Apesar de contar com uma rede de revendedores, a Docelar pretende agora trabalhar com três grandes armazéns próprios, localizados em Bauru, Porto Alegre e Campo Grande. Londrina é capaz de produzir 5.000 unidades mensais do Brasileirinho 05, enquanto a fábrica de São Paulo consegue produzir 30.000 unidades mensais. Já Salvador tem uma capacidade intermediária de produção: 10.000 unidades por mês. Por outro lado, os armazéns que devem ser reabastecidos têm as seguintes demandas:

Bauru: 15.000 unidades por mês;

Porto Alegre: 20.000 unidades por mês;

Campo Grande: 10.000 unidades por mês.

Os custos unitários de transporte, de cada fábrica a cada um dos armazéns, são mostrados na tabela a seguir.

Matriz de custos de transporte (R$/unidade)

	Bauru	Porto Alegre	Campo Grande
Londrina	40	60	60
Salvador	80	90	70
São Paulo	40	60	50

Pede-se: determinar as quantidades que devem ser despachadas de cada fábrica para cada armazém, de forma a minimizar o custo total de transporte. Calcular também quanto vale o custo mínimo de transporte.

Solução

Usaremos o Método de Aproximação de Vogel (VAM) para encontrar uma solução pelo menos aproximada ao problema e, em seguida, encontraremos a solução ótima pelo Método da Distribuição Modificada (MODI).

Inicialmente, vamos montar a matriz de transporte completa, com as demandas de cada armazém e as produções de cada fábrica, bem como com os custos de transporte para cada rota.

	Bauru	Porto Alegre	Campo Grande	Capacidade
Londrina	(40)	(60)	(60)	5.000
Salvador	(80)	(90)	(70)	10.000
São Paulo	(40)	(60)	(50)	30.000
Demanda	15.000	20.000	10.000	45.000

Como usual, os números entre parênteses indicam os custos de transporte associados a cada rota. Repare o leitor que a demanda total iguala a capacidade total das fábricas, motivo pelo qual não será necessário acrescentar fábricas ou armazéns fictícios.

O VAM pede que calculemos as penalidades associadas a cada linha e cada coluna, fazendo a diferença entre o segundo e o primeiro menor custo da linha ou coluna. Assim, por exemplo, na linha de Londrina, a penalidade é 20, pois o segundo menor custo é 60 e o primeiro menor é 40. De forma similar, para a coluna de Porto Alegre, a penalidade será 0 (zero), pois o custo 60 é o menor, aparecendo duas vezes (é, portanto, o segundo e o primeiro menor). A nova matriz, com as penalidades calculadas, é a seguinte:

	Bauru	Porto Alegre	Campo Grande	Penalidades
Londrina	(40)	(60)	(60)	20
Salvador	(80)	(90)	(70)	10
São Paulo	(40)	(60)	(50)	10
Penalidades	0	0	10	

A maior penalidade é 20, na linha de Londrina, e o menor custo na linha está na rota Londrina/Bauru. Embora a demanda de Bauru seja 15.000 unidades, Londrina pode despachar apenas 5.000. Portanto, vamos alocar essas 5.000 unidades a Bauru, esgotando a produção de Londrina, cuja linha não é mais considerada nos cálculos. Desconsiderando a linha de Londrina, a seguir estão as novas penalidades calculadas.

	Bauru	Porto Alegre	Campo Grande	Penalidades
Londrina	5.000			
Salvador	(80)	(90)	(70)	10
São Paulo	(40)	(60)	(50)	10
Penalidades	40	30	20	

Dessa vez, a maior penalidade é 40, na coluna de Bauru, e o menor custo da coluna está na rota São Paulo–Bauru. Vê-se que Bauru ainda precisa de (15.000 – 5.000) = 10.000 unidades, enquanto São Paulo pode fornecer até 30.000. Alocamos, portanto, 10.000 unidades na rota São Paulo–Bauru, esgotando a demanda de Bauru, cuja coluna deixa de aparecer na matriz. Recalculando as penalidades, temos a matriz a seguir:

	Bauru	Porto Alegre	Campo Grande	Penalidades
Londrina	5.000			
Salvador		(90)	(70)	20
São Paulo		(60)	(50)	10
Penalidades		30	20	

A maior penalidade é 30, na coluna de Porto Alegre, e o menor custo está na rota São Paulo–Porto Alegre. Porto Alegre necessita de 20.000 unidades, exatamente o que a fábrica de São Paulo ainda pode fornecer. De uma só vez, portanto, eliminamos a coluna de Porto Alegre e a linha de São Paulo. Dessa forma, a produção de Salvador (10.000 unidades) vai obrigatoriamente para Campo Grande. Eis a matriz final de alocações pelo VAM:

	Bauru	Porto Alegre	Campo Grande	Capacidade
Londrina	5.000			5.000
Salvador			10.000	10.000
São Paulo	10.000	20.000		30.000
Demanda	15.000	20.000	10.000	45.000

O custo total associado a essa solução é de

5.000 (40) + 10.000 (70) + 10.000 (40) + 20.000 (60) = R$ 2.500.000 mensais.

Pode ser que o VAM já nos tenha dado a solução ótima, mas saberemos se isso aconteceu tentando melhorá-la por meio do MODI. Note o leitor que $m + n - 1 = 3 + 3 - 1 = 5$, e temos apenas quatro células ocupadas. Logo, devemos colocar um zero em uma delas. Façamos isso na célula São Paulo/Campo Grande. Como o leitor recorda, o MODI pede que se monte um sistema de equações levando em conta cada célula ocupada com carga, sendo $L_i + K_j = C_{ij}$, com C_{ij} como o custo de transporte associado à célula (i, j). Para resolver esse sistema, faz-se $L_1 = 0$. Temos:

$L_1 + K_1 = 40$	$L_1 = 0$; $K_1 = 40$
$L_3 + K_1 = 40$	$L_3 = 0$
$L_3 + K_2 = 60$	$K_2 = 60$
$L_3 + K_3 = 50$	$K_3 = 50$
$L_2 + K_3 = 70$	$L_2 = 20$

Para cada célula vazia, calculamos agora os índices de melhoria. Para a célula (i, j) o índice de melhoria será

$C_{ij} - L_i - K_j$

Haverá possibilidade de melhoria se uma dada célula vazia tiver índice de melhoria negativo, caso em que a realocação de carga para a célula será vantajosa. Temos os seguintes índices de melhoria:

Célula Londrina/Porto Alegre: $60 - L_1 - K_2 = 60 - 0 - 60 = 0$

Célula Londrina/Campo Grande: $60 - L_1 - K_3 = 60 - 0 - 50 = 10$

Célula Salvador/Bauru: $80 - L_2 - K_1 = 80 - 20 - 40 = 20$

Célula Salvador/Porto Alegre: $90 - L_2 - K_2 = 90 - 20 - 60 = 10$

Logo, como todos os índices de melhoria são positivos, e um deles é nulo, já temos diretamente a solução ótima pelo VAM, com custo total de transporte igual a R$ 2,5 milhões mensais. Um adendo: se o zero que foi colocado na célula São Paulo/Campo Grande tivesse sido posto em outra célula vazia, teríamos de construir um anel de realocação de carga, que apenas mudaria o zero para a célula São Paulo/Campo Grande, sem mexer nos valores das cargas. Deixamos ao leitor essa opção como exercício (tente, por exemplo, colocar o zero na rota Londrina–Campo Grande).

Exercício resolvido nº 2

Uma empresa está envolvida em um esforço para a abertura de quatro escritórios regionais de vendas, nas cidades de Salvador, Recife, Caxias do Sul e Florianópolis. Dentre seus funcionários, há três coordenadores de vendas (Matos, Pereira e Bernardes) que estão aptos a assumir qualquer um dos novos escritórios. Entretanto, os custos de realocação são diferentes, dependendo do par coordenador/escritório, segundo a matriz a seguir, estabelecida em reais (R$):

	Salvador	Recife	Caxias do Sul	Florianópolis
Matos	4.000	5.500	6.000	5.000
Pereira	2.500	8.000	6.500	4.000
Bernardes	2.500	5.000	11.500	7.000

Assumindo que a empresa deseja minimizar os custos de preenchimento dos cargos, fazer a distribuição de coordenadores pelos escritórios regionais de acordo com o algoritmo húngaro e calcular o custo total de alocação.

Solução

Logo de início, nota-se que o número de escritórios regionais é maior que o número de pessoas que podem ocupar os cargos de coordenador de vendas (4 contra 3). Nesse caso, teremos de assumir um quarto coordenador, fictício, com custo de alocação zero, em cada um dos escritórios. É claro que o escritório ao qual esse coordenador fictício for alocado, na verdade, estará sem um coordenador e deverá ser objeto de atenção em separado. Chamando esse coordenador fictício de X, a nossa tabela ficará:

	Salvador	Recife	Caxias do Sul	Florianópolis
Matos	4.000	5.500	6.000	5.000
Pereira	2.500	8.000	6.500	4.000
Bernardes	2.500	5.000	11.500	7.000
X	0	0	0	0

O algoritmo húngaro pede que, de cada número em cada linha, seja subtraído o menor número da linha, valendo o mesmo para cada coluna. A subtração dos menores números em cada coluna não precisa ser feita, pois em todas elas já existe um zero. Fazendo a subtração dos menores números em cada linha, temos:

	Salvador	Recife	Caxias do Sul	Florianópolis
Matos	0	1.500	2.000	1.000
Pereira	0	5.500	4.000	1.500
Bernardes	0	2.500	9.000	4.500
X	0	0	0	0

Vê-se que, com apenas duas retas, é possível cobrir todos os zeros gerados. O menor número não coberto é 1.000, acrescentado ao cruzamento das linhas e subtraído de todos os outros números não cobertos da matriz:

	Salvador	Recife	Caxias do Sul	Florianópolis
Matos	0	500	1.000	0
Pereira	0	4.500	3.000	500
Bernardes	0	1.500	8.000	3.500
X	1.000	0	0	0

Com três retas (há mais de uma forma de traçá-las) conseguimos cobrir todos os zeros:

	Salvador	Recife	Caxias do Sul	Florianópolis
Matos	0	500	1.000	0
Pereira	0	4.500	3.000	500
Bernardes	0	1.500	8.000	3.500
X	1.000	0	0	0

O menor número não coberto é 500, que é, então, acrescentado às intersecções e subtraído de todos os outros números não cobertos:

	Salvador	Recife	Caxias do Sul	Florianópolis
Matos	500	500	1.000	0
Pereira	0	4.000	2.500	0
Bernardes	0	1.000	7.500	3.000
X	1.500	0	0	0

Claramente, ainda agora são necessárias apenas três retas para cobrir todos os zeros gerados:

	Salvador	Recife	Caxias do Sul	Florianópolis
Matos	500	500	1.000	0
Pereira	0	4.000	2.500	0
Bernardes	0	1.000	7.500	3.000
X	1.500	0	0	0

O menor número não coberto é novamente 500, que, somado aos números das intersecções e subtraído de todos os outros não cobertos, deixa-nos com a configuração a seguir:

	Salvador	Recife	Caxias do Sul	Florianópolis
Matos	500	0	500	0
Pereira	0	3.500	2.000	0
Bernardes	0	500	7.000	3.000
X	1.500	0	0	0

Precisamos agora de quatro retas para cobrir todos os zeros gerados:

	Salvador	Recife	Caxias do Sul	Florianópolis
Matos	500	0	500	0
Pereira	0	3.500	2.000	0
Bernardes	0	500	7.000	3.000
X	1.500	0	0	0

Podemos passar às atribuições, começando por levar em conta os zeros que estão isolados em suas linhas ou colunas. Assim, vê-se que Bernardes deve ser alocado a Salvador; eliminando Salvador da alocação, percebe-se que Pereira é imediatamente alocado a Florianópolis; eliminando Florianópolis, Matos é, então, alocado a Recife. Finalmente, X é alocado a Caxias do Sul, que evidentemente ficou sem coordenador, devendo ser objeto de outra solução.

Calculemos o custo total de alocação:

Bernardes/Salvador	R$ 2.500
Pereira/Florianópolis	R$ 4.000
Matos/Recife	R$ 5.500
Custo total de alocação	R$ 12.000

Questões propostas

1. O que são o Modelo de Transporte e o Modelo de Designação?
2. O que é o VAM?
3. Quais são os passos básicos do VAM?
4. O que é o MODI?
5. Quais são os passos básicos do MODI?
6. O que é e como opera o algoritmo húngaro?

Glossário

Algoritmo (método) húngaro: algoritmo específico para solucionar o Problema de Designação.

Anel de realocação de carga: circuito fechado que começa em uma célula vazia de uma matriz de transporte, indicando movimentação de carga de uma célula a outra. Faz parte do método MODI.

Destino: uma localização de demanda em um Problema de Transporte.

Destino fictício: um destino acrescentado a um Problema de Transporte para tornar iguais o fornecimento e a demanda totais. A demanda assinalada ao destino fictício será o acréscimo do fornecimento sobre a demanda.

Fonte: uma localização de produção ou fornecimento em um Problema de Transporte.

Fonte fictícia: uma fonte acrescentada a um Problema de Transporte para tornar o fornecimento igual à demanda total. A fonte fictícia será responsável pelo acréscimo da demanda sobre o fornecimento.

Método de Aproximação de Vogel (VAM): algoritmo para encontrar uma solução inicial para o Problema de Transporte. Em muitos casos, essa solução inicial já é a solução ótima.

Método MODI: algoritmo para encontrar a solução ótima para um Problema de Transporte, a partir de uma solução inicial.

Problema de Transporte: um caso particular de programação linear em que fontes devem despachar para destinos, buscando sempre o custo mínimo de transporte.

Exercícios propostos

1. Três armazéns, designados por A_1, A_2 e A_3, devem ser supridos com mercadoria oriunda de três fábricas, designadas por F_1, F_2 e F_3. A capacidade de cada fábrica e a demanda de cada armazém são dadas a seguir:

Fábrica	Capacidade
F_1	15
F_2	20
F_3	35
Total	70

Armazém	Demanda
A_1	20
A_2	35
A_3	15
Total	70

Por outro lado, os custos unitários de transporte da mercadoria de cada fábrica, para cada armazém, são os seguintes (valores em R$):

De \ Para	A_1	A_2	A_3
F_1	22	25	26
F_2	24	35	21
F_3	33	24	28

Deseja-se minimizar o custo total de transporte de mercadoria para os armazéns. Designando por x_{ij} a quantidade de mercadoria que deve ser despachada da fábrica F_i para o armazém A_j, formular o modelo de programação linear correspondente a esse Problema de Transporte.

2. Levando em conta o exercício anterior, determinar:
   a) uma solução baseada na intuição e tentativa e erro, isto é, quanto será despachado de cada fábrica para cada armazém;
   b) o custo total de transporte associado à solução encontrada;
   c) uma solução aproximada pelo VAM (Método de Aproximação de Vogel);
   d) o custo total de transporte associado à solução aproximada; compará-lo com o custo total encontrado em (b).
3. Levando em conta o Exercício 1 e a solução aproximada obtida pelo VAM no Exercício 2, encontrar a solução ótima, utilizando o MODI (Método da Distribuição Modificada).
4. A Companhia Industrial Morro Santo possui duas fábricas, A e B, que devem abastecer de certa mercadoria três armazéns regionais, R_1, R_2 e R_3. Devido à idade e à tecnologia das plantas industriais, a fábrica A tem um custo unitário de produção de R$ 50, enquanto a fábrica B, mais moderna, consegue produzir por 60% desse valor (R$ 30). Também são diferentes as capacidades de produção da mercadoria em pauta: enquanto a fábrica B consegue produzir 40.000 unidades mensais, a fábrica A produz apenas 25.000 unidades mensais. O total produzido é maior do que seria realmente necessário para atender às demandas mensais dos três armazéns: R_1 precisa de 25.000 unidades por mês e R_2 e R_3 necessitam, cada qual, de 15.000 unidades mensais. Finalmente, os custos de transporte associados à mercadoria são os seguintes (em R$):

De \ Para	R_1	R_2	R_3
A	15	15	37
B	30	8	8

Levando em conta os custos de fabricação e de transporte, determinar quanto deve ser despachado de cada fábrica para cada armazém e o custo total (fabricação + transporte) associado. Quanto da produção de cada fábrica não é utilizado nessa operação?

5. A Distribuidora Lanterna Verde quer abastecer com geladeiras os seus quatro armazéns regionais no estado de São Paulo, designados por A_1, A_2, A_3 e A_4, com as seguintes demandas mensais:

Armazém	Demanda mensal
A_1	1.200
A_2	1.800
A_3	1.400
A_4	1.600
Total	6.000

A distribuidora pretende comprar o máximo possível do mesmo fabricante, por questões de negociação. O fabricante escolhido possui as fábricas F_1 e F_2, com as seguintes capacidades mensais de produção:

Fábrica	Capacidade mensal
F_1	3.000
F_2	2.000
Total	5.000

Os custos unitários de transporte de cada fábrica para cada armazém são dados na tabela a seguir, em R$:

De \ Para	A_1	A_2	A_3	A_4
F_1	40	15	30	60
F_2	50	30	20	55

a) Determinar quanto deve ser despachado de cada fábrica para cada armazém e o custo total de transporte associado.

b) A Distribuidora Lanterna Verde deverá ou não lançar mão de outro fornecedor para atender totalmente a demanda de seus armazéns? Em caso positivo, que quantidades o novo fornecedor deverá suprir para cada um dos armazéns?

6. A Plantespa é uma empresa de consultoria para projetos de administração em geral, a qual deve atualmente alocar quatro equipes de consultores a quatro empresas clientes. Devido à experiência e especialização de seus membros, cada equipe deverá cumprir o trabalho em tempos diferentes nas quatro empresas. A tabela seguinte mostra uma estimativa de quantos meses cada equipe irá consumir em cada uma das quatro empresas:

Empresas / Equipe	Cia. Industrial Morro Santo	Distribuidora Lanterna Verde	Moinhos Don Quixote	Siderúrgica Manchester
1	15	25	18	42
2	13	13	20	35
3	14	24	22	32
4	12	20	14	28

Determinar a alocação de cada equipe (cada equipe pode assumir uma só empresa), de forma a minimizar o tempo total de duração das consultorias.

7. Três operadores estão qualificados para operar cada uma das quatro máquinas em que pode ser fabricado certo produto da Indústria Rojão Ltda. Entretanto, há uma certa variabilidade no custo de produção, devido tanto à idade e tecnologia das máquinas como à perícia dos operadores. A tabela a seguir apresenta os custos unitários (em R$) associados a cada operador e máquina:

Máquina / Operador	M_1	M_2	M_3	M_4
Carlos	40	75	100	80
Antônio	60	62	80	55
Pedro	75	70	120	50

Determinar a melhor alocação dos operadores, atribuindo apenas um operador a cada máquina e vice-versa. Qual máquina não deverá ser utilizada? Qual é o custo total associado ao arranjo final?

8. Existem cinco máquinas para processar quatro tipos diferentes de peças, sendo que, em alguns casos, a combinação peça/máquina não é possível. Além disso, cada combinação particular conduz a um dado tempo de processamento. A tabela a seguir fornece o tempo de processamento em todas essas combinações, assinalando-se NP quando a combinação peça/máquina não for possível.

Tempo de processamento em horas

Peça \ Máquina	M_1	M_2	M_3	M_4	M_5
XT400	7	12	8	9	NP
XT412	12	NP	9	12	12
AZ43	10	12	NP	12	15
MJ1001	8	10	7	9	NP

Determinar a melhor alocação de peças a máquinas, sabendo que cada combinação é única, ou seja, cada peça será designada a uma só máquina e vice-versa.

9. Tomando como base a tabela a seguir, que dá os tempos de processamento (em horas) de quatro trabalhos em três máquinas, determinar a alocação que dá o menor tempo total de processamento. Qual o trabalho que não será processado?

Trabalho \ Máquina	M_1	M_2	M_3
T_1	4	5	3
T_2	7	6	8
T_3	4	7	9
T_4	10	6	3

10. No Exercício 8, qual seria a melhor alocação se não houvesse as restrições apontadas? Haveria alguma mudança em relação à solução anterior?

Bibliografia

DANTZIG, G. B.; THAPA, M. N. *Linear programming 1:* Introduction. Nova York: Springer, 1997.

HILLIER, F. S.; LIEBERMAN, G. J. *Introduction to operations research.* 8. ed. Nova York: McGraw-Hill, 2005.

JENSEN, P. A.; BARD, J. F. *Operations research.* Models and methods. Hoboken: John Wiley and Sons, 2003.

RARDIN, R. L. *Optimization in operations research.* Upper Saddle River: Prentice Hall, 1997.

RENDER, B.; STAIR Jr., R. M. *Quantitative analysis for management.* 7. ed. Upper Saddle River: Prentice Hall, 2000.

TAHA, Hamdy A. *Operations research.* An introduction. 7. ed. Upper Saddle River: Pearson Education, 2003.

5 Fundamentos de Estatística

Este capítulo está estruturado de forma a cobrir alguns conceitos fundamentais que serão de utilidade em capítulos posteriores do livro. Dessa forma, não há a intenção de ir além do estritamente necessário para tal objetivo.

5.1 Conceitos básicos

O primeiro conceito a ser esclarecido é o de *experimento*, que terá para nós um sentido muito específico, um pouco diferente daquele com o qual o leitor talvez esteja acostumado, por sua eventual familiaridade com as ciências naturais. Para nós, *um experimento é um processo qualquer de observação de algum fenômeno*, como, por exemplo:

- verificar quais livros (títulos) foram comprados por pessoas que saem de uma livraria;
- verificar quantos carros passam por um pedágio, em um intervalo de tempo determinado (uma hora, digamos);
- verificar quantas pessoas passam pela portaria de um prédio em um certo dia da semana;
- verificar quantos pães foram produzidos por uma padaria em uma dada manhã etc.

Todo experimento, no nosso sentido, leva a um ou mais *resultados*, que podem ser ou não expressos por números. Nos exemplos citados, os títulos dos livros comprados pelas pessoas são resultados não numéricos, enquanto todos os demais são numéricos: o número de carros que passam pelo pedágio, o número de pessoas que passam pela portaria, o número de pães produzidos.

Outro conceito fundamental é o de *espaço amostral. Dado um experimento, espaço amostral é o conjunto de todos os possíveis resultados do experimento.* Nos exemplos citados, só a prática nos daria o espaço amostral, ou seja, deveríamos realmente levar a efeito cada um dos experimentos para conhecer os resultados possíveis. Em outros casos, é possível determinar logicamente o conjunto dos resultados, ou seja, o espaço amostral. Quando se lança uma moeda, por exemplo, só podemos ter os resultados *cara* ou *coroa*. Vamos introduzir aqui uma notação. Chamemos de S ao espaço amostral, indiquemos cara pela letra K e coroa pela letra C. Podemos assumir que:

S (lançar uma moeda) = (K, C)

O que se lê: o espaço amostral do experimento "lançar uma moeda" é o conjunto Cara, Coroa.

E se lançássemos duas moedas ao mesmo tempo, em vez de uma? O leitor pode verificar facilmente que:

S (lançar duas moedas ao mesmo tempo) = (KK, CC, KC, CK), onde os símbolos conservam o mesmo significado anterior, sendo cada letra à esquerda representante da primeira moeda considerada e a letra seguinte representante da segunda moeda.

Vamos agora fazer uma analogia, que será muito útil para exemplificação de outros conceitos. Vamos supor que o espaço amostral possa ser representado por pontos em um plano. No caso do lançamento de duas moedas, teríamos a representação a seguir:

Lançamento da moeda nº 2		
Cara	(K, K)	(K, C)
Coroa	(C, K)	(C, C)
	Cara	Coroa
	Lançamento da moeda nº 1	

Figura 5.1 Espaço amostral: lançamento de duas moedas.

Vê-se claramente que S (lançar duas moedas ao mesmo tempo) pode ser assemelhado a um plano com quatro pontos, definidos pelos cruzamentos dos resultados individuais do lançamento de cada uma das moedas: KK, KC, CK e CC.

5.2 Eventos e conceitos associados

5.2.1 Evento

Para introduzir mais alguns conceitos importantes, vamos lançar mão de um espaço amostral mais complexo, representado por um plano com nove pontos. Vamos supor que uma corretora esteja considerando a variação futura de preço de duas ações, Alfa e Beta. Cada uma das ações pode vir a ter seu preço aumentado (resultado A), diminuído (resultado D) ou mantido constante (resultado C), dependendo das oscilações do mercado. A Figura 5.2 mostra o espaço amostral resultante.

Variações de preço da ação Alfa			
Preço aumentado (A)	(AA)	(AD)	(AC)
Preço diminuído (D)	(DA)	(DD)	(DC)
Preço constante (C)	(CA)	(CD)	(CC)
	Preço aumentado (A)	Preço diminuído (D)	Preço constante (C)

Variações de preço da ação Beta

Figura 5.2 Espaço amostral: variações nos preços de duas ações.

O leitor verificará facilmente que

S (preços das ações A e B) = (A,A; A,D; A,C; D,A; D,D; D,C; C,A; C,D; C,C)

Chamamos de *evento* a qualquer combinação de resultados tomados de um espaço amostral. No espaço amostral anterior, qualquer um dos nove resultados possíveis é um evento por si só, mas também o é qualquer combinação de resultados individuais. Vejamos alguns exemplos, marcados na Figura 5.3:

Variações de preço da ação Alfa			
Preço aumentado (A)	(AA)	(AD)	(AC) X
Preço diminuído (D)	(DA)	(DD) Z	(DC)
Preço constante (C)	(CA)	(CD)	(CC) Y
	Preço aumentado (A)	Preço diminuído (D)	Preço constante (C)

Variações de preço da ação Beta

Figura 5.3 Alguns eventos.

a) *evento (aumentar o preço da ação Alfa)*

Chamando de X ao evento procurado, vemos na Figura 5.3 que ele comporta três resultados individuais: se o preço da ação Alfa aumentar, o preço da ação Beta pode também aumentar, diminuir ou permanecer constante. Logo,

X = evento (aumentar o preço da ação Alfa) = (A,A; A,D; A,C)

b) *evento (permanecer constante o preço da ação da Companhia Beta)*

Chamando de Y ao evento procurado, vemos na Figura 5.3 que, permanecendo constante o preço da ação da Companhia Beta, o preço da ação da Companhia Alfa, por sua vez, pode aumentar, diminuir ou também permanecer constante. O evento pode ser assim representado:

Y = evento (permanecer constante o preço da ação da Companhia Beta) = (A,C; D,C; C,C)

c) *evento (aumentar ou diminuir o preço de ambas as ações)*

Chamemos de Z ao evento procurado. Supondo que suba o preço da ação da Companhia Alfa, o preço da ação da Companhia Beta poderá aumentar, diminuir ou permanecer constante, ou seja, os resultados serão A,A; A,D e A,C; por outro lado, baixando o preço da ação da Companhia Alfa, os resultados serão D,A; D,D e D,C. Se considerarmos que o preço da ação da Companhia Beta irá aumentar, os resultados serão A,A; D,A e C,A; finalmente, baixando o preço da ação da Companhia Beta, os resultados serão A,D; D,D e C,D. Dado que desejamos que ambas as ações tenham aumento ou queda do preço ao mesmo tempo, temos de tomar apenas os resultados comuns aos dois casos, ou seja:

Z = evento (aumentar ou diminuir o preço de ambas as ações) =
= (A,A; A,D; D,A; D,D)

Em outras palavras, existem quatro resultados diferentes compondo o evento.

5.2.2 Eventos mutuamente exclusivos

Dois eventos são ditos *mutuamente exclusivos* quando não têm qualquer resultado em comum.

Considere o leitor, na Figura 5.3, os eventos (aumentar o preço da ação da Companhia Alfa) e (permanecer constante o preço da ação da Companhia Alfa). Cada um desses eventos tem três resultados possíveis, mas não há resultado comum entre eles, o que é até intuitivo, pela própria conceituação dos eventos. Esses eventos são, portanto, mutuamente exclusivos.

Por outro lado, se o leitor pensar nos eventos (aumentar o preço da ação da Companhia Alfa) e (aumentar o preço da ação da Companhia Beta), verá que eles têm um resultado em comum – (aumentar o preço de ambas as ações, ou seja, A,A) –, embora tenham dois resultados específicos cada um.

Tais eventos não são, portanto, mutuamente exclusivos, já que têm pelo menos um resultado em comum, nesse caso realmente apenas um resultado nessa condição. Lembrando que X representa o evento (aumentar o preço da ação da Companhia Alfa) e chamando de T ao evento (aumentar o preço da ação da Companhia Beta), temos as seguintes configurações:

$$X = (A,A;\ A,D;\ A,C)$$

$$T = (A,A;\ D,A;\ C,A)$$

Confirma-se o que foi dito: existe um resultado comum (A,A) aos dois eventos (ambas as ações sobem ao mesmo tempo), mostrando que não são eventos mutuamente exclusivos.

5.2.3 Eventos independentes

Dois eventos são ditos independentes quando a ocorrência de um não interfere na ocorrência do outro. De outra forma, não estão ligados por causa e efeito ou qualquer outro tipo de ligação, pelo menos para efeitos práticos, quando é impossível estabelecer tal relação. Um exemplo flagrante seria dado pelos eventos "chover em Jaú, SP, em novembro" e "chover em Bangkok em março". Considerando, entretanto, uma classe do nível médio, os eventos "média das garotas em Matemática" e "média dos rapazes em Matemática" podem ser ou não independentes. Se houver uma competição entre os sexos, ou uma colaboração no estudo da disciplina, os eventos evidentemente não serão independentes.

5.2.4 Evento intersecção

Dados dois eventos quaisquer, denomina-se *evento intersecção* (ou simplesmente *intersecção*) um terceiro evento que tenha resultados que pertençam simultaneamente aos dois eventos dos quais ele é intersecção. O símbolo para a intersecção é ∩, embora alguns autores prefiram usar apenas a palavra "e".

Recordando a Figura 5.3:

a) qual é a intersecção do evento (aumentar o preço da ação da Companhia Alfa) com o evento (aumentar o preço da ação da Companhia Beta)? Em outras palavras, qual é $X \cap T$? Como vimos, sabemos que é o evento constituído pelo único resultado A,A.

b) qual é a intersecção do evento (aumentar o preço da ação da Companhia Beta) com o evento (permanecer constante o preço da ação da Companhia Alfa)?

Será fácil ao leitor perceber que também aqui há um único resultado comum a ambos os eventos, ou seja, C,A.

c) qual é a intersecção do evento (diminuir o preço da ação da Companhia Beta) com o evento (permanecer constante o preço da ação da Companhia Beta)?

Não só a mera observação da Figura 5.3 dá a resposta (não há elemento comum entre tais eventos), mas também um mínimo de atenção: é impossível a um só tempo aumentar e permanecer constante o preço da mesma ação. Nesse caso, quando dois eventos não possuem elemento comum, diz-se que sua intersecção é o *evento vazio* ou *conjunto vazio*, indicado pela letra grega ϕ.

Da mesma forma como é possível definir a intersecção de dois eventos, é possível fazê-lo para três ou mais eventos, sempre com o mesmo significado, ou seja, *a intersecção de três ou mais eventos é o evento que tenha apenas os resultados comuns a todos eles.*

5.2.5 Evento união

Dados dois eventos, chama-se *evento união* de ambos, ou simplesmente *união*, ao terceiro evento que contém, ao mesmo tempo, todos os resultados de um e de outro. Note o leitor que não são apenas os resultados comuns a ambos, mas todos os resultados possíveis, mesmo que pertençam só a um ou ao outro. O símbolo para a união é $\cup$, embora alguns autores prefiram usar simplesmente a palavra "ou".

Na Figura 5.3, pergunta-se ao leitor: qual é a união entre os eventos (aumentar o preço da ação da Companhia Alfa) e (aumentar o preço da ação da Companhia Beta) ou, em termos diferentes, qual é $X \cup T$? Temos, facilmente:

$X \cup T$ = (A,A; A,D; A,C; D,A; C,A)

Repare o leitor que o resultado comum aos dois eventos, ou seja, A,A, é contado apenas uma vez.

5.2.6 Complemento de um evento

Dado um evento qualquer X pertencente a um espaço amostral S, denomina-se *complemento* de X todos os resultados de S que não pertençam a X. O complemento de X é indicado usualmente por X´. A Figura 5.4 a seguir mostra a disposição de X e de X´. Fica claro que X∪X´ nos fornece o espaço amostral S.

5.2.7 Representação pelos diagramas de Venn

O diagrama de Venn é um auxílio gráfico para a representação de eventos. No diagrama de Venn, o espaço amostral S é representado por um retângulo e os eventos são representados por círculos. Os diagramas são muito úteis para visualizar relações entre eventos, como mostrado na Figura 5.4 (eventos hachurados).

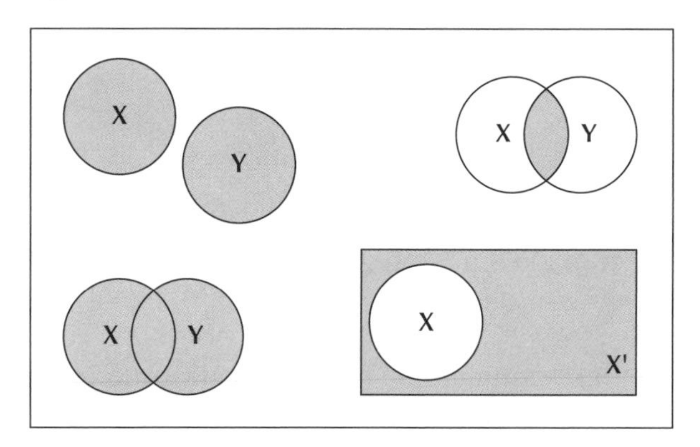

Figura 5.4 Alguns diagramas de Venn.

5.3 Conceitos fundamentais de probabilidade

Todos nós estamos acostumados com a ideia de probabilidade. Sabemos que a maioria dos eventos não ocorrerá sempre, ou não acontecerá sempre da maneira como podemos imaginar. Quando a ocorrência ou existência de algo não são eventos associados a 100% de certeza, costumamos usar expressões como: "é provável que...", "há uma certa probabilidade de que..." e assim por diante. Por exemplo, se um cruzamento entre duas grandes avenidas muito movimentadas não for sinalizado, dizemos coisas como: "a probabilidade de acidentes nesta esquina é grande". O uso comum da palavra "probabilidade" não necessariamente estabelece um número para medi-la. Em grande parte das vezes, basta-nos uma vaga noção de grandeza, usando quantificadores como *muito, pouco, grande* etc. Neste capítulo em particular e no livro como um todo, sempre que necessário, usaremos números associados à probabilidade de ocorrência ou existência de um dado evento.

5.3.1 Formas de se determinar a probabilidade de um evento

Existem duas formas de se determinar a probabilidade: a forma objetiva ou frequencialista (visão frequencialista) e a forma subjetiva (visão subjetiva).

Probabilidade frequencialista: diz-se, nesse caso, que a probabilidade de um evento é a frequência relativa com que esse evento acontece ao longo do tempo ou após um número suficientemente grande de observações.

Exemplo 5.1

Imaginemos que, em 500 observações (experimentos), o evento A aconteceu 100 vezes. Qual a probabilidade de ocorrência do evento A?

Solução

A probabilidade de ocorrência do evento A, que indicamos por P(A), é dada por

$$P(A) = 100/500 = 0{,}2 \text{ (ou } 20\%)$$

De uma forma geral,

P(ocorrência de um evento) = número de ocorrências reais do evento/número potencial de ocorrências do evento, ou simplesmente:

P(ocorrência de um evento) = número de ocorrências/número de tentativas, sendo que a probabilidade pode ser dada por um número entre 0 e 1 ou pela correspondente porcentagem (0,2 corresponde a 20%; 0,15 corresponde a 15%, e assim por diante).

Essa forma de cálculo da probabilidade exige, em primeiro lugar, que o evento tenha ocorrido um certo número de vezes (geralmente, quanto maior, melhor) nas oportunidades em que poderia, de fato, ter ocorrido. Isso permite o cálculo da frequência relativa. Para que se use o cálculo da probabilidade em algum tipo de previsão, porém, é importante que, no futuro, as condições subjacentes para a ocorrência do evento permaneçam as mesmas, pois se isso não acontecer, pode ser que se altere a frequência relativa de ocorrência do evento.

Probabilidade subjetiva: existem eventos dos quais não sabemos a história prévia ou, então, que irão acontecer uma única vez ou poucas vezes, invalidando a forma frequencial de cálculo da probabilidade. Nesse caso, não há outra alternativa que não seja a de *estimar* a probabilidade do evento com base no julgamento de uma ou mais pessoas. A base para tal julgamento é a experiência e a intuição. Um gerente de produto, por exemplo, com base em sua experiência do mercado e dos hábitos e necessidades dos clientes, pode estimar em 0,7 a probabilidade de que as vendas anuais de um novo produto a ser lançado atinjam um dado valor. De alguma forma, seus conhecimentos e sua intuição combinaram-se para fornecer tal número, chamado, então, de *probabilidade subjetiva*.

Existe ainda uma terceira forma de cálculo da probabilidade de um evento, a qual, na verdade, pode ser considerada um caso especial da probabilidade frequencialista. Trata-se da *probabilidade lógica,* obtida por considerações sobre a natureza do evento, sem auxílio da experiência, intuição ou frequências.

Exemplo 5.2

Qual a probabilidade de tirar uma carta de ouros de um baralho completo?

Solução

Ora, o baralho completo tem 52 cartas, das quais 13 são de ouros (assim como 13 são de espadas, 13 são de copas e 13 são de paus). Logo,

$$P(\text{ouros}) = 13/52 = 0{,}25 \text{ ou } 25\%$$

Desse exemplo podemos extrair uma regra interessante sobre o cálculo de probabilidades: *se um certo experimento tem* n *resultados, todos com a mesma probabilidade, e se* m *desses resultados definem o evento E, então P(E)* = m/n. No caso do baralho, temos n = 52 cartas, todas equiprováveis; cada naipe (ouros, paus, copas e espadas) tem m = 13 cartas. Logo, a probabilidade de sair um dado naipe é de m/n = 13/52 = 0,25.

5.3.2 Postulados da probabilidade

São postulados simples, mas fundamentais:

1º) Se E é um evento qualquer, tem-se que P(E) deve estar entre 0 e 1, ou seja, $0 \leq P(E) \leq 1$ ou então $0\% \leq P(E) \leq 100\%$.

2º) A soma de todas as probabilidades individuais para os resultados de um experimento deve ser igual a 1, ou seja, P(S) = 1, onde S é o espaço amostral.

Exemplo 5.3

Um engenheiro recém-formado tem, no momento, três ofertas de emprego. A primeira é de uma indústria química localizada em Campinas (SP), e o engenheiro estima em 0,25 a probabilidade de aceitar essa oferta; a segunda, de uma empresa do Centro-Oeste, tem uma probabilidade de 0,15 de ser aceita. Finalmente, a terceira, de uma empresa carioca, tem uma probabilidade de 0,50 de ser aceita. Pergunta-se: qual a probabilidade de que o engenheiro não aceite nenhuma dessas ofertas de emprego?

Solução

Lembrando que a soma das probabilidades individuais para os resultados de um experimento – nesse caso, aceitar ou não uma oferta de emprego – é igual a 1, percebe-se que existe efetivamente uma chance de que o engenheiro não aceite nenhuma das três ofertas de emprego que atualmente tem. A soma das probabilidades de aceitar as ofertas atuais é de 0,25 + 0,15 + + 0,50 = 0,90. Portanto, existe uma probabilidade de (1 – 0,9) = 0,1 (ou 10%) de que o engenheiro não aceite nenhuma das atuais ofertas.

Observação: É fácil concluir, do 2º postulado, que P(X) = 1 – P(X´), onde X é um evento qualquer e X´ é seu complemento, já que a união de X e X´nos fornece o espaço amostral.

5.3.3 Lei da Adição

A Lei da Adição diz respeito a regras para o cálculo da probabilidade da união de dois ou mais eventos. No caso de dois eventos, A e B, portanto, de forma simbólica, a Lei da Adição diz respeito ao cálculo de $P(A \cup B)$. Como o leitor se recorda, a união de dois eventos resulta em um terceiro evento que contém todos os resultados de um e do outro. Se alguns resultados são comuns a ambos os eventos originais, esses resultados comuns constituem a intersecção entre os dois eventos. Se não houver nenhum resultado em comum, diz-se que os eventos são mutuamente exclusivos.

Vamos restringir a Lei da Adição inicialmente ao cálculo da probabilidade da união de dois eventos apenas, considerando ainda dois casos possíveis: os eventos são ou não mutuamente exclusivos.

Lei da Adição para eventos mutuamente exclusivos

A Figura 5.5 mostra um diagrama de Venn onde o retângulo representa ao mesmo tempo o espaço amostral S e sua probabilidade P(S) = 1. Os círculos representam, ao mesmo tempo, dois eventos, A e B, e também suas probabilidades, P(A) e P(B). Note o leitor que os eventos A e B são mutuamente exclusivos, já que não têm resultados comuns.

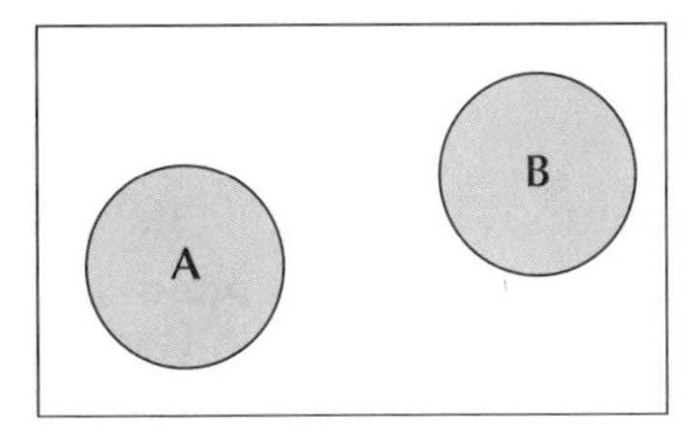

Figura 5.5 Diagrama de Venn para dois eventos mutuamente exclusivos.

Nesse caso, a Lei da Adição estabelece simplesmente que:

$P(A \cup B) = P(A) + P(B)$

Exemplo 5.4

No lançamento de um dado, cujas faces estão numeradas de 1 a 6, sabemos que a probabilidade de sair qualquer uma das faces é sempre a mesma, ou seja, 1/6 (já que existem seis faces), isto é,

$$P(1) = P(2) = P(3) = P(4) = P(5) = P(6) = 1/6$$

Nitidamente, sair um 3 ou um 5 são eventos mutuamente exclusivos, já que não podem acontecer ao mesmo tempo. O mesmo ocorre com quaisquer outras combinações de faces em que se possa pensar. Pergunta-se, portanto: qual é a probabilidade de que, no lançamento do dado, saia a face 3 ou a face 5?

Solução

O que se pede é P(face 3 ∪ face 5); como os eventos são mutuamente exclusivos, temos:

$$P(\text{face } 3 \cup \text{face } 5) = P(\text{face } 3) + P(\text{face } 5) = 1/6 + 1/6 = 2/6 = 1/3$$

Lei da Adição para eventos não mutuamente exclusivos

A Figura 5.6 é semelhante à Figura 5.5, mas agora os eventos A e B não são mutuamente exclusivos, ou seja, eles têm resultados comuns, representados na intersecção $A \cap B$.

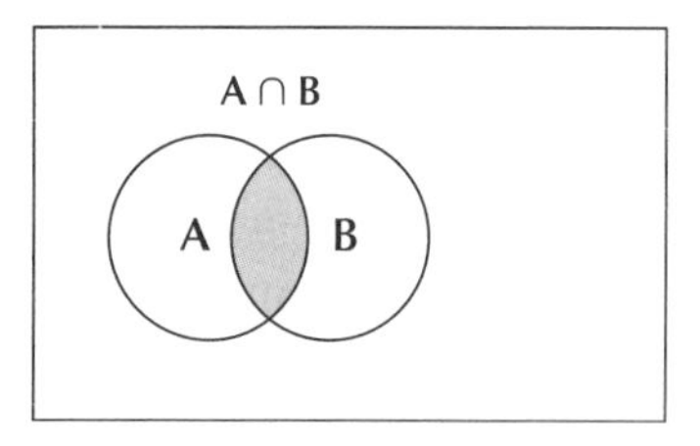

Figura 5.6 Diagrama de Venn para dois eventos não mutuamente exclusivos.

Parece intuitivo agora que:

$P(A \cup B) = P(A) + P(B) - P(A \cap B)$, já que, ao somarmos $P(A)$ e $P(B)$, estamos contando duas vezes os resultados comuns, devendo subtrair uma delas.

Exemplo 5.5

No lançamento de um dado, cujas faces são numeradas de 1 a 6, qual a probabilidade de se obter um número par ou um número maior que 4?

Solução

Chamando de

A = evento (obter número par no lançamento de um dado)

B = evento (obter número maior que 4 no lançamento de um dado), estamos procurando $P(A \cup B)$ e temos:

$$P(A \cup B) = P(A) + P(B) - P(A \cap B)$$

Como entre os números 1 e 6 existem três números pares (2, 4, 6), segue-se que $P(A) = 1/6 + 1/6 + 1/6 = 3/6 = 1/2$

Por outro lado, no lançamento do dado, só existem dois números maiores que 4, ou seja, 5 e 6. Logo, $P(B) = 2/6 = 1/3$.

Entre os dois eventos A e B, só existe um resultado comum, que é obter a face 6 (simultaneamente par e maior que 4). Logo, $P(A \cap B) = 1/6$. Finalmente,

$$P(A \cup B) = P(A) + P(B) - P(A \cap B) = 1/2 + 1/3 - 1/6 = 4/6 = 2/3$$

5.3.4 *Probabilidade condicional e o Teorema de Bayes*

Digamos que saibamos que um certo evento B tenha ocorrido e que nos interessemos em saber a probabilidade de também ocorrer o evento A, ou seja, queremos saber a *probabilidade de ocorrer o evento A, dado que sabemos que ocorreu o evento B*. Essa probabilidade é chamada de *probabilidade condicional de A em relação a B* (ou, simplesmente, *probabilidade condicional*) e é indicada por P(A/B), que se lê: probabilidade de A condicionada à ocorrência de B, ou P(A) dado B. De modo similar, poderemos ter a probabilidade de B condicionada à ocorrência de A, ou seja, P(B/A).

Exemplo 5.6

O Departamento de Recursos Humanos de uma organização com mil empregados fez um amplo levantamento com seus funcionários, visando determinar um conjunto de características motivacionais. Para certos propósitos, os funcionários foram agrupados em duas categorias funcionais: Fábrica (produção, expedição, projetos etc.) e Administração (Administração Geral, Finanças, Vendas, Promoção, Pesquisa de Mercado etc.). Para cada categoria, buscou-se saber quantos funcionários encontravam-se motivados ou não motivados. Os resultados estão na Tabela 5.1:

Tabela 5.1 Alocação dos funcionários quanto à motivação

	Motivados	Não-motivados	Total
Fábrica	500	100	600
Administração	250	150	400
Total	750	250	1.000

Chamando de M ao evento de que o funcionário esteja motivado, N ao evento de que não o esteja, F ao evento de que o funcionário pertença à Fábrica e A ao evento de que o funcionário pertença à Administração, pergunta-se: qual a probabilidade de que a pessoa não esteja motivada, sabendo-se que é da área de Administração?

Solução

Claramente, o que se deseja é P(N/A).

Observando-se a Tabela 5.1, vemos que, das 400 pessoas da área de Administração, 150 não estão motivadas. Nosso universo, nesse caso, é 400, dos quais 150 têm a característica procurada. Logo,

P(N/A) = 150/400, o que pode ser escrito como

$$P(N/A) = \frac{150/1.000}{400/1.000}$$

Ora, 150/1.000 é exatamente a probabilidade de que as pessoas estejam não motivadas e, ao mesmo tempo, pertençam à Administração, ou seja,

$P(N \cap A)$. Por outro lado, 400/1.000 é nitidamente $P(A)$, ou seja, a probabilidade de que um funcionário qualquer pertença à área de Administração.

Logo,

$$P(N/A) = \frac{P(N \cap A)}{P(A)} \qquad \text{(Equação 5.1)}$$

A Equação 5.1 vale para o cálculo da probabilidade condicionada, quaisquer que sejam os eventos N e A, desde que $P(A) \neq 0$. Ela é conhecida como *Teorema de Bayes* ou *Lei de Bayes.*

Atenção!

Por acaso, o leitor lembra-se do conceito de eventos independentes? Relembrando, dois eventos são independentes se a ocorrência de um não interfere na ocorrência do outro ou, em outras palavras, se a probabilidade de um nada tem a ver com a probabilidade do outro. Deve ser fácil ao leitor perceber que, se dois eventos, N e A, são independentes, então $P(N/A) = P(N)$, já que não terá importância se A ocorreu ou não.

Então, na Equação 5.1, se N e A são eventos independentes, a fórmula reduz-se a:

$$P(N/A) = \frac{P(N \cap A)}{P(A)} = P(N) \text{ ou, de outra forma,}$$

$$P(N \cap A) = P(N)\,P(A) \qquad \text{(Equação 5.2)}$$

A Equação 5.2 é conhecida como *Lei da Multiplicação,* no caso de dois eventos quaisquer que sejam independentes.

Exemplo 5.7

Uma urna contém sete bolas brancas e três bolas azuis, todas idênticas em tamanho e outras características. É retirada uma bola e imediatamente reposta na urna. É retirada, então, uma segunda bola. Qual a probabilidade de serem retiradas duas bolas brancas?

Solução

Este é o famoso caso da urna com bolas, em que a retirada é *feita com reposição.* Veja o leitor por que assim estabelecemos: é claro que a probabilidade de retirar a primeira bola branca é de 7/10, pois sete bolas são brancas e há dez bolas. Se não recolocássemos a bola branca na urna, sobrariam nove bolas no total, sendo seis brancas, e, então, a probabilidade de retirar uma segunda bola também branca seria de 6/9, diferente de 7/10. Nesse caso, os eventos "retirar uma primeira bola branca" e "retirar uma segunda bola branca" não seriam independentes. Entretanto, permitida a reposição, os eventos são independentes, porque a probabilidade de "retirar uma segunda bola branca" não é afetada pelo fato de que se retirou uma bola antes.

Queremos P(retirar uma primeira bola branca e retirar uma segunda bola branca), ou seja,

P(retirar uma primeira bola branca ∩ retirar uma segunda bola branca) =

= P(retirar uma primeira bola branca) P(retirar uma segunda bola branca) =

= (7/10) (7/10) = 49/100 = 0,49

Importante!

A Lei da Multiplicação pode ser estendida a um número de eventos qualquer, desde que todos sejam independentes, isto é, a probabilidade da intersecção de diversos eventos é o produto das probabilidades individuais.

Exemplo 5.8

Em três classes do nível médio de um estabelecimento de ensino, sabe-se que as médias em Matemática são independentes entre si. Chamando de A ao evento "média da primeira classe maior que 5", de B ao evento "média da segunda classe maior que 5" e de C ao evento "média da terceira classe maior que 5", tem-se P(A) = 0,7; P(B) = 0,4; P(C) = 0,6. Qual é a probabilidade de que todas as classes tenham média maior que 5 em Matemática?

Solução

O que se pede é $P(A \cap B \cap C)$, e sabemos que os eventos são independentes, logo:

$$P(A \cap B \cap C) = P(A)\,P(B)\,P(C) = (0{,}7)\,(0{,}4)\,(0{,}6) = 0{,}168$$

5.4 Variáveis aleatórias

Como já vimos, o experimento é um processo qualquer de observação de um fenômeno, o qual leva a um ou mais resultados. O próprio fenômeno de interesse é definido por alguma variável, ou seja, uma propriedade ou atributo que pode assumir diversos graus ou valores. A palavra *grau* indica *uma caracterização qualitativa*, enquanto a palavra *valor* indica uma *caracterização quantitativa*. Retomemos exemplos já vistos:

a) Experimento: verificar os títulos de livros comprados por clientes que saem de uma livraria;

Variável: *títulos comprados* (os diferentes títulos são os diferentes graus da variável)

b) Experimento: contar o número de carros que passam por um pedágio em uma dada unidade de tempo;

Variável: *número de carros* (variável numérica)

c) Experimento: verificar quantas pessoas passam pela portaria de um prédio em um certo dia da semana;

Variável: *número de pessoas* (variável numérica)

d) verificar quantos pães foram produzidos por uma padaria em uma certa manhã.

Variável: *número de pães* (variável numérica)

A variável que é definida pelo experimento recebe o nome de *variável aleatória*. No primeiro caso, a variável títulos comprados não leva a números, mas a uma relação de títulos de livros; nos demais casos, a variável é sempre numérica. Sempre é possível, entretanto, atribuir um número diferente a cada um dos graus de uma variável aleatória, embora tais números tenham apenas a função de rótulos, não podendo passar por operações básicas como soma, subtração, multiplicação, divisão e assim por diante.

Exemplo: vamos supor que os cinco títulos mais vendidos por uma livraria em um determinado mês fossem os seguintes: *Harry Potter e a Ordem da Fênix*, de J. K. Rowling; *A dieta de South Beach*, de Arthur Agatston; *Quem ama, educa*, de Içami Tiba; *O Senhor dos Anéis*, de J. R. R. Tolkien e *Tudo valeu a pena*, de Zibia Gasparetto. É possível atribuir a cada um desses títulos um número, como, por exemplo:

Harry Potter e a Ordem da Fênix (1)

A dieta de South Beach (2)

Quem ama, educa (3)

O Senhor dos Anéis (4)

Tudo valeu a pena (5)

Note que a média aritmética desses números é três, número que corresponde ao título *Quem ama, educa*. Não obstante, é totalmente sem sentido dizer que este é um "livro médio" na relação. Os números funcionam como meros rótulos, não cumprindo as funções numéricas que conhecemos.

Por outro lado, as variáveis aleatórias podem ser divididas em *discretas* e *contínuas*. Uma *variável aleatória discreta* é aquela que assume apenas alguns valores bem determinados em um intervalo dado. Já uma *variável aleatória contínua* é aquela que pode assumir infinitos valores dentro de um intervalo dado, por menor que seja tal intervalo.

Exemplo: consideremos o número de peças defeituosas que pode ser encontrado quando é retirado um lote de 15 peças. Claramente, o número de peças defeituosas é uma variável aleatória discreta, pois pode assumir apenas os valores 1, 2, 3, 4, 5,... 15. Pense o leitor, agora, na sua própria altura. Ela é uma variável discreta ou contínua? De forma não tão clara, a altura de uma pessoa é uma variável aleatória contínua. Supondo que a altura do leitor seja 1,73 m, o caráter de continuidade só não aparece porque não temos instrumentos de medida para medir com mais casas decimais ou porque estamos satisfeitos com a medida. Na prática, muitas vezes se assume apenas um número finito de valores de uma variável contínua.

5.5 Distribuição de probabilidade de uma variável aleatória discreta

Vamos supor que um lote de peças, quando inspecionado, pode apresentar 0, 1, 2, 3, 4 ou 5 defeitos, não sendo possível nenhum outro número de defeitos, ou seja, esses valores esgotam o espaço amostral. Imaginemos ainda que possamos atribuir a esses valores as seguintes probabilidades:

Número de defeitos	Probabilidade
0	0,10
1	0,25
2	0,15
3	0,20
4	0,20
5	0,10
Total	1,00

Como sabemos, se os valores da variável aleatória esgotam o espaço amostral, então a soma das probabilidades deve ser igual a 1.

Ao conjunto dos valores de uma variável aleatória discreta e suas respectivas probabilidades, damos o nome de *distribuição de probabilidade de uma variável aleatória discreta* ou, simplesmente, *distribuição discreta de probabilidade.*

Na Figura 5.7 vemos o gráfico que apresenta os valores da variável em abscissas e as respectivas probabilidades em ordenadas e barras verticais representando a associação. Esse gráfico é chamado de *histograma*.

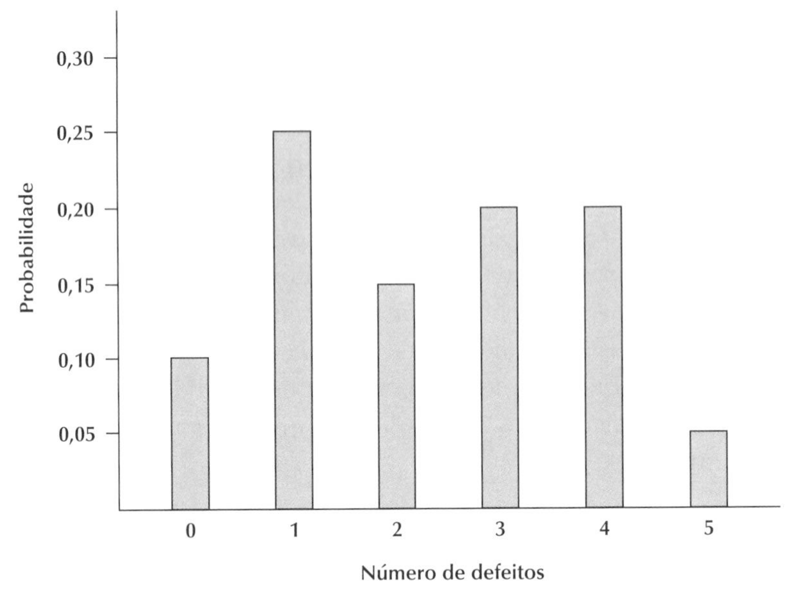

Figura 5.7 Histograma: número de defeitos em um lote.

O leitor pode facilmente perceber que deve haver um *valor médio* para o número de defeitos, além de existir uma certa *dispersão* dos valores em relação a esse valor médio. Como calcular tais valores?

5.5.1 Valor esperado de uma distribuição discreta de probabilidade

O *valor esperado* de uma distribuição discreta de probabilidade, ou *esperança matemática* da distribuição, ou, mais simplesmente, *média* da distribuição, é uma das chamadas *medidas de tendência central* de uma distribuição. O valor esperado é calculado como a média ponderada dos valores da variável aleatória, sendo as probabilidades respectivas os pesos dessa ponderação. Designando por E(X) o valor esperado da distribuição de probabilidade da variável X, temos:

$$E(X) = X_1\ P(X_1) + X_2\ P(X_2) + X_3\ P(X_3) + \ldots\ X_n\ P(X_n) = X_i\ P(X_i)$$

(Equação 5.3)

sendo X_i e $P(X_i)$ cada um dos valores da variável aleatória e sua respectiva probabilidade.

Exemplo 5.9

Considere o leitor a distribuição de probabilidade do número de defeitos em um lote:

X_i		$P(X_i)$		$X_i\ P(X_i)$
0		0,10		0
1		0,25		0,25
2		0,15		0,30
3		0,20		0,60
4		0,20		0,80
5		0,10		0,50
	Total	1,00	Total	2,45

Logo, E(X) = 2,45

O número médio de defeitos encontrado no lote é, portanto, 2,45. É claro que tal número não corresponde a nenhum efetivo número de defeitos, mas isso é comum com a média, ou seja, o fato de não ser igual a nenhum dos valores da variável.

5.5.2 Variância de uma distribuição discreta de probabilidade

Observando o histograma da Figura 5.7, é possível ter alguma ideia sobre a *dispersão* da distribuição, ou seja, o afastamento maior ou menor em relação à média (ou esperança matemática). Quanto mais próximos entre si os valores da variável aleatória X, menor a dispersão.

Há várias formas de se associar um número à dispersão, que permitam uma visualização melhor dela. Uma delas é chamada de *amplitude* e é calculada como a diferença entre o maior e o menor valor da variável X na distribuição. No exemplo anterior (número de defeitos em um lote), a amplitude é 5 (ou seja, 5 – 0 = 5).

Outra forma de cálculo da dispersão é a *variância*, representada pelo símbolo σ^2 e obtida pela fórmula:

$$\text{Variância} = \sigma^2 = \sum \{X_i - E(X)\}^2\ P(X_i) \qquad \text{(Equação 5.4)}$$

No nosso exemplo anterior, temos $(0 - 2{,}45)^2\ 0{,}10 + (1 - 2{,}45)^2\ 0{,}25 +$ $+ (2 - 2{,}45)^2\ 0{,}15 + (3 - 2{,}45)^2\ 0{,}15 + (4 - 2{,}45)^2\ 0{,}20 + (5 - 2{,}45)^2\ 0{,}10 =$ $= 1{,}3225$.

Se extrairmos a raiz quadrada da variância, temos o *desvio padrão* σ. No exemplo,

$$\sigma = \sqrt{\text{variância}} = \sqrt{1,3225} = 1,15$$

5.6 Distribuição de probabilidade de uma variável aleatória contínua

Se uma dada variável aleatória X for discreta, ela assumirá apenas um número finito de valores X_i; a cada um desses valores podemos associar uma dada probabilidade de ocorrência $P(X_i)$. Se a variável aleatória X for contínua, entretanto, haverá infinitos valores da variável. Isso vai acarretar que, quando a variável aleatória X for contínua, a probabilidade para um dado valor X_i tenderá a zero. É fácil ver por que isso acontece, se lembrarmos por um momento da visão frequencialista da probabilidade. Nessa visão, a probabilidade para um dado valor da variável aleatória será igual ao número de vezes que ocorre esse dado valor, dividido pelo número total de valores da variável. Ora, o número total de valores da variável tende a infinito, e a divisão pelo seu valor tenderá a zero.

Segue-se, então, que será impossível termos um histograma de variável aleatória contínua. Na representação gráfica de uma variável contínua, marca-se em abscissas a *faixa de valores* que a variável pode assumir; em ordenadas, entretanto, não podemos colocar as probabilidades associadas, dado que toda probabilidade de um valor individual X_i tende a zero. O que se coloca em ordenadas é uma grandeza denominada *densidade de probabilidade*, como ilustrado na Figura 5.8:

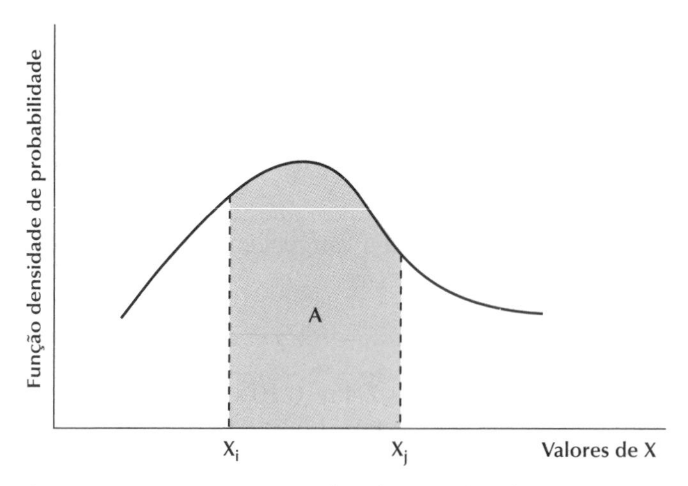

Figura 5.8 Representação gráfica de uma distribuição de probabilidade contínua.

Como a probabilidade de ocorrência de um dado valor de X é zero, trabalha-se agora com a probabilidade de X estar em um intervalo dado. Essa probabilidade é dada pela área A da Figura 5.8, ou seja,

$$A = P(X_i \leq X \leq X_j)$$

Por outro lado, tal como era efetuado o cálculo de esperança matemática, variância e desvio padrão para distribuições de probabilidade de variáveis discretas, também agora, para variáveis contínuas, tais grandezas podem ser calculadas. O cálculo, porém, está além dos limites deste trabalho.

Veremos a seguir algumas das distribuições de probabilidade mais importantes e que serão úteis, de forma direta ou indireta, ao longo do livro.

5.7 A distribuição binomial

A distribuição binomial é um modelo teórico (idealizado) de uma distribuição discreta de probabilidade, com larga aplicação na prática. Veremos as características básicas da distribuição e também como calcular sua média e seu desvio padrão.

Inicialmente, apresentemos uma conceituação importante, de onde nasce a distribuição binomial: trata-se do *processo de Bernouilli*. Definimos assim um processo de Bernouilli:

a) É um experimento que só pode apresentar dois resultados mutuamente exclusivos (acontece um ou outro, nunca ambos ao mesmo tempo), um deles chamado de *fracasso* e o outro, de *sucesso*. As palavras *sucesso* e *fracasso* não têm os sentidos carregados como na vida diária, sendo usadas apenas para distinguir um resultado de outro, de uma forma cabal. Assim, podemos definir um experimento como sendo o lançamento de um dado; fracasso seria obtermos um número par e sucesso, um número ímpar. Se o leitor quisesse trocar essas designações – número par como sucesso e número ímpar como fracasso –, isso não teria a mínima influência.

b) A probabilidade de sucesso ou fracasso é a mesma ao longo do tempo, ou seja, é inalterável de um experimento a outro.

c) Um experimento é independente do outro, ou seja, o resultado de um experimento não influencia no resultado de outro.

Uma *distribuição binomial* é aquela ligada a um processo de Bernouilli e consiste no conjunto de sucessos (ou, evidentemente, fracassos) obtidos na repetição de um processo de Bernouilli e suas respectivas probabilidades.

Exemplo 5.10

Sabe-se que o processo de usinagem de uma peça ainda não está perfeitamente ajustado, o que faz com que uma peça em cada dez saia da produção com defeito. Pergunta-se: tiradas duas peças da linha de produção, quais são as probabilidades de que apresentem zero, um ou dois defeitos?

Solução

Vamos chamar de sucesso ao fato de se obter uma peça defeituosa (evento que chamaremos de D) e de fracasso ao fato de se obter uma peça perfeita na produção (evento que chamaremos de ND). Perceba o leitor que, propositadamente, invertemos o que se poderia considerar como sucesso ou fracasso em um sentido prático comum. Fazemos isso para ressaltar ao leitor que as palavras *sucesso* e *fracasso* indicam eventos mutuamente exclusivos... e nada mais.

Nitidamente, temos as seguintes probabilidades:

$$P(D) = 0{,}10$$

$$P(ND) = 0{,}90$$

Tendo de tomar duas peças na produção, evidentemente podemos ter apenas zero, uma ou duas peças defeituosas. Podemos pensar em uma sequência de dois processos de Bernouilli, como mostrado na Figura 5.9.

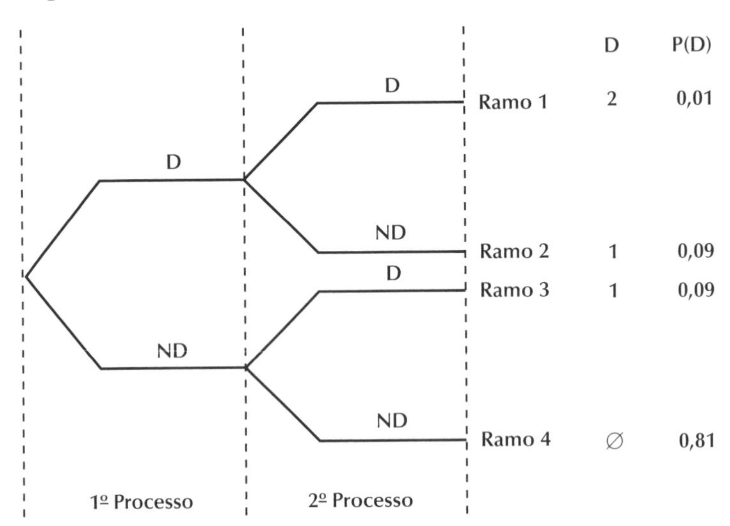

Figura 5.9 Número de peças defeituosas em dois processos de Bernouilli.

Como os eventos são independentes, a probabilidade de um dado resultado ao longo de uma sequência (ramo) da árvore formada é o produto das probabilidades ao longo dela. Ao longo do Ramo 1, por exemplo (sequência de duas peças defeituosas), a probabilidade será (0,10 × 0,10) = = 0,01; ao longo do Ramo 2 (uma peça defeituosa e uma sem defeito), a probabilidade será 0,09. Reparar que também ao longo do Ramo 3 temos uma peça defeituosa e outra não defeituosa, embora agora em uma sequência diferente. O que importa, afinal, é o número de peças defeituosas, e também aqui será 1, com a probabilidade de 0,09. As duas oportunidades de se obter uma só peça defeituosa darão uma probabilidade total de (0,09 + 0,09) = 0,18. Finalmente, no Ramo 4, temos a possibilidade de obter duas peças não defeituosas (ou zero peças defeituosas), com a probabilidade de (0,9 × 0,9) = 0,81. A soma das probabilidades fornece facilmente:

0,01 + 0,18 + 0,81 = 1,00, como deveria ser.

A Tabela 5.2 consolida os cálculos descritos.

Tabela 5.2 Número de peças defeituosas em duas peças tiradas da produção

Número de peças defeituosas	Probabilidade de ocorrência
0	0,81
1	0,18
2	0,01

Podemos definir formalmente uma distribuição binomial, o que nos possibilitará apresentar as fórmulas existentes para o cálculo das probabilidades associadas a cada valor da variável aleatória (número de sucessos ou fracassos, como se queira), a média da distribuição e seu desvio padrão. Assim, a *distribuição binomial é aquela que resulta do cálculo da probabilidade de obter* k *sucessos em* n *tentativas (*k = *0, 1, 2, 3, ...* n*), em que cada tentativa é por si mesma um processo de Bernouilli.*

No exemplo anterior, tirávamos duas peças da produção, configurando duas tentativas (n = 2); o número de sucessos k era igual a zero, uma ou duas peças com defeito.

Probabilidade de se obter k sucessos em n tentativas

Calcula-se a probabilidade de se obter k sucessos em n tentativas como:

$$P(k) = \frac{n!}{k!\,(n-k)!}\, p^k\, (1 - p)^{n-k} \qquad \text{(Equação 5.5)}$$

Na Equação 5.5, o símbolo (n!) lê-se *fatorial de n* e indica o produto dos números naturais até n, ou seja, $1 \times 2 \times 3 \times .... n$. Além disso,

n = número de tentativas

k = número de sucessos obtidos em n tentativas

p = probabilidade de um sucesso individual

Média de uma distribuição binomial

A média de uma distribuição binomial (aqui indicada pela letra grega μ) é calculada como

$$\mu = n\ p \qquad \text{(Equação 5.6)}$$

No caso das duas peças retiradas da produção no exemplo anterior, tem-se

$$\mu = 2 \times (0,1) = 0,2$$

Desvio padrão de uma distribuição binomial

Temos, com σ indicando o desvio padrão:

$$\sigma = \sqrt{n\ p\ (1 - p)} \qquad \text{(Equação 5.7)}$$

No exemplo que estamos trabalhando,

$$\sigma = \sqrt{n\ p\ (1 - p)} = \sqrt{2\ (0,1)\ \ (1 - 0,1)} = 0,4243$$

Exemplo 5.11

Um desportista pratica tiro ao alvo, tentando acertar, em sequências de cinco pratos, um por vez. A probabilidade de acertar em uma dada tentativa é de 0,95. Determinar a distribuição de probabilidade resultante, ou seja, as probabilidades de que o desportista acerte 0, 1, 2, 3, 4 ou 5 pratos em uma sequência. Adicionalmente, determinar a média e o desvio padrão da distribuição.

Solução

A aplicação da Equação 5.5 nos fornece:

Para k = 0

$$P(0) = \frac{5!}{0!\ (5 - 0)!}\ (0,95)^0\ (1 - 0,95)^{5-0} = 0,00000$$

Para k = 1

$$P(1) = \frac{5!}{1!\,(5-1)!}(0{,}95)^{1}\,(1-0{,}95)^{5-1} = 0{,}00003$$

Para k = 2

$$P(2) = \frac{5!}{2!\,(5-2)!}(0{,}95)^{2}\,(1-0{,}95)^{5-2} = 0{,}00113$$

Para k = 3

$$P(3) = \frac{5!}{3!\,(5-3)!}(0{,}95)^{3}\,(1-0{,}95)^{5-3} = 0{,}02256$$

Para k = 4

$$P(4) = \frac{5!}{4!\,(5-4)!}(0{,}95)^{4}\,(1-0{,}95)^{5-4} = 0{,}20363$$

Para k = 5

$$P(5) = \frac{5!}{5!\,(5-5)!}(0{,}95)^{5}\,(1-0{,}95)^{5-5} = 0{,}77378$$

Os valores encontrados estão reunidos na Tabela 5.3:

Tabela 5.3 Distribuição binomial: probabilidades de acerto em tiro ao alvo de pratos

Número de pratos acertados (k)	Probabilidade P (k)
0	0,00000
1	0,00003
2	0,00113
3	0,02256
4	0,20363
5	0,77378

O leitor pode notar que, devido aos arredondamentos, a soma das probabilidades é ligeiramente maior que 1 (efeito evidentemente artificial).

O cálculo da média nos fornece

$\mu = n\ p = 5\ (0,95) = 4,75$

e o desvio padrão

$\sigma = \sqrt{n\ p\ (1 - p)} = \sigma = \sqrt{5\ (0,95)\ (1 - 0,95)} = 0,4873$

5.8 A distribuição de Poisson

Outra distribuição discreta de larga aplicação é a distribuição de Poisson, que usaremos principalmente em nosso capítulo sobre simulação. Pode-se entender melhor a distribuição de Poisson por meio de exemplos: vamos supor um posto de pedágio, ao qual sabe-se que chegam três carros, em média, a cada 10 segundos. É claro que esse é um número médio. É possível chegarem cinco carros, três carros ou nenhum carro ao posto de pedágio em um dado intervalo de 10 segundos. A questão básica é esta: tendo em vista apenas a informação de que chegam, em média, três carros a cada 10 segundos ao posto, será possível saber a probabilidade de que cheguem cinco carros em um dado intervalo de 10 segundos? Dois carros? Nenhum carro?

Admitindo-se que a distribuição de probabilidade do número de carros que chegam ao posto de pedágio a cada 10 segundos seja dada pela distribuição de Poisson, que veremos em seguida, então é possível responder às perguntas anteriores.

O número de carros que chegam ao posto de pedágio a cada 10 segundos é a nossa variável aleatória. De forma geral, a distribuição de Poisson supõe uma certa *unidade de exposição* na qual há uma certa ocorrência média de um evento ou de uma variável aleatória. No nosso exemplo, a unidade de exposição é o intervalo de 10 segundos, e a variável é o número de carros que chegam ao posto.

Precisamos de duas hipóteses adicionais, ou seja:

a) É constante a probabilidade de a variável aleatória tomar qualquer dado valor na unidade de exposição; é claro que são diferentes as probabilidades de chegarem cinco ou dois carros ao pedágio no intervalo de 10 segundos, mas o importante é que todas essas probabilidades têm valor constante.

b) As observações são independentes entre si, ou seja, a probabilidade de a variável tomar um certo valor não depende dos valores anteriormente assumidos.

Ao conjunto formado pelos valores da variável nessa situação e suas respectivas probabilidades, dá-se o nome de *distribuição de Poisson*. A probabilidade de a variável assumir um dado valor k é dada pela equação

$$P(k) = \frac{\mu^k e^{-\mu}}{k!} \qquad \text{(Equação 5.8)}$$

onde temos:

P(k) = probabilidade de a variável assumir o valor k por unidade de exposição

μ = valor médio da variável por unidade de exposição

e = base do sistema de logaritmos naturais

(O valor arredondado de e é 2,7183.)

O desvio padrão de uma distribuição de Poisson é facilmente obtido, pois liga-se de forma simples à média:

$$\sigma = \sqrt{\mu} \qquad \text{(Equação 5.9)}$$

Exemplo 5.12

Retomemos o caso do posto de pedágio, em que chegam três carros a cada 10 segundos. Calculemos as probabilidades de que cheguem 0, 1, 2, 3, ... carros em um certo intervalo de 10 segundos. Repare-se de imediato que, em princípio, o número de carros que podem chegar em um certo intervalo de 10 segundos pode ser muito grande, mas a probabilidade de chegarem números maiores vai diminuindo rapidamente.

Solução

Devemos aplicar agora a Equação 5.8, o que deixaremos a cargo do leitor, devido a uma certa similaridade com a aplicação da Equação 5.5, anteriormente descrita. Com os resultados, montamos a Tabela 5.4:

Tabela 5.4 Distribuição de Poisson: probabilidade de chegada de carros a um posto de pedágio

Nº de carros a cada 10 segundos (k)	Probabilidade P(k)	Nº de carros a cada 10 segundos (k)	Probabilidade P(k)
0	0,04979	7	0,02161
1	0,14937	8	0,00810
2	0,22406	9	0,00270
3	0,22406	10	0,00081
4	0,16804	11	0,00022
5	0,10082	12	0,00001
6	0,05041	13	0,00001

Como comentado, rapidamente o valor da probabilidade diminui; para um número de carros maior que 13 já não é mais possível calcular a probabilidade dentro da faixa de precisão da tabela. A soma das probabilidades calculadas com cinco dígitos após a vírgula, por isso, é um pouco acima de 1. De idêntica forma, a média que pode ser calculada pela Tabela 5.4 seria ligeiramente superior à real, que é de três carros a cada 10 segundos.

5.9 A distribuição normal

A distribuição chamada de *normal* ou *distribuição de Gauss* é uma das mais importantes da Estatística, pois é usada em todos os campos do conhecimento humano em que a quantificação seja possível. O aspecto da distribuição é apresentado na Figura 5.10. A curva resultante é chamada de *curva normal* ou apenas *normal*.

São propriedades da curva normal:

- é em forma de sino;
- é simétrica em relação à média (μ);
- é assintótica ao eixo da variável.

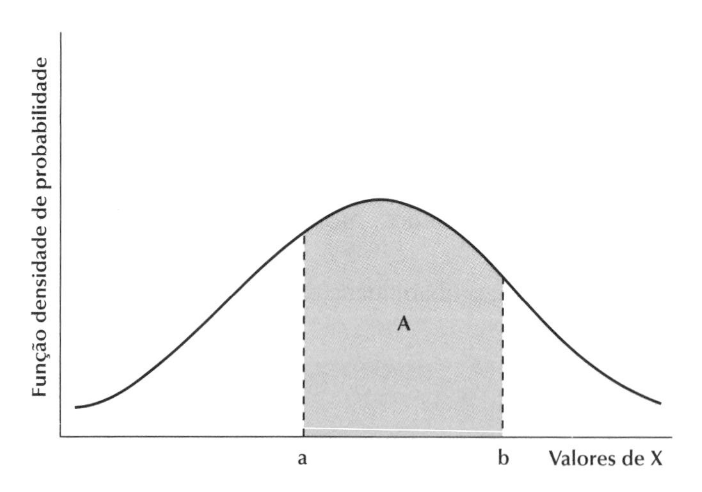

Figura 5.10 A curva normal.

A curva normal na Figura 5.10 apresenta, na verdade, algumas complicações adicionais. Embora o eixo horizontal represente os valores da variável aleatória, é fundamental lembrar que o eixo vertical não indica os valores das frequências de cada valor de X. Em uma variável contínua, sabemos que a frequência associada a cada valor da variável aleatória é nula. O eixo vertical marca as medidas de uma grandeza chamada *densidade de probabilidade*, cuja derivação fica além do escopo deste livro. Basta, por ora, dizer que, embora seja nula a frequência de um valor qualquer da variável aleatória, não o é a probabilidade de que um valor da variável esteja entre dois valores dados *a* e *b* (ver Figura 5.10), ou seja, podemos calcular $P(a \leq X \leq b)$, que é equivalente a $P(a < X < b)$, já que $P(X = a) = P(X = b) = 0$. Mais adiante, veremos como encontrar essa probabilidade e muitas outras.

5.9.1 A influência do desvio padrão na curva normal

Quanto maior o desvio padrão σ de uma curva normal, mais os seus ramos se afastarão do eixo vertical que passa pela média, como mostra a Figura 5.11.

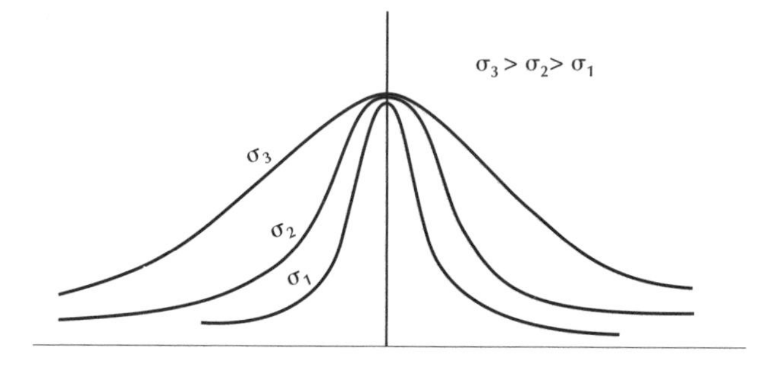

Figura 5.11 O desvio padrão na curva normal.

Conforme se vê na Figura 5.11, à medida que diminui o desvio padrão, a curva vai se aproximando cada vez mais do eixo vertical; de forma contrária, se o desvio padrão aumentar, a curva vai se "deitando" cada vez mais, ou seja, afasta-se mais e mais do eixo vertical.

5.9.2 Cálculo de áreas sob a curva normal

Em princípio, para calcularmos $P(a \leq X \leq b)$, precisaríamos fazer cálculos complicados, fora do alcance do livro (na verdade, precisaríamos calcular a integral da curva normal entre os pontos *a* e *b*). Uma maneira muito mais simples de fazer esse cálculo e, por extensão, muitos outros é por meio da chamada curva normal reduzida ou padronizada, apresentada na Figura 5.12.

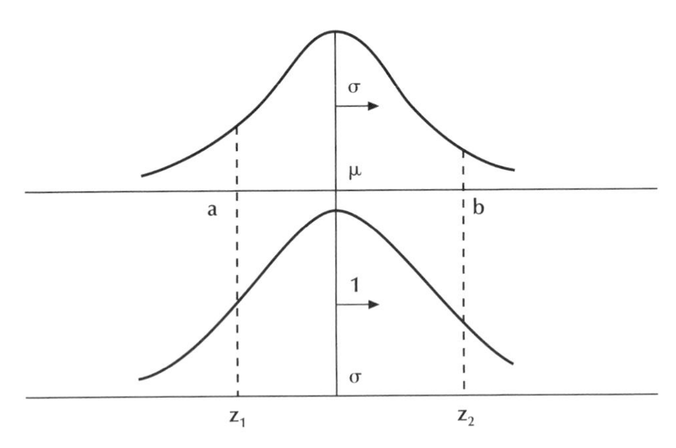

Figura 5.12 Curva normal padronizada (ou reduzida).

A curva normal superior da Figura 5.12 é uma curva regular, tal como foi apresentada ao leitor. Já a curva inferior é a normal padronizada. Observe que aos pontos *a* e *b* da curva regular correspondem os pontos z_1 e z_2. De forma geral, qualquer ponto X da curva normal regular corresponde a um ponto z da curva normal padronizada, sendo que a relação entre X e z é:

$$z = \frac{X - \mu}{\sigma} \qquad \text{(Equação 5.10)}$$

Essa transformação simples dá à normal padronizada algumas propriedades notáveis. Vejamos:

- se X for igual à média da normal, ou seja, $X = \mu$, então

$$z = \frac{\mu - \mu}{\sigma} = 0$$

- se X for distante 1 desvio padrão da média, ou seja, $X = \mu \pm 1\sigma$, então

$$z = \frac{\mu - \mu \pm 1\sigma}{\sigma} = \pm 1$$

A normal reduzida tem média 0 e desvio padrão igual a 1. Em outras palavras, o valor de z mede o número de desvios padrão que o X correspondente está distante da média. A rigor, em teoria, o valor de z vai de $-\infty$ a $+\infty$; na prática, um valor máximo de $z = 4$ costuma ser usado, dado que, para tal valor, a curva normal aproxima-se muito do eixo X (ou do eixo z, na normal padronizada).

Para que serve a curva normal reduzida ou padronizada? Para responder a tal pergunta, volte o leitor à Figura 5.10. Vamos supor que se queira saber o valor de $P(a \leq X \leq b)$, ou seja, a área A. Quaisquer que sejam *a* e *b*, em qualquer curva normal, esses pontos podem ser reduzidos a valores z_1 e z_2 da curva normal padronizada. Se pudermos tabular as áreas sob uma normal padronizada, então o problema será resolvido. Note o leitor que basta fazer a tabulação uma vez apenas, e ela servirá para calcular áreas sob quaisquer curvas normais.

A Tabela 5.5 foi preparada para que se possa tomar diretamente o valor da área entre 0 e z. Lê-se o valor de z até a primeira casa decimal na coluna da esquerda e completa-se com a segunda casa decimal na linha superior horizontal. No cruzamento está o valor da área entre 0 e z.

Exemplo 5.13

Determinar o valor da área entre $z = 0$ e $z = 0{,}40$.

Solução

Diretamente da tabela, vamos até a linha em que $z = 0{,}4$ e a coluna em que se marca 0,00; o valor da área procurada está no cruzamento, é 0,1554.

Exemplo 5.14

Determinar o valor da área entre $z = 0$ e $z = 1{,}57$.

Solução

O cruzamento entre 1,5 na horizontal e 0,07 na vertical fornece diretamente o valor 0,4418, que é a área procurada.

Exemplo 5.15

Determinar o valor da área entre $z = 0$ e $z = -2{,}33$.

Solução

Em princípio, a área procurada não está tabelada. Entretanto, como a curva é simétrica em relação ao zero, temos que a área procurada (entre $z = 0$ e $z = -2{,}33$) é idêntica à área entre $z = 0$ e $z = 2{,}33$, esta, sim, tabelada. O leitor não terá dificuldade em encontrar que essa área vale 0,4901.

Consequência

Caso se queira o valor da área para valores de z maiores que um valor dado, digamos z*, ou seja, caso se queira $P(z > z^*)$, basta notar que, como a curva normal é simétrica em relação ao eixo vertical que passa pela média, então a área sob a curva, de cada um dos lados desse eixo, é igual a 0,5, já que a área total sob a curva é igual a 1. Isso resulta do fato de que $P(-\infty \le z \le +\infty) = 1$. É fácil de ver que $P(z > z^*) = 0{,}5 - P(0 \le z \le z^*)$.

Exemplo 5.16

Determinar o valor da área para valores de z acima de 1,82.

Solução

A Tabela 5.5 nos indica que a área entre z = 0 e z = 1,82 é 0,4656; como a área total sob cada metade da curva é igual a 0,5, temos:

$$P(z > 1{,}82) = 0{,}5 - P(0 \le z \le 1{,}82) = 0{,}5 - 0{,}4656 = 0{,}0344$$

Agora que o leitor está familiarizado com a Tabela 5.5, vejamos como se pode usá-la no cálculo de áreas (probabilidades) em geral. Façamos tal demonstração por meio de um exemplo.

Exemplo 5.17

Uma grandeza X comporta-se de acordo com uma distribuição normal com média 10 e desvio padrão 2. Encontrar a probabilidade de que um dado valor da variável:

a) esteja entre 10 e 12,5;

b) esteja entre 9 e 10;

c) seja maior que 11,5;

d) seja menor que 7;

e) esteja entre 7,5 e 11,5.

Solução

Cada um dos cálculos, de *a* até *e*, exige que haja a transformação para a normal padronizada. Lembrar que temos $\mu = 10$ e $\sigma = 2$.

a) deseja-se $P(10 \le X \le 12{,}5)$

Usando a transformação para a normal padronizada, temos:

$$z_1 = \frac{x_1 - \mu}{\sigma} = \frac{10 - 10}{2} = 0$$

$$z_2 = \frac{x_2 - \mu}{\sigma} = \frac{12{,}5 - 10}{2} = 1{,}25$$

Tabela 5.5 Áreas sob a curva normal (0 a z)

	0,00	0,01	0,02	0,03	0,04	0,05	0,06	0,07	0,08	0,09
0,0	0,0000	0,0040	0,0080	0,0120	0,0160	0,0199	0,0239	0,0279	0,0319	0,0359
0,1	0,0398	0,0438	0,0478	0,0517	0,0557	0,0596	0,0636	0,0675	0,0714	0,0753
0,2	0,0793	0,0832	0,0871	0,0910	0,0948	0,0987	0,1026	0,1064	0,1103	0,1141
0,3	0,1179	0,1217	0,1255	0,1293	0,1331	0,1368	0,1406	0,1443	0,1480	0,1517
0,4	0,1554	0,1591	0,1628	0,1664	0,1700	0,1736	0,1772	0,1808	0,1844	0,1879
0,5	0,1915	0,1950	0,1985	0,2019	0,2054	0,2088	0,2123	0,2157	0,2190	0,2224
0,6	0,2257	0,2291	0,2324	0,2357	0,2389	0,2422	0,2454	0,2486	0,2517	0,2549
0,7	0,2580	0,2611	0,2642	0,2673	0,2703	0,2734	0,2764	0,2794	0,2823	0,2852
0,8	0,2881	0,2910	0,2939	0,2967	0,2995	0,3023	0,3051	0,3078	0,3106	0,3133
0,9	0,3159	0,3186	0,3212	0,3238	0,3264	0,3289	0,3315	0,3340	0,3365	0,3389
1,0	0,3413	0,3438	0,3461	0,3485	0,3508	0,3531	0,3554	0,3577	0,3599	0,3621
1,1	0,3643	0,3665	0,3686	0,3708	0,3729	0,3749	0,3770	0,3790	0,3810	0,3830
1,2	0,3849	0,3869	0,3888	0,3907	0,3925	0,3944	0,3962	0,3980	0,3997	0,4015
1,3	0,4032	0,4049	0,4066	0,4082	0,4099	0,4115	0,4131	0,4147	0,4162	0,4177
1,4	0,4192	0,4207	0,4222	0,4236	0,4251	0,4265	0,4279	0,4292	0,4306	0,4319
1,5	0,4332	0,4345	0,4357	0,4370	0,4382	0,4394	0,4406	0,4418	0,4429	0,4441
1,6	0,4452	0,4463	0,4474	0,4484	0,4495	0,4505	0,4515	0,4525	0,4535	0,4545
1,7	0,4554	0,4564	0,4573	0,4582	0,4591	0,4599	0,4608	0,4616	0,4625	0,4633
1,8	0,4641	0,4649	0,4656	0,4664	0,4671	0,4678	0,4686	0,4693	0,4699	0,4706
1,9	0,4713	0,4719	0,4726	0,4732	0,4738	0,4744	0,4750	0,4756	0,4761	0,4767
2,0	0,4772	0,4778	0,4783	0,4788	0,4793	0,4798	0,4803	0,4808	0,4812	0,4817
2,1	0,4821	0,4826	0,4830	0,4834	0,4838	0,4842	0,4846	0,4850	0,4854	0,4857
2,2	0,4861	0,4864	0,4868	0,4871	0,4875	0,4878	0,4881	0,4884	0,4887	0,4890
2,3	0,4893	0,4896	0,4898	0,4901	0,4904	0,4906	0,4909	0,4911	0,4913	0,4916
2,4	0,4918	0,4920	0,4922	0,4925	0,4927	0,4929	0,4931	0,4932	0,4934	0,4936
2,5	0,4938	0,4940	0,4941	0,4943	0,4945	0,4946	0,4948	0,4949	0,4951	0,4952
2,6	0,4953	0,4955	0,4956	0,4957	0,4959	0,4960	0,4961	0,4962	0,4963	0,4964
2,7	0,4965	0,4966	0,4967	0,4968	0,4969	0,4970	0,4971	0,4972	0,4973	0,4974
2,8	0,4974	0,4975	0,4976	0,4977	0,4977	0,4978	0,4979	0,4979	0,4980	0,4981
2,9	0,4981	0,4982	0,4982	0,4983	0,4984	0,4984	0,4985	0,4985	0,4986	0,4986
3,0	0,4987	0,4987	0,4987	0,4988	0,4988	0,4989	0,4989	0,4989	0,4990	0,4990

Fonte: Moreira, 1993, p. 117 (usada com permissão).

Da Tabela 5.5 encontramos que a probabilidade procurada é 0,3944, ou seja,

$P(10 \leq X \leq 12{,}5) = P(0 \leq z \leq 1{,}25) = 0{,}3944$

b) deseja-se $P(9 \leq X \leq 10)$

Temos:

$$z_1 = \frac{x_1 - \mu}{\sigma} = \frac{9 - 10}{2} = -0{,}5$$

$$z_2 = \frac{x_2 - \mu}{\sigma} = \frac{10 - 10}{2} = 0$$

Devido à simetria da curva normal, a área entre –0,5 e 0 é igual à área entre 0 e 0,5. Da Tabela 5.5 vem que essa área é igual a 0,1915.

c) deseja-se $P(X > 11{,}5)$

Na normal reduzida, X = 11,5 corresponde a

$$z = \frac{x - \mu}{\sigma} = \frac{11{,}5 - 10}{2} = 0{,}75$$

Logo, $P(X > 11{,}5) = P(z > 0{,}75) = 0{,}5 - P(0 \leq z \leq 0{,}75)$

Da Tabela 5.5 vem que $P(0 \leq z \leq 0{,}75) = 0{,}2734$ e

$P(X > 11{,}5) = 0{,}5 - 0{,}2734 = 0{,}2266$

d) deseja-se $P(X < 7)$

X = 7 corresponde, na normal reduzida, a

$$z = \frac{x - \mu}{\sigma} = \frac{7 - 10}{2} = -1{,}5$$

Logo, $P(X < 7) = P(z < -1{,}5) = 0{,}5 - P(-1{,}5 \leq z \leq 0) = 0{,}5 - P(0 \leq z \leq 1{,}5)$

Da Tabela 5.5 vem que $P(0 \leq z \leq 1{,}5) = 0{,}4332$ e $P(X < 7) = 0{,}5 - 0{,}4332 =$ $= 0{,}0668$

e) deseja-se $P(7{,}5 \leq X \leq 11{,}5)$

Os correspondentes valores, na normal reduzida, são

$$z = \frac{x - \mu}{\sigma} = \frac{7{,}5 - 10}{2} = -1{,}25$$

$$z = \frac{x - \mu}{\sigma} = \frac{11{,}5 - 10}{2} = 0{,}75$$

Logo, $P(7,5 \leq X \leq 11,5) = P(-1,25 \leq z \leq 0,75) = P(-1,25 \leq z \leq 0) + P(0 \leq z \leq 0,75) = P(0 \leq z \leq 1,25) + P(0 \leq z \leq 0,75)$

Da Tabela 5.5:

$P(0 \leq z \leq 1,25) = 0,3944$

$P(0 \leq z \leq 0,75) = 0,2734$

Logo, $P(7,5 \leq X \leq 11,5) = 0,3944 + 0,2734 = 0,6678$

5.10 A distribuição exponencial

Outra distribuição contínua que tem uma certa utilidade (na teoria das filas, principalmente) é a *distribuição exponencial*. No principal uso que faremos dela, no Capítulo 9, ela descreverá o tempo gasto em desenvolver certa atividade, como, por exemplo: o tempo entre as chegadas de dois carros a um pedágio ou o tempo de chegada de duas pessoas a uma fila qualquer.

Como distribuição contínua, a exponencial tem uma função densidade de probabilidade dada por

$$f(X) = \frac{1}{\mu^*} e^{-X/\mu^*} \qquad \text{(Equação 5.11)}$$

onde X é a variável aleatória (tempo entre as chegadas de dois carros a um pedágio, por exemplo) e μ^* o valor médio dessa variável aleatória. O gráfico correspondente a essa função está na Figura 5.13.

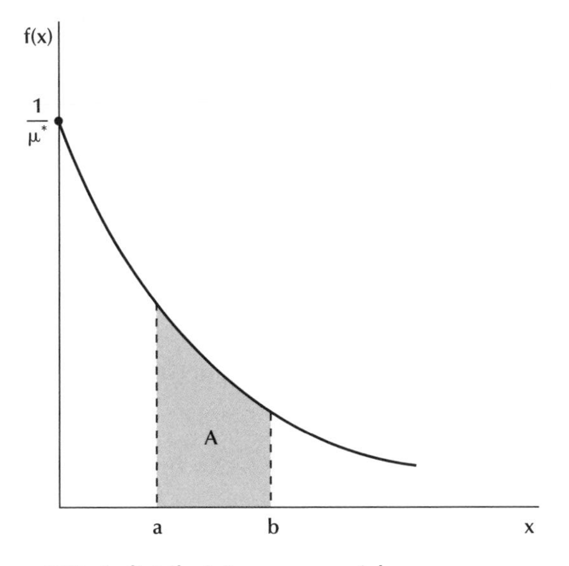

Figura 5.13 A distribuição exponencial.

Note o leitor que, para $X = 0$,

$$f(X) = \frac{1}{\mu^*}$$

como marcado na Figura 5.13. Além disso, a curva é assintótica ao eixo X, ou seja, f(X) tende a zero à medida que X tende a crescer cada vez mais.

5.10.1 Cálculo de probabilidades com a função exponencial

Tal como acontecia com a curva normal, a área sob a curva, delimitada por dois pontos quaisquer, representa a probabilidade de que a variável aleatória tome valores entre esses dois valores. Na curva da Figura 5.13, portanto, a área A representa

$$A = P(a \leq X \leq b)$$

Para calcular as áreas sob a curva normal, usávamos a normal reduzida; no caso da exponencial, utilizamos a seguinte fórmula:

$$P(X \leq b) = 1 - e^{-b/\mu^*} \qquad \text{(Equação 5.12)}$$

Exemplo 5.18

O intervalo médio de chegada entre duas pessoas a uma fila de uma repartição pública é de 15 segundos. Determinar qual a probabilidade de que duas pessoas consecutivas cheguem à fila em um intervalo de

a) no máximo, 30 segundos;

b) no máximo, 5 segundos;

c) entre 5 e 30 segundos.

Solução

Temos, imediatamente, $\mu^* = 15$ segundos, e o que se quer é:

a) $P(X \leq b) = P(X \leq 30) = 1 - e^{-30/15} = 1 - e^{-2} = 0{,}8647$

b) $P(X \leq b) = P(X \leq 5) = 1 - e^{-5/15} = 1 - e^{-1/3} = 0{,}2835$

c) o que se deseja é $P(5 \leq X \leq 30)$. Por outro lado, é fácil de verificar que:

$$P(5 \leq X \leq 30) = P(X \leq 30) - P(X \leq 5) = 0{,}8647 - 0{,}2835 = 0{,}5812$$

5.10.2 Relação entre a distribuição de Poisson e a distribuição exponencial

Recorde o leitor que a distribuição de Poisson supunha uma certa *unidade de exposição* na qual se dava uma certa ocorrência média de um evento ou de uma variável aleatória. Assim, por exemplo, vamos supor que, a cada 210 segundos, cheguem três clientes a um certo caixa de um supermercado. A fórmula da distribuição de Poisson era:

$$P(k) = \frac{\mu^k e^{-\mu}}{k!} \qquad \text{(Equação 5.8)}$$

onde μ era o número médio de ocorrências na unidade de exposição. Em nosso exemplo, $\mu = 3$ e a unidade de exposição é de 210 segundos. Na Equação 5.8, k era a nossa variável aleatória, ou seja, P(k) representa a probabilidade de ocorrerem k ocorrências na unidade de exposição.

A distribuição exponencial, por sua vez, liga-se ao intervalo de exposição entre duas ocorrências. Seguindo ainda nosso exemplo, então, a distribuição exponencial liga-se ao intervalo de tempo entre a chegada de dois clientes consecutivos ao caixa do supermercado. A sua fórmula (função densidade de probabilidade) era:

$$f(X) = \frac{1}{\mu^*} e^{-X/\mu^*} \qquad \text{(Equação 5.11)}$$

onde μ^* era o intervalo médio entre duas chegadas e X era a variável aleatória que representava um certo intervalo entre duas chegadas.

Temos:

$\mu = 3$ chegadas a cada 210 segundos

e μ^* = intervalo médio entre duas chegadas, ou seja,

$\mu^* = 210/3 = 70$ segundos, em média, a cada duas chegadas

Pontos principais do Capítulo

1. Em Estatística chama-se de evento a qualquer combinação de resultados de um espaço amostral que abrigue todos os resultados de um experimento.
2. Eventos podem ser *mutuamente exclusivos*, quando não têm qualquer resultado em comum; *independentes*, quando a ocorrência de um não interfere na ocorrência do outro.

3. Há três visões correntes sobre a probabilidade: a *visão frequencialista*, segundo a qual a probabilidade de um evento é a frequência relativa com que esse evento acontece ao longo do tempo; a *visão subjetiva*, que leva à estimativa da probabilidade de um evento com base no julgamento de uma ou mais pessoas; e a *visão lógica*, obtida por considerações sobre a natureza do evento, sem auxílio de experiência, intuição ou frequências.
4. Quando aplicada a dois eventos, A e B, a Lei da Adição diz respeito ao cálculo da probabilidade do evento união de A e B e é assim estabelecida: $P(A \cup B) = P(A) + P(B) - P(A \cap B)$. Se os dois eventos forem mutuamente exclusivos, $P(A \cap B) = 0$.
5. Quando aplicada a dois eventos N e A independentes, a Lei da Multiplicação diz respeito à probabilidade do evento intersecção de N e A e é assim estabelecida: $P(N \cap A) = P(N)\ P(A)$.
6. Duas das mais importantes distribuições discretas de probabilidade são a distribuição binomial e a distribuição de Poisson. A distribuição binomial é ligada a um processo de Bernouilli e consiste no conjunto de sucessos (ou fracassos) obtidos na repetição de um processo de Bernouilli. Já a distribuição de Poisson supõe uma unidade de exposição na qual há a ocorrência média de um evento (variável aleatória). Assume que é constante a probabilidade de a variável aleatória tomar qualquer valor na unidade de exposição e também que a probabilidade de a variável tomar certo valor não depende dos valores anteriormente assumidos.
7. A mais importante distribuição contínua de probabilidade é a distribuição normal, que é completamente determinada pela sua média e desvio padrão. A função densidade de probabilidade é em forma de sino, sendo simétrica em relação à média.
8. A distribuição exponencial é uma distribuição contínua de probabilidade muito usada na teoria das filas. A distribuição diz respeito ao tempo gasto em desenvolver uma dada atividade, como, por exemplo, o tempo entre as chegadas de duas pessoas a um balcão de informações.

Exercícios resolvidos

Exercício resolvido nº 1

A Siderúrgica Manchester está conduzindo uma pesquisa interna, que procura verificar a relação entre o grau de alfabetização funcional de seus empregados (capacidade de leitura e escrita no trabalho) e o aproveitamento que eles têm em programas de treinamento operacional. Para tanto, selecionou ao acaso 400 funcionários que tenham participado de treinamentos operacionais nos dois últimos anos e submeteu-os a um teste de alfabetização funcional que os classificou em três níveis: Nível 1 (alfabetização funcional insuficiente); Nível 2 (alfabetização funcional regular); Nível 3 (boa alfabetização funcional). Por sua vez, os mesmos 400 funcionários, com base em registros de seus instrutores, foram classificados como AS (Aproveitamento Satisfatório) ou AI (Aproveitamento Insatisfatório) em relação aos programas de treinamento frequentados. Ao final, obteve-se a tabela a seguir, que resume os resultados da pesquisa:

	Nível 1 Alfabetização funcional insuficiente	Nível 2 Alfabetização funcional regular	Nível 3 Boa alfabetização funcional	Total
AS – Aproveitamento satisfatório em treinamentos	45	55	50	150
AI – Aproveitamento insatisfatório em treinamentos	195	45	10	250
Total	240	100	60	400

Determinar as probabilidades de que:

a) um funcionário tenha tido aproveitamento satisfatório, dado que tem boa alfabetização funcional;

b) um funcionário tenha nível de alfabetização funcional regular ou insuficiente, dado que teve aproveitamento insatisfatório;

c) um funcionário tenha tido aproveitamento satisfatório, dado que tem alfabetização funcional insuficiente;

d) um funcionário tenha tido aproveitamento insatisfatório, dado que tem boa alfabetização funcional.

Solução

Do rápido exame da tabela de resultados, percebe-se que a maioria dos funcionários apresenta tanto alfabetização funcional insuficiente como aproveitamento insatisfatório em treinamentos operacionais, sendo de se esperar uma forte ligação entre tais características. Vamos às questões.

a) probabilidade de que um funcionário tenha tido aproveitamento satisfatório, dado que tem boa alfabetização funcional

Chamemos de:

AS = evento de o empregado ter sido classificado com Aproveitamento Satisfatório

AI = evento de o empregado ter sido classificado com Aproveitamento Insatisfatório

N1 = evento de o empregado ter sido alocado no Nível 1 de alfabetização funcional (insuficiente)

N2 = evento de o empregado ter sido alocado no Nível 2 de alfabetização funcional (regular)

N3 = evento de o empregado ter sido alocado no Nível 3 de alfabetização funcional (boa alfabetização funcional)

O que se deseja, no momento, é P(AS/N3); da tabela, vemos que 60 empregados foram alocados no Nível 3 de alfabetização funcional, dos quais 50 tiveram aproveitamento satisfatório nos programas de treinamento. Logo,

$$P(AS/N3) = 50/60 = 0,833$$

b) probabilidade de que um funcionário tenha nível de alfabetização funcional regular ou insuficiente, dado que teve aproveitamento insatisfatório

O que se busca agora é $P[(N2 \cup N1)/AI]$

Da tabela, observa-se que 250 empregados tiveram aproveitamento insatisfatório, dos quais 195 tinham alfabetização insuficiente (N1) e 45 tinham alfabetização funcional regular (N2); logo:

$$P[(N2 \cup N1)/AI] = (195 + 45)/250 = 240/250 = 0,960$$

c) probabilidade de que um funcionário tenha tido aproveitamento satisfatório, dado que tem alfabetização funcional insuficiente

O que se pede agora é P(AS/N1); vemos da tabela de resultados que, de um total de 240 empregados alocados no Nível 1, apenas 45 tiveram aproveitamento satisfatório em seus treinamentos operacionais, e portanto

$$P(AS/N1) = 45/240 = 0,188$$

d) probabilidade de que um funcionário tenha tido aproveitamento insatisfatório, dado que tem boa alfabetização funcional

Deseja-se, então, P(AI/N3); apenas 60 empregados foram classificados como Nível 3 de alfabetização funcional, dos quais 10 tiveram aproveitamento insatisfatório. Logo,

P(AI/N3) = 10/60 = 0,167

Exercício resolvido nº 2

O comportamento de falhas de uma peça fundamental ao funcionamento de um certo equipamento obedece a uma distribuição exponencial com uma falha a cada 2,5 anos. Qual é a probabilidade de a peça falhar (e assim também o equipamento):

a) antes de 8 anos?

b) antes de 3 anos?

c) antes de 2 anos?

d) antes de 1 ano?

e) antes de 3 meses?

Solução

Para a exponencial, temos

$P(X \leq b) = 1 - e^{-b/\mu^*}$

onde X representa, em nosso caso, o tempo de falha e $\mu^* = 2{,}5$ anos. Dessa forma, $P(X \leq b)$ representa a probabilidade de o tempo de falha ser menor que um certo valor b. Temos, portanto:

a) probabilidade de a peça falhar antes de 8 anos (b = 8)

$P(X \leq b) = 1 - e^{-b/\mu^*} = 1 - e^{-8/2,5} = 1 - 0{,}04 = 0{,}96$

b) probabilidade de a peça falhar antes de 3 anos (b = 3)

$P(X \leq b) = 1 - e^{-b/\mu} = 1 - e^{-3/2,5} = 1 - 0{,}30 = 0{,}70$

c) probabilidade de a peça falhar antes de 2 anos (b = 2)

$P(X \leq b) = 1 - e^{-b/\mu} = 1 - e^{-2/2,5} = 1 - 0{,}45 = 0{,}55$

d) probabilidade de a peça falhar antes de 1 ano (b = 1)

$P(X \leq b) = 1 - e^{-b/\mu} = 1 - e^{-1/2,5} = 1 - 0{,}67 = 0{,}33$

e) probabilidade de a peça falhar antes de 3 meses

Na verdade, 3 meses correspondem a 3/12 de ano, ou seja, 1/4 de ano, ou 0,25 ano. Logo,

$P(X \leq b) = 1 - e^{-b/\mu^*} = 1 - e^{-0,25/2,5} = 1 - 0,90 = 0,10$

Exercício resolvido nº 3

O tempo de vida de uma certa lâmpada é normalmente distribuído com uma média de 2.000 horas e um desvio padrão de 200 horas. Qual é a probabilidade de que:

a) a lâmpada queime antes de 1.000 horas?

b) a lâmpada queime após 3.000 horas?

c) a lâmpada queime entre 1.500 e 2.500 horas?

d) a lâmpada queime antes de 800 horas ou depois de 2.000 horas?

Solução

Temos $\mu = 2.000$ horas e $\sigma = 200$ horas

a) probabilidade de que a lâmpada queime antes de 1.000 horas

Chamemos de P(Q) à probabilidade de a lâmpada queimar. No caso presente, queremos $P(Q \leq 1.000)$. Em termos de normal reduzida, o valor de $Q = 1.000$ corresponde a:

$$z = \frac{1.000 - \mu}{\sigma} = \frac{1.000 - 2.000}{200} = -5$$

Em termos absolutos, o maior valor tabelado é 3 (ou também –3, em termos relativos). Para $z = -5$, podemos, portanto, presumir que $P(z \leq -5) =$ $= P(Q \leq 1.000) = 0$ para efeitos práticos.

b) probabilidade de que a lâmpada queime após 3.000 horas

Queremos agora $P(Q \geq 3.000)$. Em primeiro lugar, $Q = 3.000$ corresponde a

$$z = \frac{3.000 - \mu}{\sigma} = \frac{3.000 - 2.000}{200} = 5$$

e também

$P(Q \geq 3.000) = P(z \geq 5) = 0,5 - P(z \leq 5)$. Claramente,

$P(z \leq 5) = 0,5$

Logo, $P(Q \geq 3.000) = P(z \geq 5) = 0,5 - 0,5 = 0$

c) probabilidade de que a lâmpada queime entre 1.500 e 2.500 horas

Queremos $P(1.500 \leq Q \leq 2.500)$; em termos de curva normal reduzida, temos as seguintes equivalências:

$$z_1 = \frac{1.500 - \mu}{\sigma} = \frac{1.500 - 2.000}{200} = -2,5$$

$$z_1 = \frac{2.500 - \mu}{\sigma} = \frac{2.500 - 2.000}{200} = 2,5$$

Portanto,

$P(1.500 \leq Q \leq 2.500) = P(z_1 = -2,5 \leq z \leq z_2 = 2,5) =$

$= P(-2,5 \leq z \leq 0) + P(0 \leq z \leq 2,5)$

Dada a simetria da curva normal, essas duas parcelas são iguais e, com o auxílio da Tabela 5.5, temos:

$P(1.500 \leq Q \leq 2.500) = 2\ P(0 \leq z \leq 2,5) = 2\ (0,4938) = 0,9876$

d) probabilidade de que a lâmpada queime antes de 800 horas ou depois de 2.000 horas

Queremos a soma $P(Q \leq 800) + P(Q \geq 2.000)$

Em função da normal reduzida:

$$z_1 = \frac{800 - \mu}{\sigma} = \frac{800 - 2.000}{200} = -6$$

$$z_2 = \frac{2.000 - \mu}{\sigma} = \frac{2.000 - 2.000}{200} = 0$$

e, portanto,

$P(Q \leq 800) + P(Q \geq 2.000) = P(z \leq -6) + P(z \geq 0)$

Nitidamente,

$P(z \leq -6) = 0$

$P(z \geq 0) = 0,5$

Logo,

$P(Q \leq 800) + P(Q \geq 2.000) = P(z \leq -6) + P(z \geq 0) = 0 + 0,5 = 0,5$

Questões propostas

1. Qual é a diferença entre eventos mutuamente exclusivos e eventos não mutuamente exclusivos?
2. Como ficaria a fórmula da Lei da Adição para três eventos mutuamente exclusivos entre si?
3. Como ficaria a fórmula da Lei da Multiplicação para três eventos independentes entre si?
4. Quais são e o que dizem as três visões da produtividade?
5. Enuncie os dois postulados fundamentais da probabilidade.
6. O que é probabilidade condicional de um evento A em relação a um evento B?
7. Qual é a expressão do Teorema de Bayes?
8. Qual é a diferença entre variáveis aleatórias discretas e contínuas?
9. Dê as principais características da distribuição binomial.
10. Dê um exemplo de situação em que a distribuição de Poisson pode ser aplicada.
11. Dê as principais características da distribuição normal.
12. Explique a relação entre a distribuição de Poisson e a distribuição exponencial.

Glossário

Distribuição binomial: modelo teórico de uma distribuição discreta de probabilidade, no qual a variável aleatória é definida como o número de sucessos (ou fracassos) em n tentativas de um experimento obedecendo às condições de um processo de Bernouilli.

Distribuição exponencial: modelo de distribuição contínua que descreve o tempo gasto em desenvolver certa atividade.

Distribuição normal: distribuição contínua de probabilidade na qual a função densidade de probabilidade toma o formato de uma curva em forma de sino. A distribuição normal é definida por sua média e desvio padrão.

Distribuição de Poisson: modelo teórico de uma distribuição discreta de probabilidade que supõe uma certa unidade de exposição, na qual há a ocorrência média de uma variável aleatória.

Espaço amostral: conjunto de todos os possíveis resultados de um experimento.

Evento: qualquer combinação de resultados tomados de um espaço amostral.

Evento intersecção: evento intersecção de dois eventos quaisquer é um terceiro evento formado por resultados pertencentes simultaneamente aos dois eventos dos quais ele é intersecção.

Evento união: evento união de dois eventos quaisquer é um terceiro evento formado por resultados dos quais ele é união (não apenas os resultados comuns, mas também os pertencentes a um ou outro evento).

Eventos independentes: uma situação na qual a ocorrência de um evento não tem qualquer efeito sobre a ocorrência de um segundo evento.

Eventos mutuamente exclusivos: dois ou mais eventos são ditos mutuamente exclusivos quando não têm qualquer resultado em comum.

Experimento: processo de observação de um determinado fenômeno.

Lei da Adição: estabelece que a união de dois eventos, A e B, é dada por $P(A \cup B) = P(A) + P(B) - P(A \cap B)$. Se os eventos forem mutuamente exclusivos, $P(A \cap B) = 0$.

Lei da Multiplicação: dados dois eventos N e A independentes, a Lei da Multiplicação estabelece que $P(N \cap A) = P(N)\ P(A)$.

Postulados da probabilidade: postulados que estabelecem: a) que a probabilidade de qualquer evento deve estar entre 0 e 1; b) que a soma das probabilidades individuais dos resultados de um experimento deve ser igual a 1.

Valor esperado de uma distribuição discreta de probabilidade: uma das medidas de tendência central de uma distribuição.

Variância de uma distribuição discreta de probabilidade: uma das medidas de dispersão de uma distribuição.

Exercícios propostos

1. Será verdade que $P(A' \cap B') = 1 - P(A \cup B)$? Verificar com o auxílio de um diagrama de Venn.

2. Será verdade que $P(A' \cap B) = P(B) - P(A \cap B)$? Verificar com o auxílio de um diagrama de Venn.

3. Considerar o seguinte experimento: uma urna contém cinco bolas amarelas e dez bolas vermelhas. Tira-se uma bola ao acaso, anota-se a cor, devolve-se a bola à urna e tira-se uma segunda bola ao acaso.

   a) Qual a probabilidade de que a primeira bola retirada seja amarela?

   b) Qual a probabilidade de que a segunda bola seja vermelha?

4. Suponha a mesma urna do exercício anterior, agora com o seguinte experimento: são retiradas três bolas em sequência, sem reposição.
   a) Qual a probabilidade de a primeira bola ser vermelha?
   b) Qual a probabilidade de a segunda bola ser amarela, se a primeira foi vermelha?
   c) Qual a probabilidade de a segunda bola ser vermelha, se a primeira também foi vermelha?
   d) Qual a probabilidade de a terceira bola ser amarela, se a primeira foi amarela e a segunda foi vermelha?
   e) Qual a probabilidade de as três bolas serem vermelhas?

5. Dados $P(X) = 0{,}70$; $P(Y) = 0{,}40$; $P(X \cap Y) = 0{,}20$, determinar:
   a) $P(X')$; b) $P(Y')$; c) $P(X \cup Y)$; d) $P(X \cap Y)'$;
   e) $P(X \cap Y')$; f) $P(X' \cap Y)$; g) $P(X' \cap Y')$.

6. Uma empresa tem, em seus escritórios, 30 computadores da marca A, 40 da marca B e 30 da marca C. Desses computadores, 40 são novos e 60 são velhos. Das 40 máquinas novas, 30 são da marca A e 10 são da marca B; das máquinas velhas, 30 são da marca C e o restante é da marca B. Um funcionário senta-se ao acaso a uma das máquinas:
   a) Qual a probabilidade de que essa máquina seja nova e da marca C?
   b) Qual a probabilidade de que essa máquina seja velha e da marca A?
   c) Qual a probabilidade de que essa máquina seja nova e da marca B?

7. Um produto é manufaturado em duas fábricas de uma mesma companhia. Na fábrica F_1, a chance de um produto sair defeituoso é 0,02 e, na fábrica F_2, essa chance é de 0,03. A produção da fábrica F_1 é três vezes maior que a da fábrica F_2. Toda a produção vai para o mesmo almoxarifado. Se um produto for escolhido ao acaso, qual a chance de que seja defeituoso? (*Dica*: aplicar a Lei da Probabilidade Total e depois a Lei da Multiplicação.)

8. Um levantamento feito pela prefeitura de Serro Bravo revelou que 10% de seus moradores são contabilistas e que 15% de seus moradores têm renda acima de R$ 25.000 anuais. Sabe-se que 70% dos contabilistas têm renda acima de R$ 25.000 por ano. Pergunta-se: qual a porcentagem de moradores de Serro Bravo com renda acima de R$ 25.000 que são contabilistas?

9. Um júri de quatro pessoas é escolhido ao acaso de um cadastro em que há cerca de 70% de homens e 30% de mulheres. Qual a probabilidade de que o júri não contenha mulheres?

10. Um componente usado na montagem de um certo modelo de rádio AM/FM é adquirido de um fabricante de outro estado e entregue em embalagens de 50 unidades. Na inspeção de qualidade feita quando da recepção do componente, uma embalagem é tomada ao acaso, e são examinadas todas as unidades que ela contém. Todo o lote do produto é rejeitado se for encontrado mais de um componente defeituoso na embalagem. Sabendo-se que 5% dos componentes são defeituosos, qual a probabilidade de rejeitar-se o lote?

11. Em uma estrada interestadual, são encontrados, em média, quatro caminhões por quilômetro. Admitindo-se que o número de caminhões por quilômetro distribua-se como uma Poisson, determinar:
   a) a probabilidade de que nenhum caminhão seja encontrado em um dado quilômetro;
   b) a probabilidade de se encontrar dois ou menos caminhões;
   c) a probabilidade de se encontrar mais de quatro caminhões;
   d) a probabilidade de se encontrar dois ou três caminhões.

12. Foi estabelecido que certo tipo de máquina apresenta, em média, 2,2 falhas mecânicas a cada 8 horas de trabalho. Admitindo que se possa aplicar a distribuição de Poisson, calcular a probabilidade de:
   a) uma máquina apresentar, no mínimo, duas falhas em 8 horas de trabalho;
   b) uma máquina apresentar entre duas e quatro falhas, em 8 horas de trabalho;
   c) uma máquina apresentar, no máximo, uma falha em 8 horas de trabalho.

13. Encontrar a área da curva normal que fica:
   a) à direita de $z = 1,87$;
   b) à esquerda de $z = 1,52$;
   c) à direita de $z = -0,75$;
   d) à esquerda de $z = -1,41$;
   e) entre $z = 1,12$ e $z = 1,64$;
   f) entre $z = -0,72$ e $z = -0,44$;
   g) entre $z = -1,54$ e $z = 0,54$.

14. Um componente pode suportar uma voltagem de até 220 volts. Submetendo-o a uma fonte de tensão variável segundo uma normal, de média 218 e desvio padrão de 3 volts, qual a probabilidade de que ele queime?

15. Em uma companhia, sabe-se que seus empregados possuem um certo atributo intelectual variando segundo uma distribuição normal com média 108 e desvio padrão 10. Para uma função particular, experiências anteriores mostram que somente funcionários com medida mínima de 95 naquele atributo são competentes para o serviço, enquanto operários com medida acima de 120 ficam aborrecidos com o trabalho. Tomando por base apenas o atributo em questão, qual a porcentagem de operários adaptada àquele trabalho?

Bibliografia

ANDERSON, D. R.; SWEENEY, D. J.; WILLIAMS, T. A. *Estatística aplicada à administração e economia*. São Paulo: Pioneira Thomson Learning, 2002.

LEVIN, R. I.; RUBIN, D. S. *Statistics for management*. 6. ed. Upper Saddle River: Prentice Hall, 1994.

MARKLAND, R. E.; SWEIGART, J. R. *Quantitative methods:* applications to managerial decision making. Nova York: John Wiley and Sons, 1987.

MENDENHALL, W.; REINMUTH, J. E. *Statistics for management and economics*. 4. ed. Boston: Duxbury Press, 1982.

MOREIRA, D. A. *Administração da produção e operações*. São Paulo: Pioneira Thomson Learning, 1993.

RESEARCH AND EDUCATION ASSOCIATION. *Operations research problem solver*, 1996.

ROSS, S. M. *Introduction to probability models*. 8. ed. Nova York: Academic Press, 2002.

6 Teoria da Decisão

6.1 Os problemas de decisão e a Teoria da Decisão

Resolver problemas é algo comum tanto a pessoas físicas como a empresas. Frequentemente, problemas aparecem e devem ser resolvidos. Para que um problema seja realmente caracterizado, é preciso que o tomador de decisão (a pessoa física ou institucional) tenha, diante de si, mais de uma alternativa. Se uma situação conduzir somente a um caminho, a uma alternativa de solução, a rigor não existe um problema no sentido em que o estamos considerando – por mais desagradável que seja o desfecho.

Outra consideração: o problema de decisão envolve uma tomada de decisão hoje (ou seja, no momento presente ou próximo), mas as consequências dessa decisão serão sentidas ao longo do tempo. Seria ótimo se pudéssemos saber de antemão o que vai ocorrer no futuro – calibraríamos, então, nossa decisão em função dos eventos que ainda vão acontecer e que possam ter alguma influência sobre ela.

A Teoria da Decisão, no sentido em que iremos considerá-la aqui, é um conjunto de técnicas quantitativas que tem por objetivo ajudar o tomador de decisão tanto a sistematizar o problema de decisão como a solucioná-lo. Não há solução de um problema sem um critério: logo, a Teoria da Decisão baseia-se em critérios preestabelecidos, havendo sempre espaço para novos critérios e novas contribuições. Há, entretanto, um corpo de conhecimentos reconhecidos como básicos, digamos assim, um saber usual, que estaremos apresentando aqui.

Quando consideramos problemas de decisão, há sempre uma estrutura comum a todos eles: apresentam estratégias alternativas, estados da natureza e resultados. Vejamos separadamente cada um desses elementos.

Estratégias alternativas

São as possíveis soluções para o problema, os cursos de ação alternativos que podemos seguir. Se não conseguirmos listar as alternativas, nem mesmo teremos um problema de decisão. Imagine o leitor que uma empresa deseje lançar um produto novo. A companhia poderá usar duas estratégias alternativas: ou aproveita as instalações existentes, promovendo reformas e ampliações, que serão necessárias, ou constrói uma nova unidade operacional, especialmente dedicada a esse novo produto. Cada uma dessas alternativas de decisão conduzirá a resultados diferentes, sem dúvida. Uma nova unidade operacional provavelmente fará a empresa incorrer em custos maiores, mas apresentará uma flexibilidade maior, apta a atender demandas maiores. Reformas e adaptações custarão eventualmente menos e talvez sejam mais interessantes economicamente, se a demanda pelo produto for pequena ou mesmo média. Temos, portanto, que a demanda futura pelo produto irá influenciar nos resultados de se escolher uma ou outra alternativa. As demandas futuras, nesse caso, são os estados da natureza.

Estados da natureza

Estados da natureza são todos os acontecimentos futuros que poderão influir sobre as alternativas de decisão que o tomador de decisão possui. A designação "estado da natureza" pode parecer estranha ao leitor, em um primeiro instante, mas trata-se de uma nomenclatura usual. No caso do lançamento do produto de que falamos, os estados da natureza são as demandas futuras possíveis. Se imaginarmos que há três demandas possíveis – designadas simplesmente por grande, média e pequena (supostamente sabemos o que isso quer dizer) –, ficaremos com duas alternativas de decisão e três estados da natureza. Cada alternativa de decisão, sob cada estado da natureza, conduzirá a um certo resultado.

Resultados

Chama-se de resultado à consequência de se escolher uma dada alternativa de decisão, quando ocorrer certo estado da natureza. A cada combinação alternativa de decisão/estado da natureza, teremos um resultado possível. No exemplo que estamos considerando, com duas alternativas e três estados da natureza, teremos, então, $2 \times 3 = 6$ resultados possíveis.

6.2 Matriz de decisão

A matriz de decisão é uma ferramenta auxiliar, que permite visualizar os elementos apresentados: as estratégias alternativas, os estados da natureza e os resultados associados. Usualmente, os estados da natureza são listados nas colunas, as alternativas são listadas nas linhas e os resultados são apresentados nas células. Os resultados, sempre que possível, são expressos numericamente, em termos de lucros ou receitas, custos ou despesas, tempo despendido etc. A Tabela 6.1 mostra o aspecto geral de uma matriz de decisão, com p alternativas (A_1, A_2, ... A_p) e k estados da natureza (EN_1, EN_2, ... EN_k). Os resultados em cada célula são indicados por R_{ij}, sendo *i* a alternativa e *j* o estado da natureza correspondente.

Tabela 6.1 A matriz de decisão

Estados da natureza / Alternativas	EN_1	EN_2	...	...	EN_k
A_1	R_{11}	R_{12}	...	...	R_{1k}
A_2	R_{21}	R_{22}	...	...	R_{2k}
...	...	...	...	...	...
...	...	...	...	...	...
A_p	R_{p1}	R_{p2}	...	...	R_{pk}

Tradicionalmente, os problemas de decisão são classificados de acordo com o maior ou menor conhecimento que temos acerca dos estados da natureza. Podem ocorrer três casos:

a) Sabemos exatamente qual é o estado da natureza que vai ocorrer ou, de alguma forma, conhecemos com certeza todos os dados do nosso problema. Pode ocorrer ainda que possamos admitir como constantes ou muito pouco variáveis todos os dados numéricos do problema. Isso foi o que admitimos, ainda que implicitamente, quando estudamos a programação linear. Não tivemos dúvidas quanto a lucros, custos, índices para combinação de variáveis etc. Quando um problema apresenta tais características, dizemos que temos um problema de *decisão tomada sob certeza* ou, simplesmente, Decisão Tomada Sob Certeza (DTSC).

b) Não sabemos exatamente qual estado da natureza irá ocorrer, mas podemos associar a cada um deles uma probabilidade de ocorrência. Essa probabilidade pode ser atribuída tanto de forma objetiva – frequencialista – como de forma subjetiva. Quando podemos atribuir probabilidades aos estados da natureza, dizemos que o problema é de *decisão tomada sob risco* ou, simplesmente, Decisão Tomada Sob Risco (DTSR).

c) Por último, temos o caso em que nem sabemos exatamente qual estado da natureza irá ocorrer e, pior ainda, nem mesmo conseguimos associar quaisquer probabilidades de ocorrência aos estados da natureza. Nesse caso, dizemos que temos um problema de *decisão tomada sob incerteza* ou, simplesmente, Decisão Tomada Sob Incerteza (DTSI).

O leitor deve reparar que, em todos os casos, não havia dúvida sobre os futuros estados da natureza, ou seja, sabíamos quais seriam, embora pudéssemos nem mesmo associar a cada qual uma probabilidade de ocorrência.

Daqui para o final do capítulo, cuidaremos apenas dos problemas de DTSR e DTSI, já que, para os problemas de DTSC, existem critérios de comparação entre as alternativas. No caso de problemas do tipo DTSR, o critério usual de decisão é baseado no resultado médio de cada alternativa; já no caso de problemas do tipo DTSI, os critérios são abertos e dependem da racionalidade do tomador de decisão, que pode, inclusive, contribuir com novos critérios.

6.3 Decisão Tomada Sob Risco (DTSR)

Como vimos, nos problemas de Decisão Tomada Sob Risco (DTSR), conseguimos, de uma forma ou de outra, conhecer as probabilidades dos futuros estados da natureza. A solução de um problema de DTSR depende do conceito de *Valor Esperado da Alternativa* ou, simplesmente, VEA.

Consideremos uma matriz de decisão genérica com p alternativas, sujeitas a k estados da natureza. Por hipótese, conhecemos a probabilidade de ocorrência de cada um dos estados da natureza. Define-se Valor Esperado da Alternativa para qualquer uma das alternativas como *a soma dos produtos dos resultados da alternativa pelas probabilidades de ocorrência de tais estados da natureza*. Em outras palavras, o valor esperado para uma alternativa é a média ponderada dos resultados da alternativa tomando as probabilidades dos estados da natureza como pesos da ponderação.

Para escolher uma das alternativas, ou seja, para dar solução ao problema, devemos seguir estes procedimentos:

a) calcula-se, para cada alternativa, o Valor Esperado da Alternativa (VEA);

b) escolhe-se o melhor dos valores calculados.

Essa metodologia é também conhecida como *Regra de Decisão de Bayes.*

Exemplo 6.1

A Estrela do Norte S.A. é uma companhia manufatureira de brinquedos que está diante da decisão de comprar de terceiros ou manufaturar um componente comum a vários de seus brinquedos. Se a demanda pelos brinquedos nos próximos meses for alta, então a decisão de manufaturar o componente internamente terá sido bastante acertada. Se, entretanto, a demanda for muito pequena, a Estrela do Norte ficará com instalações custosas e com baixa utilização de capacidade. As consequências são imediatas: lucro ou prejuízo. Mais especificamente, foi preparada a matriz de decisão a seguir, que ilustra a situação.

Tabela 6.2 Matriz de decisão: compra ou manufatura de um produto (lucro em milhares de reais)

Alternativas \ Estados da natureza	Demanda baixa p = 0,4	Demanda média p = 0,35	Demanda alta p = 0,25
Comprar o componente	10	40	100
Manufaturar o componente	–30	20	150

Determinar a melhor alternativa para a Estrela do Norte.

Solução

Temos os seguintes valores esperados para as alternativas:

Alternativa Comprar o componente: 10 (0,4) + 40 (0,35) + 100 (0,25) = = 43 (mil reais)

Alternativa Manufaturar o componente: (–30) (0,4) + 20 (0,35) + + 150 (0,25) = 32,5 (mil reais)

Logo, a alternativa Comprar o componente conduz a um lucro maior, portanto é a opção escolhida.

Uma pergunta importante

No exemplo anterior, não tivemos dúvida em escolher a alternativa Comprar o componente, já que ela conduz a um lucro maior que a outra alternativa. Usaríamos o mesmo critério de escolher o valor maior, caso a matriz de decisão fosse expressa em termos de receita, e não de lucro; a uma maior receita, os custos sendo os mesmos, corresponderá o maior lucro.

O que acontece se a matriz for expressa em termos de, digamos, custo ou despesa?

Repare o leitor que, na apresentação da Regra de Decisão de Bayes, não foi dito para se escolher o maior valor, mas sim o melhor Valor Esperado da Alternativa. É claro que, se a matriz é apresentada em termos de lucros ou receitas, o *melhor* valor corresponde ao *maior* valor. Entretanto, fique atento o leitor: caso a matriz seja dada em termos de custo ou despesa, o *melhor* valor irá corresponder agora ao *menor* valor. Deveremos escolher a alternativa que leve, então, ao menor VEA.

6.3.1 *Valor Esperado da Informação Perfeita (VEIP)*

Não seria interessante saber de antemão o que vai acontecer no futuro? Todos provavelmente concordariam com isso, mas muitos diriam que é impossível prever o futuro. Isso é verdade, é claro. Entretanto, podemos gastar algum dinheiro a mais e procurar por informações melhores que, se não permitem prever o futuro, pelo menos permitem estimá-lo com maior precisão. Dentro desses parâmetros realistas, muitos ainda gostariam de ter tal informação melhorada, mesmo sabendo que algum dinheiro será gasto por isso. Surge a questão inevitável: até quanto estaremos dispostos a gastar?

A solução a esse dilema é dada pelo chamado *Valor Esperado da Informação Perfeita* (VEIP). Raciocinemos: se há vários estados da natureza, é impossível evitá-los ou alterar a sua probabilidade (desde que tenha sido bem determinada). O máximo que podemos fazer é dizer qual será o próximo estado da natureza, permitindo assim ao tomador de decisão que escolha a opção melhor, considerando aquele estado. Volte o leitor à Tabela 6.2. Se soubéssemos que a demanda seria baixa, a melhor alternativa seria comprar o componente, obtendo um lucro de 10 (milhares de reais). Se soubéssemos que a demanda seria média, ainda assim seria melhor comprar o componente, obtendo um lucro de 40 (milhares de reais); no entanto, se soubéssemos que a demanda seria alta, o melhor a fazer seria fabricar o componente, auferindo um lucro de 150 (milhares de reais). Não poderíamos evitar, no entanto, que a probabilidade da demanda baixa fosse 0,4 ou que a probabilidade da demanda média fosse 0,35 ou que a probabilidade da demanda alta fosse 0,25. Sabendo de antemão qual será o estado da natureza, podemos escolher a melhor alternativa sob esse estado, mas sempre sujeita à ocorrência ditada pelas probabilidades. Pergunta-se: tendo, então, conhecimento prévio do estado da natureza que vai ocorrer, qual será o resultado médio obtido?

Exemplo 6.2

Considerando o Exemplo 6.1, calcular o Valor Esperado da Informação Perfeita (VEIP).

Solução

Temos: o lucro será 10 com probabilidade de 0,40; será 40 com probabilidade de 0,35 e será 150 com probabilidade de 0,25. Nessas condições, o VEA será:

$$10\ (0{,}4) + 40\ (0{,}35) + 150\ (0{,}25) = 55{,}5$$

Esse resultado é o melhor possível, com a melhor informação possível. Não corresponde a uma alternativa, mas à combinação de alternativas, sempre com a melhor informação. Sem essa informação, o lucro era de 43. Logo, a melhor informação possível traz um acréscimo de lucro de (55,5 – 43) = 12,5 (milhares de reais).

A esse acréscimo de lucro (12,5) chamamos de *Valor Esperado da Informação Perfeita*. Representa o valor máximo que poderíamos pagar por uma informação melhor, aliás o valor máximo para a melhor das informações. Logo, podemos dar a seguinte definição formal:

Valor Esperado da Informação Perfeita é o excedente obtido (sobre o melhor VEA) quando temos de antemão a informação perfeita, ou seja, qual o estado da natureza que ocorrerá em seguida.

Façamos de novo o alerta sobre os termos *melhor*, *maior* e *menor*: fala-se aqui de excedente, que tanto pode ser entendido como lucro ou receita *a mais* quanto como despesa ou prejuízo *a menos*.

Uma solução alternativa

Em vez de tomarmos os resultados tais como se apresentam na matriz de decisão (seja em termos de lucro ou receita ou em termos de despesa ou prejuízo) para calcularmos o Valor Esperado da Alternativa, podemos substituí-los pelos respectivos *arrependimentos*.

Dado um certo estado da natureza, chama-se arrependimento àquilo que se perde, quando não se escolhe a melhor alternativa para aquele estado da natureza. Uma solução alternativa para o problema de decisão é aplicar a Regra de Decisão de Bayes aos arrependimentos em vez de aplicá-la à matriz original, escolhendo a alternativa que conduzir ao mínimo arrependimento médio.

Vejamos inicialmente como se calculam os arrependimentos.

Exemplo 6.3

Dada a matriz de lucros a seguir, calcular os arrependimentos correspondentes a cada estado da natureza.

Tabela 6.3 Matriz de lucros (em milhares de reais)

Alternativas \ Estados da natureza	EN_1	EN_2
A_1	100	140
A_2	110	120

Solução

Se considerarmos o estado da natureza EN_1, a melhor alternativa a escolher é A_2 (lucro de 110). Escolhendo A_2, portanto, não teremos nenhum arrependimento; caso tenhamos escolhido A_1, nosso arrependimento é o que deixamos de ganhar, ou seja, (110 – 100) = 10. Facilmente o leitor deduzirá que o arrependimento para a alternativa A_1 é zero, se o estado da natureza for EN_2, e é de (140 – 120) = 20, para a alternativa A_2. A matriz de lucros transforma-se assim na matriz de arrependimentos a seguir:

Tabela 6.4 Matriz de arrependimentos (em milhares de reais)

Alternativas \ Estados da natureza	EN_1	EN_2
A_1	10	0
A_2	0	20

O arrependimento será sempre positivo ou igual a zero (sempre para a melhor alternativa sob um dado estado da natureza).

De uma forma geral, os arrependimentos são calculados pela mesma rotina: para cada estado da natureza, faz-se a diferença entre o resultado associado à melhor alternativa (sob esse estado) e os resultados das demais alternativas. Caso a matriz seja de lucros ou receitas, o arrependimento assim calculado será naturalmente positivo. Caso a matriz seja de despesas ou prejuízos, os arrependimentos devem ser todos tomados com sinal positivo.

Usemos agora a matriz de arrependimentos para o cálculo da melhor alternativa, empregando ainda a Regra de Decisão de Bayes. Deveremos escolher a alternativa que leva ao mínimo arrependimento.

Exemplo 6.4

Retomemos a Tabela 6.2, que mostrava a matriz de decisão para os casos de compra ou manufatura de um produto, e apliquemos agora a Regra de Decisão de Bayes à matriz de arrependimentos correspondente.

Tabela 6.2 Matriz de decisão: compra ou manufatura de um produto (lucro em milhares de reais)

Alternativas \ Estados da natureza	Demanda baixa p = 0,4	Demanda média p = 0,35	Demanda alta p = 0,25
Comprar o componente	10	40	100
Manufaturar o componente	–30	20	150

Já vimos que a aplicação da Regra de Decisão de Bayes para essa matriz de decisão leva à escolha da alternativa Comprar o componente, com um lucro médio de 43 (milhares de reais).

O leitor certamente não terá dificuldade em perceber que a matriz de arrependimentos é a seguinte:

Tabela 6.5 Matriz de decisão: arrependimentos (em milhares de reais)

Alternativas \ Estados da natureza	Demanda baixa p = 0,4	Demanda média p = 0,35	Demanda alta p = 0,25
Comprar o componente	0	0	50
Manufaturar o componente	40	20	0

Os cálculos para o Valor Esperado da Alternativa agora nos dão:

Alternativa Comprar o componente: 0 (0,4) + 0 (0,35) + 50 (0,25) = 12,5

Alternativa Manufaturar o componente: 40 (0,4) + 20 (0,35) + + 0 (0,25) = 23

O mínimo arrependimento fica com a alternativa Comprar o componente, a mesma que já havíamos escolhido usando a Regra de Decisão de Bayes sobre a matriz original. Repare o leitor também que o mínimo arrependimento médio é exatamente igual ao Valor Esperado da Informação Perfeita para o exemplo que estamos considerando (12,5). Esses resultados sempre se mantêm, ou seja, a solução é a mesma, quer se aplique a Regra de Decisão de Bayes à matriz original ou à matriz de arrependimentos, e o mínimo arrependimento médio é sempre igual ao Valor Esperado da Informação Perfeita.

6.3.2 *Análise de sensibilidade*

A solução para um dado problema de Decisão Tomada Sob Risco depende basicamente de dois conjuntos de valores: os resultados associados a cada alternativa e estado da natureza e as probabilidades associadas aos estados da natureza. Quaisquer variações nesses valores correspondem a variações nos cálculos, podendo conduzir a mudanças de decisão. Como vimos quando estudamos a programação linear, chama-se *análise de sensibilidade* o estudo do efeito sobre a decisão caso variem os números do problema original. Para exemplificar, vamos escolher um caso em que existam três alternativas e apenas dois estados da natureza e trabalhar somente com mudanças nas probabilidades de ocorrência desses estados.

Exemplo 6.5

A Companhia Epsilon está considerando três possibilidades para a distribuição de seus produtos em uma certa região. A primeira dessas possibilidades é a que está sendo adotada atualmente e consiste em entregar os produtos diretamente aos revendedores locais; a segunda alternativa consiste em abrir um armazém próprio de distribuição e, finalmente, a última possibilidade seria a de colocar os produtos em um grande distribuidor local. Dependendo de como se comporte a demanda futura para a região, as alternativas trarão receitas diferenciadas para a companhia, segundo a matriz de decisão mostrada na Tabela 6.6.

Tabela 6.6 Matriz de decisão para a distribuição de produtos da Companhia Epsilon (lucro em milhares de reais)

	Demanda grande (probabilidade = 0,4)	Demanda pequena (probabilidade = 0,6)
Usar revendedores locais	140	40
Construir armazém próprio	200	–30
Usar grande distribuidor local	160	10

Vamos supor que não haja muita confiança nas probabilidades atribuídas aos dois estados da natureza. Analisar o que acontece com os resultados médios das alternativas, conforme variem essas probabilidades.

Solução

Inicialmente, usando as probabilidades dos estados da natureza que foram fornecidas, temos os seguintes VEAs:

Alternativa Usar revendedores locais

$140\ (0,4) + 40\ (0,6) = 80$

Alternativa Construir armazém próprio

$200\ (0,4) + (-30)\ (0,6) = 62$

Alternativa Usar grande distribuidor local

$160\ (0,4) + 10\ (0,6) = 70$

Nesse caso, a melhor solução seria a alternativa Usar revendedores locais (VEA = 80).

Chamemos de p à probabilidade de que a demanda futura seja grande (a análise é a mesma se tomarmos a probabilidade de que a demanda seja pequena). Escolhendo p como base, a probabilidade de a demanda ser pequena é, portanto, (1 – p). Calculemos, em função de p, o Valor Esperado da Alternativa para cada uma delas:

Alternativa Usar revendedores locais

$$VEA = 140p + 40\ (1 - p) = 140p + 40 - 40p = 100p + 40 \qquad \text{(I)}$$

Alternativa Construir armazém próprio

$$VEA = 200p + (-30)\ (1 - p) = 200p - 30 + 30p = 230p - 30 \qquad \text{(II)}$$

Alternativa Usar grande distribuidor local

$$VEA = 160p + 10\ (1 - p) = 160p + 10 - 10p = 150p + 10 \qquad \text{(III)}$$

O valor esperado de cada alternativa é agora representado por uma reta, expressa em função de p, que é, então, a nossa variável. A visualização gráfica em muito nos ajudará. As retas podem ser plotadas no mesmo par de eixos, tendo em abscissas o valor de p (não esqueçamos que p é a probabilidade de se ter demanda grande na região) e em ordenadas o Valor Esperado da Alternativa. Observe o leitor a Figura 6.1. É fácil ao leitor verificar que, até o ponto A mostrado no gráfico, a melhor alternativa é sempre Usar revendedores locais; dali em diante, a melhor alternativa é Construir armazém próprio. Em nenhum momento a alternativa Usar grande distribuidor local se torna interessante.

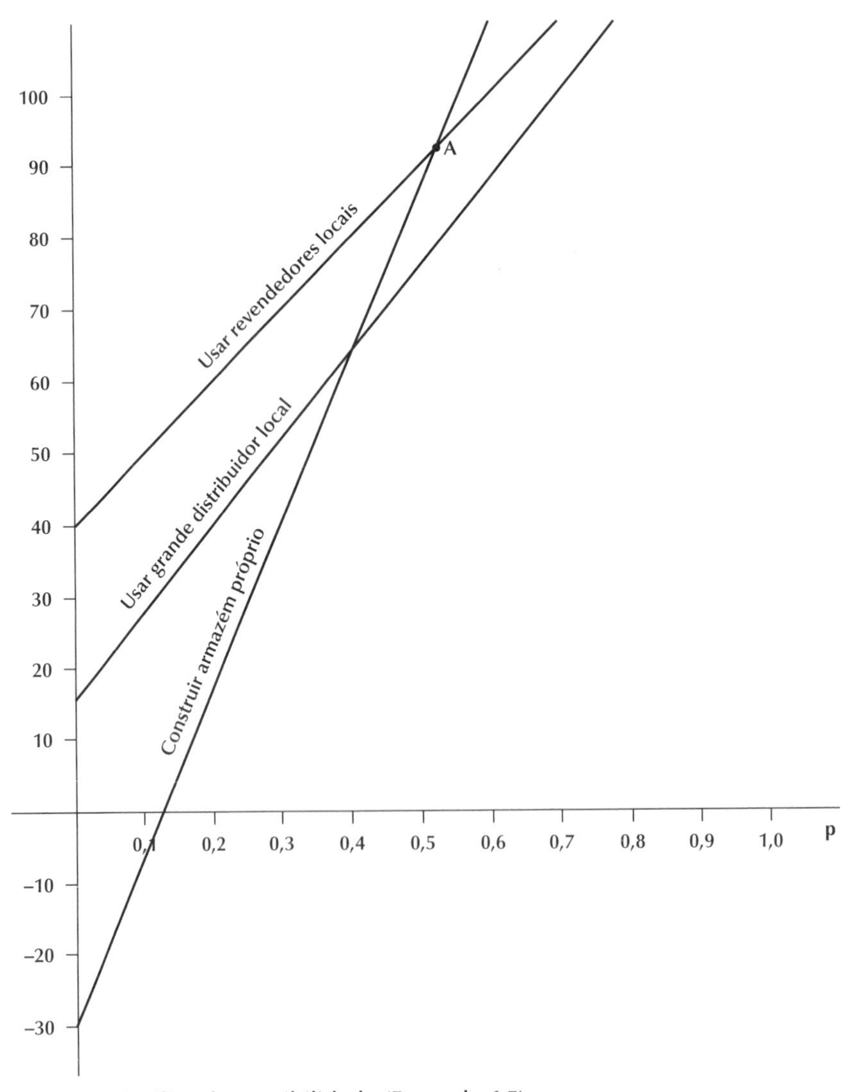

Figura 6.1 Análise de sensibilidade (Exemplo 6.5).

Qual é o valor de *p* que corresponde ao ponto A? Note o leitor que, nesse ponto, são iguais os valores esperados das alternativas Usar revendedores locais e Construir armazém próprio. Utilizando as equações (I) e (II), temos, no ponto A:

$$100p + 40 = 230p - 30 \text{ ou}$$

$$130p = 70$$

Logo, $p = 0{,}538$

Portanto, para $p = 0$ até p imediatamente menor que 0,538 (ou seja, qualquer valor de p menor que 0,538, exceto esse próprio valor), a melhor solução é dada pela alternativa Usar revendedores locais; para $p = 0{,}538$, é indiferente adotar a alternativa Usar revendedores locais ou a alternativa Construir armazém próprio. Para p imediatamente maior que 0,538 até $p = 1$ (que é o máximo valor que p pode atingir), a melhor solução é a alternativa Construir armazém próprio.

Trabalhamos sobre um caso em que só havia dois estados da natureza. E se houver mais de dois estados (N estados, sendo $N > 2$)? Evidentemente, uma análise do tipo que foi feita só pode levar em conta a combinação de dois estados quaisquer de cada vez, considerando constantes todos os demais $(N - 2)$ estados. De forma geral, o número total de análises que devem ser feitas é dado por

$$\frac{N!}{2!\,(N-2)!}$$

Se houver três estados da natureza, teremos

$$\frac{3!}{2!\,(3-2)!} = 3 \text{ análises}$$

Para quatro estados da natureza,

$$\frac{4!}{2!\,(4-2)!} = 6 \text{ análises}$$

E assim por diante.

6.3.3 *Adoção de probabilidades revisadas*

Muitas vezes, as probabilidades dos estados da natureza são estimadas de forma rudimentar, sem grande precisão. Isso leva, evidentemente, a decisões sujeitas a riscos maiores do que se tivéssemos boas estimativas.

Entretanto, em alguns casos, é possível procurar por uma informação de melhor qualidade, por meio de algum procedimento que geralmente recebe o nome – nem sempre apropriado – de *experimento*. Um experimento é, portanto, no presente contexto, um tipo de procedimento que irá nos permitir melhorar a estimativa que temos das probabilidades dos estados da natureza. As estimativas originais são chamadas de *probabilidades a priori*, e as estimativas obtidas depois do experimento são chamadas de *probabilidades a posteriori* ou *probabilidades revisadas*. Infelizmente, o caminho para a obtenção das probabilidades revisadas não é direto nem simples. Ele vai se apoiar na definição de probabilidade condicional, que vimos no Capítulo 5. Vamos avançar passo a passo, para que o leitor entenda o caminho, por meio de um exemplo.

Inicialmente, vamos retomar a matriz de decisão da Companhia Epsilon, sobre a qual fizemos a análise de sensibilidade (Tabela 6.6):

Tabela 6.6 Matriz de decisão para a distribuição de produtos da Companhia Epsilon (lucro em milhares de reais)

	Demanda grande p = 0,4	Demanda pequena p = 0,6
Usar revendedores locais	140	40
Construir armazém próprio	200	–30
Usar grande distribuidor local	160	10

As probabilidades de que dispomos:

Demanda grande	probabilidade = 0,4
Demanda pequena	probabilidade = 0,6

são as probabilidades *a priori*. Vamos supor que tivemos a oportunidade de realizar uma pesquisa de mercado na região em pauta. Essa pesquisa de mercado é o que chamamos genericamente de *experimento*. Continuando com as suposições, digamos que a pesquisa de mercado foi favorável e forneceu um resultado animador, revelando um mercado em expansão. É claro que se tratou de uma pesquisa preliminar, mas é de se deduzir que agora podemos esperar uma maior probabilidade de que a demanda seja grande (maior que o valor original de 0,4). Até agora, foi tudo muito bem, mas devemos perguntar: qual é, então, o valor das probabilidades revisadas, dado que a pesquisa de mercado foi favorável? Qual é o novo valor da probabilidade de Demanda grande? Qual é o novo valor da probabilidade de Demanda pequena? A resposta a tais questões será dada em seguida.

Vamos chamar o evento Demanda grande de DG, o evento Demanda pequena de DP, o evento Pesquisa favorável de PF e o evento Pesquisa desfavorável de PD. O que queremos saber é quanto valem P(DG/PF) e P(DP/PF), ou seja, as probabilidades de que a demanda seja grande (ou pequena) condicionadas ao fato de que a pesquisa de mercado foi favorável. No caso que estamos tomando como exemplo, dada P(DG/PF), será direto o cálculo de P(DP/PF), pois

P(DP/PF) = 1 – P(DG/PF), dado que só há dois estados da natureza, cujas probabilidades devem somar 1.

Por outro lado, é razoável supor que conhecemos P(PF/DG), ou seja, a probabilidade de que obtenhamos uma pesquisa de mercado favorável, caso seja realmente grande a demanda. Esse é um dado que vem da prática, retirado da experiência das pessoas que trabalham com a pesquisa de mercado. De certa forma, é uma medida do grau de acerto e precisão da própria pesquisa de mercado. Notar que são diferentes, evidentemente, P(DG/PF), que é o que queremos saber, e P(PF/DG), que é o que estamos supondo conhecido. Veremos, ao longo dessa demonstração, que é fundamental admitir conhecido o valor de P(PF/DG), bem como o valor de P(PF/DP), ou, de maneira geral, P(resultado do experimento/um certo estado da natureza). Em nosso exemplo, temos dois resultados possíveis para o experimento (PF e PD) e dois possíveis estados da natureza (DG e DP). Logo, teremos de admitir conhecidas as seguintes probabilidades:

P(PF/DG) = 0,8   P(PF/DP) = 0,1

P(PD/DG) = 0,2   P(PD/DP) = 0,9

Guardemos esses valores, por enquanto.

No Capítulo 5, a Equação 5.1 nos fornecia o chamado Teorema de Bayes (ou Lei de Bayes):

$$P(N/A) = \frac{P(N \cap A)}{P(A)} \qquad \text{(Equação 5.1)}$$

Como se viu na oportunidade, a Equação 5.1 vale para o cálculo da probabilidade condicionada, quaisquer que sejam os eventos N e A, desde que $P(A) \neq 0$. Adaptando a equação para nossos símbolos, temos:

$$P(DG/PF) = \frac{P(DG \cap PF)}{P(PF)} \qquad \text{(Equação 6.1)}$$

Infelizmente, não conhecemos nem $P(DG \cap PF)$ nem $P(PF)$; no entanto, com os dados que temos, será possível computar esses dois valores. Assim, $P(PF)$ é a probabilidade de que se obtenha uma pesquisa de mercado favorável, quer a demanda final se revele grande ou pequena. Nitidamente, temos:

$P(PF) = P(PF \cap DG) + P(PF \cap DP)$, já que DG e DP são os dois únicos estados da natureza e esgotam o espaço amostral. Os valores de $P(PF \cap DG)$ e de $P(PF \cap DP)$ podem ser obtidos aplicando de novo a Equação 5.1.

$P(PF \cap DG) = P(PF/DG)\ P(DG) = (0,8)\ (0,4) = 0,32$

$P(PF \cap DP) = P(PF/DP)\ P(DP) = (0,1)\ (0,6) = 0,06$

Logo:

$P(PF) = 0,38$

Podemos encontrar o valor de $P(DG \cap PF)$ reaplicando a Equação 5.1, mas considerando agora $P(PF/DG)$, por exemplo:

$$P(PF/DG) = \frac{P(DG \cap PF)}{P(DG)} \qquad \text{(Equação 6.2)}$$

Ou

$P(DG \cap PF) = P(PF/DG)\ P(DG)$, onde

$P(PF/DG) = 0,8$

$P(DG) = 0,4$ e, portanto,

$P(DG \cap PF) = (0,8)\ (0,4) = 0,32$

Finalmente, o que estamos procurando desde o início, ou seja, as probabilidades revisadas:

$$P(DG/PF) = \frac{0,32}{0,38} = 0,84$$

E, portanto:

$P(DP/PF) = 1 - 0,84 = 0,16$

Nitidamente, foi de grande valia a pesquisa de mercado preliminar, isto é, o "experimento", pois aumentou em muito a probabilidade de uma demanda grande, permitindo o refinamento da decisão. Retomemos a matriz de decisão da Companhia Epsilon, agora com as novas probabilidades dos estados da natureza:

Tabela 6.7 Matriz de decisão para a distribuição de produtos da Companhia Epsilon (lucro em milhares de reais)

	Demanda grande p = 0,84	Demanda pequena p = 0,16
Usar revendedores locais	140	40
Construir armazém próprio	200	–30
Usar grande distribuidor local	160	10

Os novos valores esperados das alternativas serão:

Alternativa Usar revendedores locais

140 (0,84) + 40 (0,16) = 124

Alternativa Construir armazém próprio

200 (0,84) + (–30) (0,16) = 163,2

Alternativa Usar grande distribuidor local

160 (0,84) + 10 (0,16) = 136

A melhor alternativa é, portanto, Construir armazém próprio. Essa resposta já era esperada. Se o leitor recordar a análise de sensibilidade que fizemos, verá que, para valores da probabilidade de Demanda grande maiores que 00,538 a melhor alternativa era Construir armazém próprio.

6.3.4 *Árvores de decisão*

Os problemas de Decisão Tomada Sob Risco também podem ser estruturados e resolvidos com o auxílio de uma representação gráfica do processo de decisão, chamada de *árvore de decisão*. A partir da visualização de uma árvore de decisão, vamos apresentar todos os seus elementos e explicar como ela pode ser usada na solução do problema de decisão.

Para apresentar a árvore de decisão, retomemos o problema de distribuição da Companhia Epsilon. A árvore de decisão correspondente é mostrada na Figura 6.2.

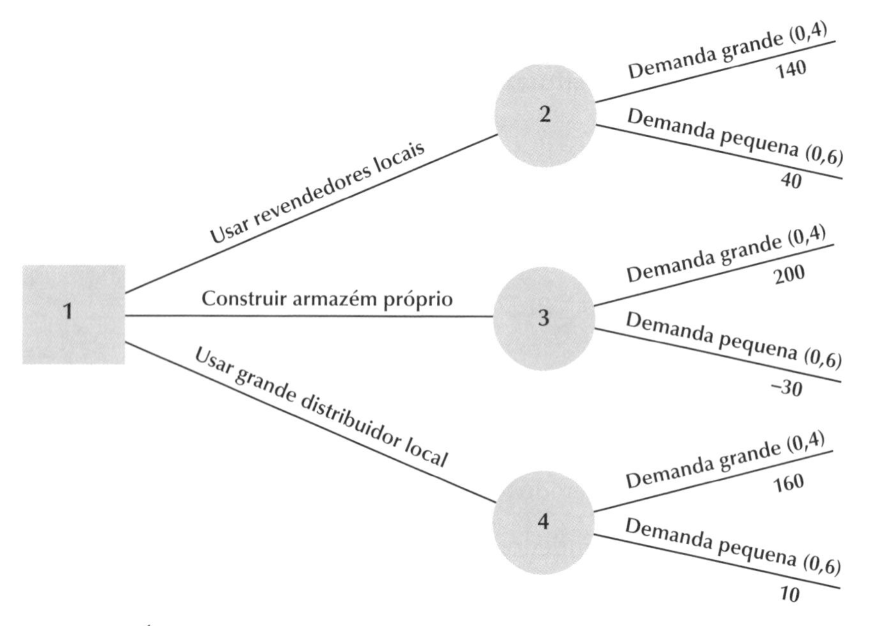

Figura 6.2 Árvore de decisão para o problema da Companhia Epsilon.

As linhas de uma árvore de decisão são chamadas de *ramos*, e os pontos em que os ramos se encontram (representados por círculos ou quadrados) são chamados de *nós*. Um quadrado representa um momento de decisão, enquanto um círculo representa um momento em que estará ocorrendo um dos estados da natureza previstos. Os quadrados são também chamados de *nós de decisão* e os círculos, de *nós de estados da natureza*. Quando vista da esquerda para a direita, a árvore de decisão segue a própria rotina temporal da decisão.

Assim, por exemplo, na Figura 6.2, se começarmos pelo nó 1, que é um quadrado, teremos um ponto de decisão ou nó de decisão. O tomador de decisão deve optar por uma das três alternativas existentes: Usar revendedores locais, Construir armazém próprio ou Usar grande distribuidor local. Após tomar a decisão, o tomador de decisão vai se confrontar com um dos dois estados da natureza (os nós 2, 3 e 4, para cada uma das alternativas apresentadas, são os nós de estados da natureza). Os números ao final de cada um dos seis últimos ramos representam os resultados individuais associados com cada alternativa e estado da natureza.

Os ramos que partem de um nó de decisão são chamados de *ramos de decisão*, como é o caso dos três ramos partindo do nó 1. Já os ramos que partem de um nó de estado da natureza são chamados de *ramos de estado da natureza.*

O leitor certamente reparou que, acima de cada ramo de estado da natureza, escreveu-se a probabilidade correspondente ao estado da natureza. A solução da árvore é simples: em cada nó de estado da natureza, faz-se a soma dos produtos dos resultados pelas probabilidades dos estados da natureza, o que dará o Valor Esperado da Alternativa para cada uma delas, ou seja:

VEA (nó 1) = 140 (0,4) + 40 (0,6) = 80
(Alternativa Usar revendedores locais)

VEA (nó 2) = 200 (0,4) + (-30) (0,6) = 62
(Alternativa Construir armazém próprio)

VEA (nó 3) = 160 (0,4) + 10 (0,6) = 70
(Alternativa Usar grande distribuidor local)

A alternativa escolhida é Usar revendedores locais, como já havíamos encontrado, trabalhando com a matriz de decisão.

6.4 Decisão Tomada Sob Incerteza (DTSI)

Nos problemas de Decisão Tomada Sob Incerteza (DTSI) conhecemos todos os possíveis estados da natureza, mas não temos nenhuma estimativa de suas probabilidades. Nesse caso, abre-se um amplo leque de possibilidades, com o tomador de decisão podendo optar por algum critério de seu interesse. De forma alguma a decisão será obrigatoriamente a mesma: ao contrário, ela irá depender do critério adotado.

A literatura traz alguns critérios considerados costumeiros, que serão objeto de análise. Entre eles, temos:

- Critério maximax
- Critério maximin
- Critério de Laplace
- Critério do realismo (Hurwicz)
- Critério do mínimo arrependimento

Vejamos qual a lógica por trás de cada um deles.

6.4.1 *Critério maximax*

O critério maximax (isto é, o *máximo entre os máximos*) carrega consigo uma visão de mundo extremamente otimista. Dada uma matriz de decisão, devemos escolher a alternativa que leva ao melhor possível dos resultados. Dito de outra maneira, deve-se escolher o melhor resultado de cada alternativa e, em seguida, dentre eles, "o melhor dos melhores".

Exemplo 6.6

Retomemos a nossa matriz de decisão da Companhia Epsilon, referente à distribuição de produtos para uma companhia, com três alternativas e dois estados da natureza:

Tabela 6.6 Matriz de decisão para a distribuição de produtos da Companhia Epsilon (lucro em milhares de reais)

	Demanda grande	Demanda pequena
Usar revendedores locais	140	40
Construir armazém próprio	200	–30
Usar grande distribuidor local	160	10

Note o leitor que não colocamos agora as probabilidades dos dois estados da natureza, que por hipótese são desconhecidas. De forma independente dos estados da natureza, os melhores resultados são:

Alternativa Usar revendedores locais: 140

Alternativa Construir armazém próprio: 200

Alternativa Usar grande distribuidor local: 160

Pelo critério maximax, a alternativa a ser escolhida é Construir um armazém próprio. Na verdade, o tomador de decisão que optou por essa alternativa acredita implicitamente que o estado da natureza será fatalmente Demanda grande. Sem dúvida, é um otimista incorrigível. Para finalizar, lembre-se o leitor de que "o melhor entre os melhores" conduz ao maior valor, em termos de lucros ou receitas, e ao menor valor, se a matriz de decisão for expressa em despesas ou prejuízos.

6.4.2 *Critério maximin*

Desta vez, estamos falando do "máximo entre os mínimos". De cada alternativa, escolhemos o pior resultado; depois, dentre os piores, escolhemos o melhor deles, ou o "menos ruim". Novamente, o leitor deve ficar alerta para o que significa "máximo" ou "mínimo", dependendo de como são expressos os resultados na matriz de decisão.

Exemplo 6.7

Voltemos ao exemplo anterior:

Tabela 6.6 Matriz de decisão para a distribuição de produtos da Companhia Epsilon (lucro em milhares de reais)

	Demanda grande	Demanda pequena
Usar revendedores locais	140	40
Construir armazém próprio	200	–30
Usar grande distribuidor local	160	10

Os piores resultados de cada alternativa são os seguintes:

Alternativa Usar revendedores locais: 40

Alternativa Construir armazém próprio: –30

Alternativa Usar grande distribuidor local: 10

Todos os resultados considerados, nesse caso, pressupõem uma demanda pequena no futuro. O tomador de decisão que adota o critério maximin escolherá a alternativa Usar revendedores locais, atenuando o pessimismo inicial. O critério maximin implica um primeiro movimento pessimista, seguido por um movimento otimista.

6.4.3 *Critério de Laplace*

O critério de Laplace é também conhecido como "critério da razão insuficiente", exatamente porque, por não termos razão suficiente para admitir o contrário, assume-se que são idênticas as probabilidades dos diversos estados da natureza. Com tal admissão, são então calculados os valores esperados de cada alternativa, o que equivale a tomar o valor médio entre os resultados de cada alternativa. Dos resultados médios, escolhe-se, por fim, o melhor deles.

Exemplo 6.8

Veja o leitor como ficam os resultados médios no caso da distribuição de produtos da Companhia Epsilon, que estamos considerando como exemplo, na matriz de decisão a seguir:

Tabela 6.7 Matriz de decisão para a distribuição de produtos da Companhia Epsilon (lucro em milhares de reais)

	Demanda grande	Demanda pequena	Resultados médios
Usar revendedores locais	140	40	90
Construir armazém próprio	200	–30	85
Usar grande distribuidor local	160	10	85

Logo, pelo critério de Laplace, é escolhida a alternativa Usar revendedores locais, que apresenta o melhor dos resultados médios (nesse caso em particular, o maior resultado médio).

6.4.4 *Critério do realismo (Hurwicz)*

O critério do realismo é também chamado critério de Hurwicz ou critério da média ponderada. Consiste em adotar um compromisso entre uma visão pessimista e uma visão otimista da realidade. O tomador de decisão seleciona um coeficiente de realismo α variando entre 0 e 1. Quanto maior for o valor escolhido de α, mais otimista o tomador de decisão está em relação ao futuro. Valores de α próximos de 0 indicam uma postura basicamente pessimista. Após a adoção de α, escolhe-se, para cada alternativa, o melhor e o pior resultado, computando a média ponderada:

Média ponderada da alternativa = α (melhor resultado) + $(1 - \alpha)$ (pior resultado)

Computadas as médias ponderadas de todas as alternativas, escolhe-se aquela com a melhor média.

Exemplo 6.9

Adotemos $\alpha = 0{,}7$ e voltemos novamente ao caso da distribuição de produtos com três alternativas, conforme a Tabela 6.8:

Tabela 6.8 Matriz de decisão para a distribuição de produtos da Companhia Epsilon (lucro em milhares de reais)

	Demanda grande	Demanda pequena	Média ponderada
Usar revendedores locais	140	40	110
Construir armazém próprio	200	–30	131
Usar grande distribuidor local	160	10	115

Temos:

Alternativa Usar revendedores locais

Média ponderada = 140 (0,7) + 40 (1 – 0,7) = 110

Alternativa Construir armazém próprio

Média ponderada = 200 (0,7) + (–30) (1 – 0,7) = 131

Alternativa Usar grande distribuidor local

Média ponderada = 160 (0,7) + 10 (1 – 0,7) = 115

Pelo critério de Hurwicz, a alternativa escolhida é Construir armazém próprio, que fornece o maior Valor Esperado da Alternativa.

6.4.5 *Critério do mínimo arrependimento*

Vimos anteriormente que, dado um certo estado da natureza, chama-se arrependimento àquilo que se perde, quando não se escolhe a melhor alternativa para aquele estado da natureza.

Vimos também que os arrependimentos eram calculados por meio da mesma rotina: para cada estado da natureza, fazia-se a diferença entre o resultado associado à melhor alternativa (sob esse estado) e os resultados das demais alternativas. Caso a matriz fosse de lucros ou receitas, o arrependimento assim calculado seria naturalmente positivo. Caso a matriz fosse de despesas ou prejuízos, os arrependimentos deveriam ser todos tomados com sinal positivo.

O critério do mínimo arrependimento diz o seguinte: monta-se inicialmente a matriz de arrependimentos e, em seguida, para cada alternativa, escolhe-se o pior dos arrependimentos. Como último passo, decide-se pela alternativa com o menos ruim dos arrependimentos. Em outras palavras, aplica-se à matriz de arrependimentos o critério maximin.

Exemplo 6.10

Mais uma vez, tomemos a nossa matriz de lucros associada à distribuição de produtos da Companhia Epsilon:

Tabela 6.6 Matriz de decisão para a distribuição de produtos da Companhia Epsilon (lucro em milhares de reais)

	Demanda grande	Demanda pequena
Usar revendedores locais	140	40
Construir armazém próprio	200	–30
Usar grande distribuidor local	160	10

Sob o estado da natureza Demanda grande, o melhor resultado pertence à alternativa Construir armazém próprio (lucro = 200, arrependimento = 0), enquanto, para o estado da natureza Demanda pequena, o melhor resultado pertence à alternativa Usar revendedores locais (lucro = 40, arrependimento = 0). Podemos, portanto, construir a matriz de arrependimentos a seguir:

Tabela 6.9 Matriz de arrependimentos para a distribuição de produtos da Companhia Epsilon (lucro em milhares de reais)

	Demanda grande	Demanda pequena	Pior arrependimento
Usar revendedores locais	60	0	60
Construir armazém próprio	0	70	70
Usar grande distribuidor local	40	30	40

Dos piores arrependimentos, o menos ruim é 40, que corresponde à alternativa Usar grande distribuidor local. Curiosamente, é o único critério que forneceu tal solução.

Pontos principais do Capítulo

1. A Teoria da Decisão é um conjunto de técnicas quantitativas, cujo objetivo é o de ajudar o tomador de decisão. A ajuda vem tanto na forma de sistematização do problema como na de condução de soluções.
2. Um problema pode ser decomposto em três elementos fundamentais: alternativas de decisão, que são os possíveis cursos de ação à disposição do tomador de decisão; estados da natureza, que são as ocorrências futuras, fora do controle do tomador de decisão, e que podem influenciar nas consequências de uma alternativa de decisão escolhida; resultados, que são as consequências de cada combinação entre alternativas e estados da natureza.

3. Dependendo do quanto se conheça acerca dos futuros estados da natureza, temos os seguintes tipos de decisão: DTSC (Decisão Tomada Sob Certeza), quando se conhece exatamente o estado da natureza que irá ocorrer; DTSR (Decisão Tomada Sob Risco), quando se conhece as probabilidades associadas a cada futuro estado da natureza; e DTSI (Decisão Tomada Sob Incerteza), quando nada se sabe sobre a futura ocorrência dos estados da natureza.
4. Na DTSR (Decisão Tomada Sob Risco), o critério básico de decisão é o de escolher a alternativa que conduza ao melhor Valor Esperado da Alternativa (VEA). Para cada alternativa, o VEA é calculado como a média ponderada dos seus resultados, usando como pesos de ponderação as probabilidades associadas aos estados da natureza.
5. Valor Esperado da Informação Perfeita (VEIP) é o valor máximo que se poderia pagar, caso se tivesse acesso à informação de qual estado da natureza iria ocorrer no futuro próximo.
6. O critério do VEA pode ser aplicado também a uma matriz de arrependimentos, sendo o arrependimento o que se perde ou deixa de ganhar caso se escolha, sob cada um dos estados da natureza, a alternativa não ótima. Para cada estado da natureza, o arrependimento é nulo se for escolhida a melhor alternativa.
7. As árvores de decisão são representações gráficas do processo de decisão, constituídas por nós de decisão, nós de estados da natureza e ramos representando as diversas alternativas.
8. Os principais critérios na DTSI (Decisão Tomada Sob Incerteza) são: maximax, maximin, critério de Laplace, critério de Hurwicz e critério do mínimo arrependimento.

Exercícios resolvidos

Exercício Resolvido nº 1

A Costura Fina Ltda. é uma fábrica de confecções que está atualmente produzindo sua coleção de inverno, a ser lançada em alguns meses. Há dúvidas, na alta direção da Costura Fina, sobre o montante de investimento que deve ser destinado a essa coleção. Nos últimos anos, o clima, que tanto influencia no sucesso da coleção, tem se revelado um tanto quanto errático, sendo que outono e inverno podem ser muito parecidos, e às vezes o inverno é pontilhado por períodos de muito sol e calor, chamados comumente de veranicos. É sabido que, se o próximo inverno apresentar muitos veranicos, a coleção de inverno irá fracassar; se, por outro lado, o inverno for rigoroso, a coleção trará lucros substanciais à Costura Fina, havendo também um estágio intermediário, de menor sucesso. Os diretores da Costura Fina prepararam a matriz de decisão a seguir, com lucro em milhares de reais:

Estados da natureza

	Inverno rigoroso	Inverno com alguns veranicos	Inverno com muitos veranicos
Investimento substancial na coleção	5.000	2.000	–2.000
Investimento médio na coleção	1.500	1.000	–500
Pequeno investimento na coleção	800	200	0

Supor que a instabilidade dos últimos anos torne muito difícil atribuir probabilidades aos estados da natureza. Determinar a solução por meio dos seguintes critérios: a) maximax; b) maximin; c) Laplace; d) Hurwicz ($\alpha = 0,6$); e) mínimo arrependimento.

Solução

a) critério maximax

Como o leitor se recorda, o critério maximax é otimista por excelência. Em primeiro lugar, destacamos os melhores resultados de cada alternativa:

Investimento substancial na coleção 5.000
Investimento médio na coleção 1.500
Pequeno investimento na coleção 800

Todos os melhores resultados estão associados com o estado da natureza Inverno rigoroso. Dos três melhores resultados, o melhor possível é 5.000 (na verdade, R$ 5 milhões), correspondente à alternativa Investimento substancial na coleção, que é, então, a solução pelo critério maximax.

b) critério maximin

Inicialmente, o critério maximin implica uma escolha pessimista, destacando-se os piores resultados de cada alternativa:

Investimento substancial na coleção................–2.000

Investimento médio na coleção ....–500

Pequeno investimento na coleção 0

A seguir, resolve-se por uma escolha final otimista, selecionando-se o melhor resultado entre os piores. Logo, a solução pela critério maximin é a alternativa Pequeno investimento na coleção, uma solução bastante conservadora.

c) critério de Laplace

Por esse critério, em primeiro lugar são calculados os valores médios de cada alternativa:

Investimento substancial na coleção 1.667

Investimento médio na coleção.............................667

Pequeno investimento na coleção 333

É escolhida, então, a alternativa com o melhor resultado médio, ou seja, Investimento substancial na coleção.

d) critério de Hurwicz ($\alpha = 0,6$)

Calcula-se a média ponderada dos resultados de cada alternativa, tomando-se o melhor e o pior resultado de cada uma delas. O melhor resultado é ponderado pelo valor de $\alpha = 0,6$, e o pior é ponderado por $(1 - \alpha) = 0,4$:

Investimento substancial na coleção: 5.000 (0,6) + (–2.000) (0,4) = 2.200

Investimento médio na coleção: 1.500 (0,6) + (–500) (0,4) = 700

Pequeno investimento na coleção: 800 (0,6) + (0) (0,4) = 480

Novamente, escolhe-se a alternativa Investimento substancial na coleção.

e) critério do mínimo arrependimento

Nesse caso, inicialmente devemos transformar a matriz de decisão em uma matriz de arrependimentos. Para cada estado da natureza, a alternativa com melhor resultado terá arrependimento zero; todos os outros arrependimentos são calculados por diferença, tomando sempre valores positivos. O leitor verificará facilmente que os cálculos nos levam à matriz de arrependimentos a seguir:

Estados da natureza

	Inverno rigoroso	Inverno com alguns veranicos	Inverno com muitos veranicos
Investimento substancial na coleção	0	0	2.000
Investimento médio na coleção	3.500	1.000	500
Pequeno investimento na coleção	4.200	1.800	0

Para cada alternativa, identificamos o pior arrependimento:

Investimento substancial na coleção 2.000

Investimento médio na coleção..........................3.500

Pequeno investimento na coleção 4.200

O menor arrependimento – e, portanto, a solução – está com a alternativa Investimento substancial na coleção.

Para encerrar o exercício, note o leitor que todos os critérios, exceto o maximin, levaram à alternativa Investimento substancial na coleção. Isso ocorre porque há, de início, um certo desequilíbrio em favor dessa alternativa que, nas duas condições favoráveis, leva a grandes lucros comparativos. Por sua vez, o critério maximin é muito conservador e tendeu para uma solução em que nitidamente ganha-se pouco nas melhores condições, mas nada se perde com o pior dos estados da natureza.

Exercício resolvido nº 2

Suponha que a Costura Fina Ltda., do exercício anterior, possui uma estimativa para a probabilidade de cada estado da natureza; assim, há uma probabilidade de 0,6 de que o inverno será rigoroso, de 0,2 de que o inverno terá alguns veranicos e de 0,2 de que o inverno terá muitos veranicos. Pede-se:

a) qual é a solução baseada no Valor Esperado da Alternativa?

b) qual é o Valor Esperado da Informação Perfeita?

Solução

a) solução baseada no Valor Esperado da Alternativa

A seguir está reproduzida a matriz de decisão original, sendo acrescentadas as probabilidades de ocorrência de cada estado da natureza:

	Estados da natureza		
	p = 0,6	p = 0,2	p = 0,2
	Inverno rigoroso	Inverno com alguns veranicos	Inverno com muitos veranicos
Investimento substancial na coleção	5.000	2.000	–2.000
Investimento médio na coleção	1.500	1.000	–500
Pequeno investimento na coleção	200	800	0

O Valor Esperado da Alternativa é a média ponderada dos resultados da alternativa, sendo as probabilidades dos estados da natureza usadas como pesos de ponderação:

Investimento substancial na coleção: 5.000 (0,6) + 2.000 (0,2) + + (–2.000) (0,2) = 3.000

Investimento médio na coleção: 1.500 (0,6) + 1.000 (0,2) + + (–500) (0,2) = 1.000

Pequeno investimento na coleção: 800 (0,6) + 200 (0,2) + (0) (0,2) = 520

A melhor alternativa é o Investimento substancial na coleção.

b) Valor Esperado da Informação Perfeita

O Valor Esperado da Informação Perfeita representa o ganho possível sobre a decisão baseada no VEA, supondo-se que seja conhecido de antemão cada um dos estados da natureza. Para o estado da natureza Inverno rigoroso, a melhor alternativa a ser seguida é o Investimento substancial na coleção, originando um lucro de 5.000. Para o estado da natureza Inverno com alguns veranicos, a melhor alternativa ainda é o Investimento substancial na coleção, com um resultado de 2.000; finalmente, para o estado da natureza Inverno com muitos veranicos, a melhor alternativa é o Pequeno investimento na coleção, com resultado nulo. Levando em conta a probabilidade com que ocorrem cada um desses estados da natureza, o melhor resultado médio que obteríamos, com o conhecimento de antemão do estado da natureza, seria:

5.000 (0,6) + 2.000 (0,2) + 0 (0,2) = 3.400

Como o leitor se recorda, o melhor VEA era o da alternativa Investimento substancial na coleção (VEA = 3.000); logo, a melhoria (ou seja, o VEIP) será:

VEIP = 3.400 – 3.000 = 400 (na verdade, R$ 400.000)

Questões propostas

1. O que é uma alternativa a um problema de decisão? O que é um estado da natureza?
2. Quais são os elementos de uma matriz de decisão?
3. Enuncie as diferenças entre Decisão Tomada Sob Certeza (DTSC), Decisão Tomada Sob Risco (DTSR) e Decisão Tomada Sob Incerteza (DTSI).
4. Do que depende o Valor Esperado da Informação Perfeita? Qual é a sua utilidade?
5. O que é uma probabilidade *a priori*? E uma probabilidade revisada?
6. Explique brevemente o que é uma árvore de decisão. Quais são seus elementos constituintes?
7. Por que, na Decisão Tomada Sob Incerteza, pode haver diversas soluções a um mesmo problema de decisão?
8. Descreva cada um dos principais critérios usados na Decisão Tomada Sob Incerteza: maximax, maximin, Laplace, Hurwicz e mínimo arrependimento.

Glossário

Alternativa: uma estratégia ou curso de ação disponível ao tomador de decisão.

Decisão Tomada Sob Certeza (DTSC): situação na qual é conhecido com certeza o estado da natureza que irá ocorrer.

Decisão Tomada Sob Incerteza (DTSI): situação na qual não são conhecidas as probabilidades de ocorrência dos futuros estados da natureza.

Decisão Tomada Sob Risco (DTSR): situação na qual são conhecidas as probabilidades de ocorrência dos estados da natureza.

Estado da natureza: uma ocorrência futura, sobre a qual o tomador de decisão não tem controle, que influenciará nos resultados possíveis da decisão tomada.

Matriz de decisão: organização de informações em forma tabular, na qual aparecem as alternativas de decisão, os estados da natureza e os resultados correspondentes.

Probabilidades a priori: estimativas iniciais das probabilidades associadas aos estados da natureza, as quais podem eventualmente ser melhoradas com o auxílio de um experimento adequado.

Probabilidades revisadas: estimativas finais das probabilidades associadas aos estados da natureza, após a realização de um experimento projetado para melhorar a previsão inicial.

Valor Esperado da Alternativa (VEA): o valor monetário médio esperado para uma dada alternativa, em uma situação de DTSR. O Valor Esperado da Alternativa é a soma dos produtos dos resultados da alternativa pelas probabilidades de cada estado da natureza.

Valor Esperado da Informação Perfeita (VEIP): valor máximo que se pode pagar pela melhor das informações envolvendo os futuros estados da natureza.

Exercícios propostos

1. Dada a matriz de lucros a seguir (valores em milhares de reais), determinar a melhor alternativa usando o Valor Esperado da Alternativa.

Estados da Natureza / Alternativas	EN_1 (p = 0,20)	EN_2 (p = 0,50)	EN_3 (p = 0,30)
A_1	25	40	55
A_2	38	28	48
A_3	30	50	15

2. Computar, no exercício anterior, o valor do lucro médio com a informação perfeita e também o VEIP (Valor Esperado da Informação Perfeita).

3. Dada a matriz de decisão a seguir, expressa em milhares de reais representando despesas, determinar a melhor alternativa usando o Valor Esperado da Alternativa.

Estados da Natureza / Alternativas	EN_1 (p = 0,15)	EN_2 (p = 0,35)	EN_3 (p = 0,40)	EN_4 (p = 0,10)
A_1	20	30	10	25
A_2	25	15	35	8

4. Computar a despesa média esperada com a informação perfeita, bem como o VEIP (Valor Esperado da Informação Perfeita), para o Exercício 3.

5. A Banca do Zezinho deve fazer um pedido de exemplares da *Tentação* ao distribuidor da revista. Cada exemplar da revista é vendido a R$ 4 e custa R$ 2. Cópias não vendidas podem ser retornadas ao distribuidor, que cobra então R$ 1 por exemplar devolvido. A Banca do Zezinho estimou as probabilidades da demanda da revista para o próximo mês, conforme a tabela a seguir:

Demanda	Probabilidade
300	0,10
310	0,10
320	0,30
330	0,25
340	0,15
350	0,10

Quantos exemplares da revista *Tentação* devem ser encomendados?

6. Em um dado processo produtivo, a máquina MX210 pode ser corretamente ajustada ou não. A probabilidade de que ela esteja corretamente ajustada é 0,80. Se ela estiver corretamente ajustada, 90% das peças produzidas serão aceitáveis. Por outro lado, se ela estiver incorretamente ajustada, esse percentual baixa a 40%.

   É retirada uma amostra de 20 itens produzidos na máquina, e 15 deles revelam-se aceitáveis. Revisar a probabilidade de que a máquina MX210 esteja corretamente ajustada.

7. A Companhia Editora Urano planeja lançar uma nova revista para homens. Pela experiência anterior dos editores, a revista tem uma chance de 80% de ser um sucesso. Para uma melhor estimativa (revisão) dessa probabilidade, entretanto, a editora decide empreender uma pesquisa de mercado. Uma amostra ao acaso de 100 leitores potenciais da revista é escolhida. Se 40% dos entrevistados responderem que comprariam a revista, então a revista está destinada ao sucesso. Se esse percentual for de 25%, então a revista será um fracasso. Ao final das entrevistas, 35 leitores declararam que comprariam a revista. Determinar a probabilidade de sucesso da revista à luz dessa nova informação.

8. A matriz de decisão a seguir mostra três alternativas e quatro estados da natureza, dos quais não são conhecidas as probabilidades. (*Observação*: a matriz é de lucros.)

Estados da natureza / Alternativas	EN_1	EN_2	EN_3	EN_4
A_1	10	18	28	15
A_2	30	5	18	13
A_3	15	18	25	13

Encontrar a melhor alternativa, de acordo com os seguintes critérios:

a) maximax

b) maximin

c) Laplace

d) mínimo arrependimento

9. Retomar o Exercício 8 e encontrar a melhor decisão pelos mesmos critérios, mas supondo agora que os números da matriz representam despesas.

10. Um novo depilador elétrico está para ser lançado no mercado pela Manufatura Elétrica Rochester. A alta direção está desejosa de saber de quanto deverá ser a produção diária do depilador. Essa produção é classificada como pequena, média e grande. Se for programada uma quantidade pequena e a demanda também for pequena, haverá um lucro líquido de R$ 15.000 semanais. Se a demanda for média ou alta, ainda assim haverá um lucro líquido de R$ 15.000, já que a baixa produção não permitirá que se tire vantagem da situação.

    Por outro lado, se for programada uma produção média e a demanda for baixa, o lucro será de apenas R$ 5.000, pois muitos depiladores não serão vendidos. Se a demanda for média, o lucro será de R$ 25.000; o lucro também será esse se a demanda for alta.

    Finalmente, se a produção for alta e a demanda for baixa, o lucro líquido será nulo. Se a demanda for média, o lucro será de R$ 15.000, mas, se for alta, o lucro será de R$ 30.000.

    Há muita preocupação na Manufatura Elétrica Rochester com a quantidade a produzir. Perdas vêm sendo contabilizadas em outros negócios, e decisões erradas podem se tornar catastróficas. Escolher o melhor critério de solução para esse caso, justificá-lo e aplicá-lo para chegar à solução.

Bibliografia

BUNN, D. *Applied decision analysis*. Nova York: McGraw-Hill, 1984.

CARTER, M. W.; PRICE, C. C. *Operations research*. A practical introduction. Boca Raton: CRC Press, 2001.

HILLIER, F. S.; HILLIER, M. S.; LIEBERMAN, J. G. *Introduction to management science*: A modeling and case studies approach with spreadsheets. Burr Ridge: Irwin/McGraw-Hill, 2000.

MARKLAND, R. E.; SWEIGART, J. R. *Quantitative methods:* applications to managerial decision making. Nova York: John Wiley and Sons, 1987.

WINSTON, W. L. *Operations research*. Applications and algoritms. Belmont: Wadsworth Publishing Company, 1994.

7 Teoria dos Jogos

7.1 Introdução: conceitos fundamentais

Muitas situações, tanto na rotina normal de cada um como no mundo dos negócios, envolvem a estruturação de um jogo, com dois ou mais tomadores de decisão, sendo que cada um quer ganhar a disputa. Nessas situações, o resultado final depende prioritariamente da combinação de estratégias selecionadas pelos adversários. Empresas operam quase sempre imersas em ambientes de forte competição e não podem tomar decisões sem considerar o que outras empresas, pessoas ou governos estão fazendo.

Um jogo envolve dois ou mais oponentes – ou jogadores – inteligentes, cada qual tentando otimizar sua decisão à custa do adversário. Os participantes do jogo usam procedimentos matemáticos e lógica para desenvolver estratégias a fim de ganhar o jogo. *A Teoria dos Jogos é um conjunto de procedimentos lógicos e matemáticos projetados para auxiliar na determinação de estratégias ótimas a serem seguidas nessas situações competitivas de tomada de decisão.*

Como o objetivo principal da Teoria dos Jogos é o desenvolvimento de critérios racionais para selecionar uma estratégia, são feitas duas hipóteses básicas: todos os competidores são racionais e todos os competidores escolhem suas estratégias somente para promover seu próprio bem-estar. Estaremos desconsiderando aqui os chamados jogos cooperativos, em que os competidores podem formar alianças para o bem comum. Embora importantíssimos, fogem ao escopo deste capítulo.

O que é exatamente um jogo? Um *jogo é uma situação de disputa envolvendo dois ou mais contendores* (tomadores de decisão), *em que cada um deseja ganhar*. Chamamos o que se ganha de *recompensa*. A Teoria dos Jogos é o estudo de como estratégias ótimas são formuladas no conflito.

A Teoria dos Jogos é diferente da Teoria da Decisão, porque nesta última o tomador de decisão está jogando um jogo com um oponente passivo – a natureza –, que escolhe suas estratégias de uma certa forma aleatória.

O estudo sistemático da Teoria dos Jogos começou em 1944, quando John von Neumann e Oscar Morgenstern publicaram seu livro clássico, *Teoria dos Jogos e comportamento econômico* (*Theory of Games and economic behavior*. Princeton: Princeton University Press, 1944). Apesar do trabalho pioneiro, as aplicações práticas da Teoria dos Jogos têm sido um tanto limitadas, tendendo a crescer nos últimos anos, quando têm sido usadas também por negociadores de sindicatos e empresas nas negociações coletivas e por empresas de todos os tipos para determinar as melhores estratégias, dado um ambiente de negócios competitivo.

A Teoria dos Jogos continua e se faz cada vez mais importante. Em 1994, John Harsanui, John Nash e Reinhard Selten ganharam ao mesmo tempo o Prêmio Nobel de Economia. Esses indivíduos desenvolveram a noção de teoria dos jogos não cooperativos. Após o trabalho de Von Neumann, Nash desenvolveu os conceitos de equilíbrio de Nash e de problema de barganha de Nash, que são as bases da moderna Teoria dos Jogos.

7.2 Classificação dos jogos

Os modelos de jogos são classificados:

- por meio do número de jogadores: *jogos de duas pessoas* e *jogos de* n *pessoas*; a Teoria dos Jogos envolvendo três ou mais pessoas é uma área difícil, tanto teórica como computacionalmente, e não tem sido muito usada na prática.
- por meio do resultado total do jogo: *jogos de soma zero* (a soma dos ganhos e perdas é zero) e *jogos de soma não zero*. Jogos de soma não zero apresentam dificuldades teóricas e computacionais.
- por meio das estratégias empregadas pelos contendores no jogo. *Jogos de estratégia pura* são aqueles em que os competidores seguem sempre as mesmas estratégias, independentemente da estratégia seguida pelos outros. Na Teoria dos Jogos, as estratégias puras existem apenas quando a solução atingiu um estágio de equilíbrio, chamado de *ponto de sela* (como será visto mais adiante). Quando não há ponto de sela, os jogadores empregarão a cada estratégia uma certa porcentagem de tempo. Esse tipo de resultado é chamado de *estratégia mista*.

O caso mais simples é chamado de *jogo de duas pessoas, soma zero*. A situação envolve apenas dois adversários ou jogadores (que podem ser empresas, instituições, exércitos, partidos políticos, equipes de futebol etc.). A designação de soma zero vem do fato de que aquilo que um jogador ganha, o outro perde, logo a soma de perdas e ganhos é exatamente zero. A Teoria dos Jogos vai muito além dos jogos de duas pessoas e soma zero, com um número finito de estratégias puras. Jogos mais complicados são os de *n* pessoas, em que mais de dois oponentes podem participar. Na vida real, frequentemente este é o caso. A teoria, entretanto, para esses casos mais complexos, ainda deixa muito a desejar.

Também importantes são os jogos de soma não zero, em que a soma dos resultados não precisa ser zero ou qualquer outro valor fixado. Esse caso reflete o fato de que situações competitivas incluem aspectos não competitivos que contribuem para a vantagem ou desvantagem mútua dos competidores. Dado que o ganho mútuo é possível, esses jogos são ainda classificados em relação ao grau no qual os competidores podem cooperar. Em um extremo ficam os *jogos não cooperativos*, em que não há comunicação prévia entre os competidores. No outro extremo estão os *jogos cooperativos*, nos quais a comunicação prévia e os acordos são permitidos. Regulamentos comerciais entre países e negociações coletivas de trabalho podem ser formulados como jogos cooperativos. Onde há mais de dois competidores, jogos cooperativos permitem coalizões entre alguns ou todos os competidores.

Outra extensão diz respeito aos *jogos infinitos*, nos quais os competidores têm um número infinito de estratégias puras à sua disposição. É o tipo de situação em que a estratégia a ser selecionada pode ser representada por uma variável de decisão contínua, como o tempo em que tomar uma determinada decisão ou a proporção de recursos a alocar em certa atividade em uma situação competitiva.

7.3 Representação dos jogos

Vamos nos restringir ao caso em que há apenas dois competidores, que jogam de forma simultânea, ou seja, cada jogador toma suas decisões de forma independente das decisões do outro. Isso não quer dizer que os competidores ignorem as possibilidades – por hipótese, vamos supor que os dois conheçam todas as alternativas de decisão do oponente. Apenas um não sabe qual é a decisão do outro, enquanto toma a sua própria. Uma alternativa que não estamos considerando é a de que exista uma forma sequencial de tomada de decisão, ou seja, uma ordem estabelecida na qual os jogadores se movem.

No caso que estamos considerando, então, a forma mais usual de representação da situação do jogo é por uma *matriz de recompensas*, como exemplificado na Tabela 7.1:

Tabela 7.1 Matriz de recompensas para dois jogadores

Estratégias do jogador K / Estratégias do jogador L	K_1	K_2	K_3
L_1	(4, 2)	(7, –3)	(5, 1)
L_2	(3, –1)	(–1, 5)	(9, 4)

A Tabela 7.1 nos mostra que estamos considerando dois jogadores, K e L; o competidor L tem duas alternativas de jogo, que são L_1 e L_2, enquanto as alternativas de jogo do competidor K são três: K_1, K_2 e K_3. Portanto, os dois competidores não necessariamente possuem o mesmo número de alternativas de decisão.

Em cada célula que está no cruzamento de duas alternativas quaisquer, são apresentados dois números entre parênteses: o número da esquerda representa a recompensa do jogador L, enquanto o número da direita representa a recompensa do jogador K. A recompensa é uma medida do que cada jogador vai ganhar em uma combinação de estratégias particular.

Outra interessante informação fornecida pela Tabela 7.1 é que o jogo está enviesado contra o competidor K. Se o leitor reparar, verá que, na quase totalidade das combinações de estratégias, o resultado é decepcionante para o competidor K ou, pelo menos, inferior à recompensa obtida pelo competidor L. Assim, por exemplo, se o competidor K escolhe a estratégia K_2 e o competidor L escolhe a estratégia L_1, teremos:

Recompensa para o competidor L = 7

Recompensa para o competidor K = –3

O único caso em que isso não acontece é quando são escolhidas K_2 e L_2:

Recompensa para o competidor L = –1

Recompensa para o competidor K = 5

Outra informação rapidamente percebida é que o jogo representado não é um jogo de soma zero e nem mesmo um jogo de soma constante. Quando o jogo é de soma zero (que nos interessa particularmente), a Tabela 7.1 pode ser simplificada. Conservemos os mesmos oponentes K e L, supondo agora que aquilo que um ganha, o outro necessariamente perde, ou seja, assumindo que o jogo é de soma zero. Conservemos também as mesmas recompensas do oponente L. A nova configuração está representada na Tabela 7.2:

Tabela 7.2 Matriz de recompensas para dois jogadores, soma zero

Estratégias do jogador K / Estratégias do jogador L	K_1	K_2	K_3
L_1	4	7	5
L_2	3	–1	9

A Tabela 7.2 agora mostra apenas as recompensas do jogador L, sem que isso cause confusão. Por quê? Porque como a recompensa de um jogador é exatamente o oposto da recompensa do outro, não há espaço para dúvidas. Veja o leitor por si mesmo, rapidamente: qual é a recompensa do oponente K, com as estratégias K_3 e L_2? É –9, exatamente o oposto da recompensa do jogador L. E assim por diante.

A seguir, vejamos em que circunstâncias um jogo de dois oponentes, soma zero, é conduzido para uma estratégia pura, ou seja, é conduzido para uma situação de equilíbrio, em que os oponentes terminarão sempre por escolher a mesma combinação de estratégias (desde que assumamos que o jogo seja jogado inúmeras vezes).

7.4 Jogos de duas pessoas, soma zero, estratégias puras

Vamos começar com uma situação muito simples, em que cada competidor tem disponíveis apenas duas estratégias, o que resulta em uma matriz de recompensas quadrada (2 × 2).

Exemplo 7.1

Tomemos os mesmos competidores K e L, com duas estratégias cada um, representadas na Tabela 7.3 a seguir:

Tabela 7.3 Matriz de recompensas para dois jogadores, soma zero

Estratégias do jogador L \ Estratégias do jogador K	K_1	K_2
L_1	4	7
L_2	3	-1

O jogo representado na Tabela 7.3 possui uma solução de equilíbrio (já iremos mostrá-la). Essa solução implica que, sendo repetido o jogo inúmeras vezes, os competidores K e L escolherão sempre uma dada alternativa. Vamos, em primeiro lugar, mostrar como chegar a essa solução de equilíbrio no caso do exemplo e depois generalizá-la.

Para fazer isso, vamos nos fixar inicialmente no jogador L. Não é difícil notar que, para esse jogador, a melhor estratégia é L_1, dado que qualquer uma das recompensas a que conduz é melhor do que as recompensas da estratégia L_2:

Recompensas 4 ou 7 com a estratégia L_1 contra

Recompensas 3 e –1 com a estratégia L_2

Ora, o jogador K conhece a configuração do jogo, isto é, todas as alternativas e respectivas recompensas. Ele sabe, portanto, que o jogador L fatalmente irá escolher a alternativa L_1. Nesta altura, o leitor já deve ter percebido que o jogo é enviesado contra o jogador K que, infelizmente, nada pode fazer e deve jogar. Devendo jogar, e fazendo-o de forma racional, inevitavelmente irá escolher a alternativa K_1, que lhe trará o menos ruim dos resultados (nesse caso, –4 contra –7). A configuração do jogo, portanto, conduziu-nos a uma solução estável, com o resultado 4 para o jogador L e –4 para o jogador K. Cada jogador tem uma estratégia pura a seguir: L_1 para o jogador L e K_1 para o jogador K. Nesse caso, dizemos que o valor 4 é o *ponto de sela* do jogo, ou seja, o cruzamento das estratégias puras que os jogadores são levados a seguir. O valor 4 também é chamado de *valor do jogo*.

Podemos enunciar uma regra importante: o jogo terá uma solução estável, ou seja, os competidores serão levados a adotar estratégias puras, sempre que houver um ponto de sela.

Em nosso exemplo, o ponto de sela foi determinado pela mera análise da tabela de recompensas. Entretanto, há uma maneira simples e automática de se fazer isso. Vamos demonstrá-la no exemplo a seguir.

Exemplo 7.2

Considere o leitor a Tabela 7.4, que é a matriz de recompensas para dois competidores, X e Y, um dos quais (X) tem disponíveis quatro alternativas de decisão (X_1, X_2 , X_3 e X_4) e o outro (Y) tem três alternativas de decisão (Y_1, Y_2 e Y_3). O jogo, como usual, é de soma zero, motivo pelo qual são representadas apenas as recompensas do jogador X.

Tabela 7.4 Matriz de recompensas para determinação do ponto de sela

Estratégias do jogador Y / Estratégias do jogador X	Y_1	Y_2	Y_3
X_1	–3	2	4
X_2	7	–2	–1
X_3	8	10	7
X_4	5	8	6

Passos para determinar o ponto de sela (se houver):

a) determinar, em cada linha, a recompensa mínima.

É o que foi feito a seguir, em uma visão simplificada da Tabela 7.4.

Estratégias do jogador Y / Estratégias do jogador X	Y_1	Y_2	Y_3	Mínimos das linhas
X_1	–3	2	4	–3
X_2	7	–2	–1	–2
X_3	8	10	7	7
X_4	5	8	6	5

b) determinar os valores máximos de cada coluna, como na nova versão simplificada da Tabela 7.4 a seguir.

Estratégias do jogador Y / Estratégias do jogador X	Y_1	Y_2	Y_3	Mínimos das linhas
X_1	–3	2	4	–3
X_2	7	–2	–1	–2
X_3	8	10	7	7
X_4	5	8	6	5
Máximos das colunas	8	10	7	

c) se houver um mínimo de linha que seja, ao mesmo tempo, o máximo em sua coluna, este será o ponto de sela e, consequentemente, a solução estável do jogo.

Em nosso exemplo, vemos que 7 é, simultaneamente, o mínimo da linha de X_3 e o máximo da coluna de Y_3. Este é, portanto, o ponto de sela e a solução estável do problema.

Talvez o leitor sinta-se mais confortável com uma explicação mais concreta. Portanto, vejamos. O exame da Tabela 7.4 mostra claramente que, do ponto de vista do jogador X, a estratégia X_3 é preferível às estratégias X_1, X_2 e X_4. Isso acontece porque as recompensas a que X_3 conduz são sempre maiores que as recompensas a que X_1, X_2 e X_4 conduzem. Assim, por exemplo, se o oponente Y tivesse escolhido a estratégia Y_1, a recompensa do jogador X ao escolher X_3 seria 8, contra 7, –3 ou 5, se tivesse escolhido X_2, X_1 ou X_4, respectivamente. O próprio leitor pode fazer as verificações restantes.

Como ficamos até o momento? Podemos eliminar da nossa tabela as estratégias X_1 e X_2, ficando com a simplificação da Tabela 7.4:

Estratégias do jogador Y / Estratégias do jogador X	Y_1	Y_2	Y_3	Mínimos das linhas
X_3	8	10	7	7
X_4	5	8	6	5
Máximos das colunas	8	10	7	

Ao jogador X restam, portanto, duas alternativas. Qual delas irá escolher? Que tipo de raciocínio faz? Veja o leitor: se X resolver escolher a estratégia X_3, o jogador Y sem dúvida irá escolher a estratégia Y_3, de forma a perder apenas 7 (ou ganhar –7, tanto faz), que será a sua mínima perda possível. Se, entretanto, X resolver escolher a estratégia X_4, o jogador Y optará pela estratégia Y_1, que o conduz à mínima recompensa de –5. Coloque-se o leitor no lugar do jogador X e pergunte-se: que estratégia escolher: a estratégia X_3, que leva a uma recompensa de 7, ou a estratégia X_4, que leva a uma recompensa de 5? Como X é racional, ele escolhe a estratégia X_3. Seguindo qualquer linha de raciocínio, portanto, somos levados ao valor 7 como solução e ponto de sela.

7.5 Jogos de duas pessoas, soma zero, estratégias mistas

Passemos ao caso em que não há um ponto de sela na matriz de recompensas e, portanto, não somos conduzidos a um conjunto único de estratégias para os competidores. Considere o leitor a matriz representada na Tabela 7.5.

Como não há um mínimo de linha que seja, ao mesmo tempo, um máximo de coluna, não existe o ponto de sela. Não há uma solução única de equilíbrio. Por exemplo, se o competidor X escolher a estratégia X_1 – o que ele, em princípio, gostaria de fazer sempre, pois conduz à sua máxima recompensa –, o competidor Y poderá optar pela estratégia Y_1, que o fará perder 3, ou pela estratégia Y_2, que o fará perder 6. Na verdade, o jogador Y sempre perde, já que o jogo é enviesado contra ele. Lembre-se o leitor também de que as jogadas são simultâneas, e um jogador não sabe o que o outro está fazendo. A tendência do jogador Y é alternar entre as decisões Y_1 e Y_2, mesmo porque o jogador X tem também duas estratégias a seu dispor. Nessas tentativas de ambos ganharem o máximo possível (no caso em pauta, o jogador X tenta ganhar o máximo possível, e o jogador Y tenta perder o mínimo possível), os jogadores acabarão por chegar a um equilíbrio.

Tabela 7.5 Jogos de duas pessoas, soma zero, estratégias mistas

Estratégias do jogador Y / Estratégias do jogador X	Y_1	Y_2	Mínimos das linhas
X_1	3	6	3
X_2	5	2	2
Máximos das colunas	5	6	

Às vezes, uma pequena mudança na matriz de recompensas modifica totalmente a configuração do problema. Assim, por exemplo, a Tabela 7.6 é quase idêntica à Tabela 7.4:

Tabela 7.6 Matriz de recompensas

Estratégias do jogador Y / Estratégias do jogador X	Y_1	Y_2	Y_3
X_1	–3	2	4
X_2	7	–2	–1
X_3	8	10	5
X_4	5	8	6

A única diferença está no fato de que, no cruzamento das estratégias X_3 e Y_3, está agora a recompensa 5, em vez da recompensa 7 (que era exatamente o ponto de sela). Ressaltando os mínimos das linhas e os máximos das colunas, temos a versão simplificada da Tabela 7.6 a seguir:

Estratégias do jogador Y / Estratégias do jogador X	Y_1	Y_2	Y_3	Mínimos das linhas
X_1	–3	2	4	–3
X_2	7	–2	–1	–1
X_3	8	10	5	5
X_4	5	8	6	5
Máximos das colunas	8	10	6	

Dessa vez, não há nenhum mínimo de linha que seja, ao mesmo tempo, máximo de coluna, ou seja, não há mais um ponto de sela.

Enfim, quando a matriz de recompensas não apresenta um ponto de sela, a tendência é de que ambos os jogadores alternem as alternativas de decisão escolhidas, de forma a se chegar a um equilíbrio, em termos de recompensa média final atribuída a cada um. Dito de outra forma, cada jogador escolherá cada estratégia disponível com uma frequência constante, de modo a, em média, chegar à mesma recompensa, independentemente da estratégia escolhida pelo outro jogador. Isso vale para ambos os jogadores.

Vejamos a seguir três métodos usuais para se chegar a uma solução ao problema, quando não existe o ponto de sela. A primeira solução poderia ser chamada de *método algébrico* ou *método do ganho e perda esperados.* A segunda solução é o *método gráfico,* introduzido por Lucce e Raiffa (1957), e a terceira é o *método da programação linear.*

7.5.1 *Solução pelo método do ganho e perda esperados*

Retomemos o jogo representado pela matriz de recompensas da tabela a seguir:

Tabela 7.5 Jogos de duas pessoas, soma zero, estratégias mistas

Estratégias do jogador Y / Estratégias do jogador X	Y_1	Y_2	Mínimos das linhas
X_1	3	6	3
X_2	5	2	2
Máximos das colunas	5	6	

Pensando no jogador X, sabemos que ele se utilizará das duas estratégias X_1 e X_2, cada qual por uma certa fração de tempo. Digamos que essa fração seja p para a estratégia X_1 e, portanto, (1 – p) para a estratégia X_2, já que a soma das frações de tempo deve ser a unidade, pois só existem duas estratégias a seguir. Qual será o ganho médio do jogador X, nessas circunstâncias? É fácil de ver que, se o jogador Y adotar a estratégia Y_1, o ganho médio de X será:

$$3p + 5\,(1 - p)$$

e se ele adotar a estratégia Y_2, o ganho médio de X será:

$$6p + 2\,(1 - p)$$

Sabemos também que p e (1 – p) são tais que o jogador X, independentemente da estratégia adotada pelo jogador Y, estará obtendo o mesmo ganho (ou prejuízo) médio. Logo, podemos escrever:

$$3p + 5\,(1 - p) = 6p + 2\,(1 - p)$$

$$5\,(1 - p) - 2\,(1 - p) = 6p - 3p$$

$$3\,(1 - p) = 3p$$

$$3 - 3p = 3p$$

$$3 = 6p$$

e, finalmente,

$$p = 0{,}5 \text{ e } (1 - p) = 0{,}5$$

O jogador X estará, portanto, seguindo cada estratégia metade do tempo. Quanto ganhará com isso, em média? É fácil ver que esse ganho é:

$$3\ (0{,}5) + 5\ (0{,}5) = 1{,}5 + 2{,}5 = 4$$

ou, alternativamente,

$$6\ (0{,}5) + 2\ (0{,}5) = 3 + 1 = 4$$

Enquanto isso, o que acontece com o jogador Y? Também ele estará seguindo cada uma das estratégias disponíveis Y_1 e Y_2 durante uma certa fração de tempo. Chamemos de q e (1 – q) a essas frações. Vale aqui a mesma condição: o ganho (no caso, perda real) de Y deve ser o mesmo, independentemente da estratégia seguida por X. Portanto,

$$3q + 6\ (1 - q) = 5q + 2\ (1 - q)$$
$$6\ (1 - q) - 2\ (1 - q) = 5q - 3q$$
$$4\ (1 - q) = 2q$$
$$4 - 4q = 2q$$
$$4 = 6q$$

e, finalmente, $q = 4/6 = 2/3$ e $(1 - q) = 1/3$

Quanto perderá, em média, o jogador Y? Podemos nos abstrair do sinal e lembrar que estamos diante de uma perda efetiva. Vejamos:

$$3\ (2/3) + 6\ (1/3) = 5\ (2/3) + 2\ (1/3) = 4$$

É claro que deveríamos obter 4, pois se o jogador X ganha, em média, esse valor, fatalmente o jogador Y perderá, em média, esse mesmo valor.

Exemplo 7.3

Vejamos um exemplo interessante. Como pensa o leitor (intuitivamente, apenas) que irão se comportar os oponentes do jogo representado na matriz de recompensas da tabela a seguir?

Tabela 7.7 Um jogo interessante

Estratégias do jogador Y / Estratégias do jogador X	Y_1	Y_2	Mínimos das linhas
X_1	3	–3	–3
X_2	–3	3	–3
Máximos das colunas	3	3	

O leitor pode perceber que existe um absoluto equilíbrio entre ganhos e perdas; cada competidor ganha ou perde 3, dependendo da estratégia que escolher e da estratégia escolhida pelo oponente. O jogo não é mais enviesado, como nos casos anteriores.

Vejamos a solução a esse problema usando a mesma notação utilizada no problema anterior. Seja p a porção do tempo em que o jogador X utiliza a estratégia X_1 e (1 – p) a fração do tempo em que ele utiliza a estratégia X_2. Temos:

$3p + (-3)(1 - p)$ ganho quando o jogador Y utilizar a estratégia Y_1

$(-3)p + 3(1 - p)$ ganho quando o jogador Y utilizar a estratégia Y_2

e sabemos que

$$3p + (-3)(1 - p) = (-3)p + 3(1 - p)$$

Logo,

$$6p = 6(1 - p)$$
$$6p = 6 - 6p$$
$$12p = 6$$

e, portanto,

$$p = 0{,}5 \text{ e } (1 - p) = 0{,}5$$

O ganho médio do jogador X será

$$3(0{,}5) + (-3)(1 - 0{,}5) = 1{,}5 - 1{,}5 = 0$$

Esses resultados já eram de se esperar. Se o jogo não é enviesado, os competidores ganham e perdem igualmente, e o ganho (ou perda) líquido é nulo. Além disso, cada estratégia será utilizada em 50% do tempo. Deixamos a cargo do leitor a verificação de que esses mesmos resultados valem para o jogador Y.

7.5.2 *Solução pelo método gráfico*

Retomemos o jogo representado na matriz de recompensas da Tabela 7.5:

Tabela 7.5 Jogos de duas pessoas, soma zero, estratégias mistas

Estratégias do jogador Y / Estratégias do jogador X	Y_1	Y_2	Mínimos das linhas
X_1	3	6	3
X_2	5	2	2
Máximos das colunas	5	6	

Em um caso como o nosso, com apenas dois jogadores e duas estratégias de decisão cada um, a solução gráfica é muito simples. Em primeiro lugar, vamos nos fixar no jogador X. Sabemos que ele irá adotar a estratégia X_1 por uma fração p de tempo e a estratégia X_2 por uma fração (1 – p) de tempo. O ganho médio será:

$3p + 5(1 - p)$ caso o jogador Y siga a estratégia Y_1

$6p + 2(1 - p)$ caso o jogador Y siga a estratégia Y_2

Sabemos já que o valor de p é tal que o resultado da estratégia X_1 é o mesmo da estratégia X_2, qualquer que seja a estratégia adotada pelo jogador Y. Transformando as expressões anteriores, temos:

$$3p + 5(1 - p) = 3p + 5 - 5p = 5 - 2p$$

$$6p + 2(1 - p) = 6p + 2 - 2p = 2 + 4p$$

Temos, portanto, duas equações de retas, que podemos plotar em função de p que, lembramos ao leitor, varia entre 0 e 1. Observe o leitor a Figura 7.1:

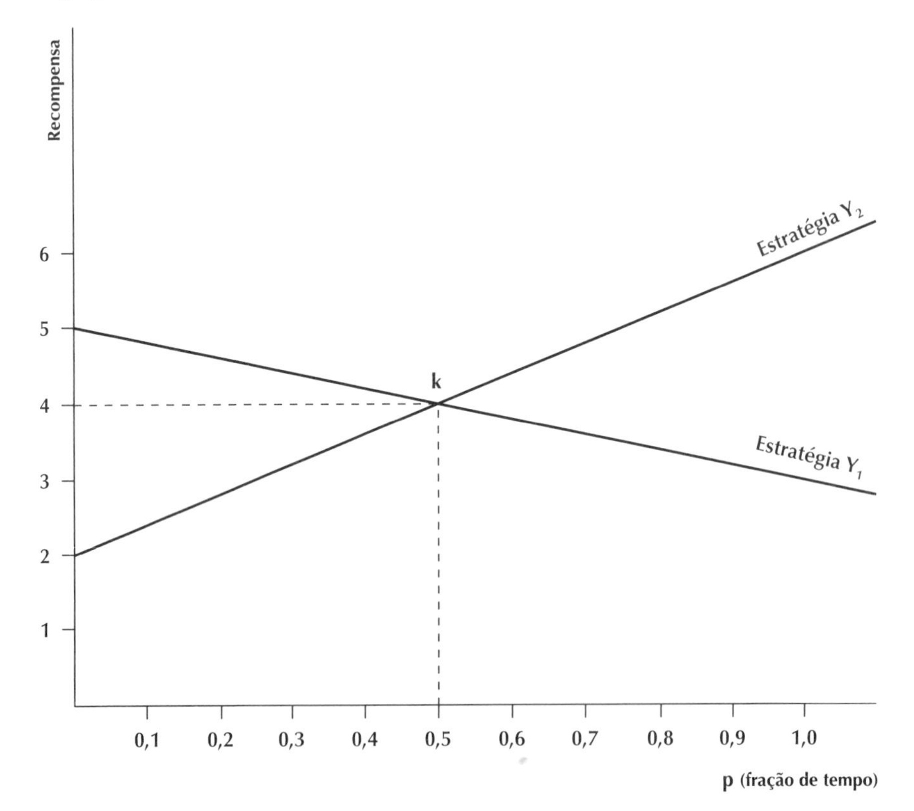

Figura 7.1 Jogos de duas pessoas, soma zero, estratégias mistas. Solução pelo método gráfico.

K é o ponto no qual as duas retas se cruzam, ou seja, o ponto que obedece à condição de que o resultado da combinação de estratégias X_1 e X_2 é o mesmo, independentemente da estratégia seguida pelo jogador Y. Pela Figura 7.1, vê-se que o valor correspondente de p é exatamente 0,5, valor que já havíamos encontrado algebricamente.

A recompensa esperada pelo jogador X pode ser calculada tanto por uma expressão da reta como pela outra.

Recompensa (jogador X) = $5 - 2p = 5 - 2\ (0{,}5) = 4$

Recompensa (jogador X) = $2 + 4p = 2 + 4\ (0{,}5) = 4$

Sabemos que, no jogo de duas pessoas, soma zero, o que um oponente ganha é o que o outro perde. Logo, o jogador Y estará perdendo 4. Para encontrar a fração de tempo em que ele segue a estratégia Y_1 e a fração em que segue a estratégia Y_2, temos mais de um caminho de ação disponível. Como sabemos o valor da recompensa, temos:

$3q + 6\ (1 - q)$ caso o jogador X utilize a estratégia X_1

$5q + 2\ (1 - q)$ caso o jogador X utilize a estratégia X_2

e também temos:

$3q + 6\ (1 - q) = 4$ (abstraindo do sinal, já que 4 é perda líquida do jogador Y)

$3q + 6 - 6q = 4$

$-3q + 6 = 4$

$-3q = 4 - 6 = -2$

e, portanto,

$q = 2/3$,

solução que, é claro, coincide com a que havíamos encontrado anteriormente.

7.5.3 *Solução por modelo de programação linear*

É possível solucionar um jogo de dois (ou mais) oponentes, soma zero, por intermédio da construção de um modelo de programação linear, desde que o resultado do jogo seja positivo. Retomemos o problema representado na matriz de recompensas da Tabela 7.6:

Tabela 7.6 Matriz de recompensas

Estratégias do jogador Y / Estratégias do jogador X	Y_1	Y_2	Y_3
X_1	–3	2	4
X_2	7	–2	–1
X_3	8	10	5
X_4	5	8	6

Fixemos nossa atenção no jogador X. Sabemos que ele vai escolher suas estratégias de forma a maximizar sua recompensa, ou seja, o valor do jogo, o qual podemos designar por S. Há quatro estratégias possíveis para o jogador X: X_1, X_2, X_3 e X_4, que serão escolhidas, cada qual, durante uma certa fração de tempo (ou, o que é equivalente, com uma certa probabilidade). Chamemos tais frações de p_1, p_2, p_3 e p_4, ou seja, a estratégia X_1 é escolhida durante uma fração de tempo p_1; X_2 é escolhida durante uma fração de tempo p_2; X_3 é escolhida durante uma fração de tempo p_3 e, finalmente, X_4 é escolhida por uma fração de tempo p_4. Qualquer que seja a estratégia seguida pelo jogador Y, o jogador X tentará maximizar sua recompensa S. Portanto, temos o seguinte conjunto de inequações:

Se o jogador Y escolhe a estratégia Y_1

$$(-3)p_1 + 7p_2 + 8p_3 + 5p_4 \geq S \text{ ou}$$

$$(-3)p_1 + 7p_2 + 8p_3 + 5p_4 - S \geq 0 \quad \text{(I)}$$

Se o jogador Y escolhe a estratégia Y_2

$$2p_1 + (-2)p_2 + 10p_3 + 8p_4 \geq S \text{ ou}$$

$$2p_1 + (-2)p_2 + 10p_3 + 8p_4 - S \geq 0 \quad \text{(II)}$$

Finalmente, se o jogador Y escolhe a estratégia Y_3

$$4p_1 + (-1)p_2 + 5p_3 + 6p_4 \geq S \text{ ou}$$

$$4p_1 + (-1)p_2 + 5p_3 + 6p_4 - S \geq 0 \quad \text{(III)}$$

Devemos também lembrar que

$$p_1 \geq 0 \quad \text{(IV)}$$

$$p_2 \geq 0 \quad \text{(V)}$$

$$p_3 \geq 0 \quad \text{(VI)}$$

$p_4 \geq 0$ (VII)

$p_1 + p_2 + p_3 + p_4 = 1$ (VIII)

Por outro lado, a função objetivo é simplesmente

Maximizar S,

sujeito às oito condições mencionadas anteriormente.

Vimos como se resolve um problema de programação linear no Capítulo 3, com o auxílio do Simplex. Por ora, podemos simplesmente apresentar a solução, já que nosso objetivo é meramente ilustrar o uso do modelo na solução do jogo.

Resolvendo o sistema, temos:

$p_1 = p_2 = 0$

$p_3 = 0{,}25$

$p_4 = 0{,}75$

$S = 5{,}75$

O fato de $p_1 = p_2 = 0$ significa simplesmente que o jogador X jamais escolherá as estratégias X_1 e X_2 (mais adiante, veremos claramente por que isso acontece). Em 25% do tempo, ele escolherá a estratégia X_3 e, em 75% do tempo, a estratégia X_4.

Agora aplicaremos o mesmo modelo ao jogador Y, que tem à sua disposição as estratégias Y_1, Y_2 e Y_3; vamos supor que ele escolherá tais estratégias por frações de tempo iguais a q_1, q_2 e q_3. Qualquer que seja a estratégia seguida pelo jogador X, o jogador Y (já sabemos que o jogo é enviesado contra ele) tentará minimizar sua perda W (na verdade, o leitor já sabe que W = S). Temos o seguinte conjunto de inequações:

Se o jogador X escolhe a estratégia X_1

$(-3)q_1 + 2q_2 + 4q_3 \leq W$

Se o jogador X escolhe a estratégia X_2

$7q_1 + (-2)q_2 + (-1)q_3 \leq W$

Se o jogador X escolhe a estratégia X_3

$8q_1 + 10q_2 + 5q_3 \leq W$

Finalmente, se o jogador X escolhe a estratégia X_4

$5q_1 + 8q_2 + 6q_3\ (-3) \leq W$

Lembrando ainda que

$q_1 \geq 0$
$q_2 \geq 0$
$q_3 \geq 0$
$q_1 + q_2 + q_3 = 1$

sendo que a função objetivo é simplesmente Minimizar W.

Logo, a formulação completa fica assim:

Minimizar W

Sujeito a

$(-3)q_1 + 2q_2 + 4q_3 - W \leq 0$
$7q_1 + (-2)q_2 + (-1)q_3 - W \leq 0$
$8q_1 + 10q_2 + 5q_3 - W \leq 0$
$5q_1 + 8q_2 + 6q_3\ (-3) - W \leq 0$
$q_1 + q_2 + q_3 = 1$
$q_1 \geq 0$
$q_2 \geq 0$
$q_3 \geq 0$

A solução para esse problema é:

$q_1 = 0{,}25$
$q_2 = 0$
$q_3 = 0{,}75$
$W = 5{,}75$

Também aqui existe uma estratégia que não é utilizada pelo jogador Y, ou seja, a estratégia Y_2. Como deveria ser, temos W = S. Veremos a seguir por que as três estratégias X_1, X_2 e Y_2 nunca são escolhidas pelos respectivos jogadores. O conceito de dominância esclarecerá a questão.

7.6 O conceito de dominância

Diz-se que uma estratégia E_1 é dominada por outra estratégia E_2 quando, sob quaisquer circunstâncias, o jogador escolhe E_2, porque sempre conduz a melhores recompensas que E_1. Na análise de um jogo, seja de estratégia pura ou de estratégias mistas, as estratégias dominadas podem ser eliminadas previamente de consideração.

Consideremos uma vez mais a matriz de recompensas representada na Tabela 7.6:

Tabela 7.6 Matriz de recompensas

Estratégias do jogador Y / Estratégias do jogador X	Y_1	Y_2	Y_3
X_1	–3	2	4
X_2	7	–2	–1
X_3	8	10	5
X_4	5	8	6

Observemos a estratégia X_4 em relação à estratégia X_1. Digamos que o jogador Y escolha qualquer estratégia disponível, Y_1, Y_2 ou Y_3. Qualquer que seja o caso, a estratégia X_4 sempre dará recompensas mais vantajosas que a estratégia X_1: 5 contra (–3), caso Y escolha Y_1; 8 contra 2, caso Y escolha Y_2, e 6 contra 4, caso Y escolha Y_3. Ora, o jogador X é racional, portanto nunca escolherá a estratégia X_1, que é dominada pela estratégia X_4.

Continuando, o leitor pode verificar por si próprio que também a estratégia X_2 é totalmente dominada pela estratégia X_3, o que o levará a descartá-la. Já entre as estratégias X_4 e X_3, não há uma relação completa de dominância, embora se perceba que a estratégia X_3 é preferível a X_4 em duas circunstâncias (quando o jogador Y escolher as estratégias Y_1 ou Y_2). Vimos anteriormente que a fração de tempo em que o jogador X escolhia as estratégias X_1 e X_2 era zero, o que se explica pelo fato de serem estratégias dominadas.

E quanto às estratégias disponíveis ao jogador Y? Vamos retomar a Tabela 7.6, agora sem as duas estratégias dominadas X_1 e X_2:

Tabela 7.6 Matriz de recompensas (modificada)

Estratégias do jogador Y / Estratégias do jogador X	Y_1	Y_2	Y_3
X_3	8	10	5
X_4	5	8	6

Pode-se notar que, agora, a estratégia Y_2 é dominada tanto pela estratégia Y_1 como pela estratégia Y_3 (lembre-se o leitor de que números maiores agora são piores, pois representam a recompensa do outro jogador, o jogador X); a matriz se resume, portanto, a:

Estratégias do jogador Y / Estratégias do jogador X	Y_1	Y_3
X_3	8	5
X_4	5	6

Não há mais estratégias dominantes ou dominadas, e o problema não apresenta ponto de sela, devendo ser resolvido pelas formas que já conhecemos. Na verdade, o problema já foi resolvido ainda há pouco, obtendo-se:

Estratégia X_3: escolhida 25% do tempo

Estratégia X_4: escolhida 75% do tempo

Estratégia Y_1: escolhida 25% do tempo

Estratégia Y_3: escolhida 75% do tempo

sendo o valor do jogo igual a 5,75.

Pontos principais do capítulo

1. Um jogo é uma situação de disputa envolvendo dois ou mais oponentes, cada qual querendo ganhar o jogo.
2. A Teoria dos Jogos é o estudo da formulação de estratégias ótimas em situações de disputa envolvendo dois ou mais jogadores.
3. Matriz de recompensas é a representação de um jogo, em forma tabular, em que aparecem as estratégias de cada competidor e os resultados associados às várias combinações de estratégias.
4. Jogos de duas pessoas, soma zero, estratégias puras são jogos de dois competidores, nos quais o ganho de um é exatamente a perda do outro, sendo que cada qual segue sempre a mesma estratégia.
5. Ponto de sela é o cruzamento das estratégias seguidas pelos dois oponentes, em um jogo de duas pessoas, soma zero, estratégias puras. O número que aparece no ponto de sela é o valor do jogo.
6. Em jogos de duas pessoas, soma zero, estratégias mistas, cada jogador utiliza suas estratégias em frações bem definidas de tempo, de forma que o ganho médio de um deles seja igual à perda média do outro.
7. Em um jogo de duas pessoas, soma zero, estratégias mistas, há três métodos para determinar as frações de tempo com que cada jogador

segue as alternativas à sua disposição: método do ganho e perda esperados, método gráfico e método da programação linear.

8. Uma estratégia é dominada por outra (dominante) quando, sob quaisquer circunstâncias, o jogador escolhe a estratégia dominante, porque sempre conduz a melhores recompensas que a estratégia dominada.

Exercícios resolvidos

Exercício resolvido nº 1

Determinar, na matriz de recompensas a seguir, em que as recompensas são expressas para o jogador X:

Estratégias do jogador Y / Estratégias do jogador X	Y_1	Y_2	Y_3	Y_4
X_1	22	18	10	22
X_2	22	24	14	16
X_3	20	16	12	16

a) Existe um ponto de sela?

b) Qual é o valor do jogo?

Solução

a) Determinação do ponto de sela

A seguir, reproduzimos a matriz de recompensas, acrescentando:

- uma coluna final contendo as recompensas mínimas de cada linha;
- uma linha final contendo os valores máximos de cada coluna.

Estratégias do jogador Y / Estratégias do jogador X	Y_1	Y_2	Y_3	Y_4	Mínimos das linhas
X_1	22	18	10	22	10
X_2	22	24	14	16	14
X_3	20	16	12	16	12
Máximos das colunas	22	24	14	22	

Existe efetivamente um valor mínimo das linhas que é igual a um valor máximo das colunas, ou seja, 14. Em outros termos, o jogador X irá se utilizar sempre da estratégia X_2, enquanto o jogador Y se utilizará da estratégia Y_3. O cruzamento dessas duas estratégias é o ponto de sela procurado.

b) Valor do jogo

O valor do jogo está no ponto de sela, ou seja, 14. Esse valor deriva da solução estável do jogo. O leitor pode entender facilmente como a dinâmica do jogo leva ao ponto de sela. O jogo é nitidamente enviesado contra o competidor Y. O jogador Y tentará, portanto, perder o mínimo possível, o que o leva a adotar sempre a estratégia Y_3. Por sua vez, o competidor X, sabedor do movimento do competidor Y, irá escolher a estratégia X_2, que lhe dá a maior recompensa (14) em função da escolha do competidor Y.

Exercício resolvido nº 2

Dada a matriz de recompensas a seguir, pede-se:

Estratégias do jogador K / Estratégias do jogador L	K_1	K_2	K_3
L_1	–4	8	10
L_2	0	–6	12
L_3	–10	2	–12

a) Verificar se existe alguma estratégia dominada e, em caso positivo, retirá-la da matriz de recompensas.

b) Determinar a melhor estratégia mista para o jogador L.

c) Determinar a melhor estratégia mista para o jogador K.

d) Determinar o valor do jogo.

Observação: as recompensas são expressas para o jogador L.

Solução

a) Existência de estratégias dominadas

Sabemos que uma estratégia é dominada quando existe alguma outra que lhe é sempre preferível em termos de resultados. No caso da nossa matriz de recompensas, deve-se efetuar três comparações de estratégias para cada jogador:

K_1 *versus* K_2; K_1 *versus* K_3; K_2 *versus* K_3 para o jogador K

L_1 *versus* L_2; L_1 *versus* L_3; L_2 *versus* L_3 para o jogador L

O leitor pode facilmente perceber que, para o jogador K, não existem estratégias dominadas da forma como a matriz se encontra. Já para o jogador L, a estratégia L_3 é dominada pela estratégia L_1, que tem resultados superiores para L, qualquer que seja a estratégia adotada pelo jogador K: –4 é melhor (menos ruim) que –10; 8 é melhor que 2; 10 é melhor que –12.

Retirando a estratégia dominada da matriz de recompensas, temos a nova matriz:

Estratégias do jogador K / Estratégias do jogador L	K_1	K_2	K_3
L_1	–4	8	10
L_2	0	–6	12

Vê-se agora que a estratégia K_3 passa a ser dominada tanto pela estratégia K_1 como pela estratégia K_2. Logo, K_3 pode ser retirada da matriz, chegando-se a:

Estratégias do jogador K / Estratégias do jogador L	K_1	K_2
L_1	–4	8
L_2	0	–6

b) Melhor estratégia mista para o jogador L

Vamos buscar a solução pelo método do ganho e perda esperados. O jogador L irá se utilizar de duas estratégias, L_1 e L_2, à sua disposição. Vamos supor que ele use a estratégia L_1 por uma fração p de tempo; consequentemente, a estratégia L_2 será utilizada por uma fração (1 – p). Conforme o jogador K adote cada uma das estratégias K_1 e K_2 à sua disposição, o ganho médio do jogador L será:

Quando K adotar K_1: $(-4)p + (0)(1 - p) = -4p$

Quando K adotar K_2: $8p + (-6)(1 - p) = 14p - 6$

Independentemente da estratégia adotada pelo jogador K, o ganho médio do jogador L será sempre o mesmo. A igualdade a seguir, então, pode ser estabelecida:

$-4p = 14p - 6$

que nos fornece p = 1/3 e, consequentemente, (1 – p) = 2/3.

c) Melhor estratégia mista para o jogador K

Chamemos de q a fração de tempo em que o jogador K adota a estratégia K_1 e de (1 – q) a fração de tempo em que adota K_2. Temos o seguinte resultado médio:

Se L adotar L_1: $(-4)q + 8\ (1 - q) = -12q + 8$

Se L adotar L_2: $(0)q + (-6)\ (11 - q) = -6 + 6q$

Como o resultado médio deve ser o mesmo:

$-12q + 8 = -6 + 6q$

de onde se conclui que q = 7/9 e (1 – q) = 2/9.

d) Valor do jogo

Levando em conta a estratégia mista do jogador L, o valor do jogo será:

$-4p = -4\ (1/3) = -4/3$

ou

$14p - 6 = 14\ (1/3) - 6 = 14/3 - 18/3 = -4/3$

Ao levarmos em conta a estratégia mista do jogador K, o valor do jogo deverá ser o mesmo:

$-12q + 8 = (-12)\ (7/9) + 8 = -84/9 + 72/9 = -12/9 = -4/3$

ou

$-6 + 6q = -6 + 6\ (7/9) = -54/9 + 42/9 = -12/9 = -4/3$

Logo, o valor do jogo é –4/3, expresso em função do jogador L, ou seja, o jogador L perde 4/3 e o jogador K ganha 4/3.

Questões propostas

1. O que é um jogo?
2. Para que serve a Teoria dos Jogos?
3. Quais são as características de um jogo de duas pessoas, soma zero?

4. Em um jogo de duas pessoas, soma zero, o que são estratégias puras?
5. O que é ponto de sela?
6. O que é valor do jogo?
7. Em que condições um jogo de duas pessoas, soma zero, admite estratégias puras?
8. Quais são as características de um jogo de duas pessoas, soma zero, estratégias mistas?
9. O que são estratégias dominadas?

Glossário

Jogo: situação de disputa que envolve dois ou mais oponentes (jogadores), cada qual tentando otimizar sua decisão e ganhar o jogo.

Jogos de duas pessoas, soma zero: situação de disputa que envolve apenas dois adversários, em que tudo que um ganha o outro perde.

Jogos de estratégia mista: aqueles em que os jogadores empregam cada estratégia por um certo intervalo de tempo.

Jogos de estratégia pura: aqueles em que os competidores seguem sempre as mesmas estratégias, independentemente da estratégia seguida pelos outros.

Jogos de soma zero: jogos em que a soma dos ganhos e perdas dos oponentes é zero.

Matriz de recompensas: forma tabular habitual de representação de um jogo.

Método do ganho e perda esperados: método algébrico para determinar, em um jogo de dois oponentes e soma zero, qual a porcentagem de tempo que cada jogador opera com cada uma das suas estratégias disponíveis.

Ponto de sela de um jogo: é o cruzamento das estratégias puras que são seguidas pelos jogadores de um jogo de duas pessoas, soma zero.

Valor de um jogo de estratégia pura: é o valor que consta no ponto de sela do jogo.

Exercícios propostos

Observação: caso nada seja dito, as matrizes representam os ganhos dos competidores cujas estratégias estão listadas nas linhas.

1. Dada a matriz de resultados para dois oponentes, X e Y, na qual os valores mostram o que é ganho por X e perdido por Y, pede-se:

Estratégias do jogador Y / Estratégias do jogador X	Y_1	Y_2
X_1	25	15
X_2	20	5

a) qual a estratégia que será seguida pelo jogador X?

b) qual a estratégia que será seguida pelo jogador Y?

c) qual é o valor do jogo?

2. Considere a matriz de recompensas a seguir, na qual os números representam o que é ganho por X e perdido por Y:

Estratégias do jogador Y / Estratégias do jogador X	Y_1	Y_2
X_1	25	15
X_2	20	30

Determinar:

a) a estratégia mista seguida por X;

b) a estratégia mista seguida por Y;

c) o valor do jogo.

3. Duas empresas estão competindo por um mercado. A situação é representada na matriz de recompensas a seguir, que indica o ganho da empresa A e a perda consequente da empresa B:

Estratégias da empresa B / Estratégias da empresa A	B_1	B_2	B_3
A_1	150	125	100
A_2	175	175	125
A_3	200	150	188

Encontrar a solução de equilíbrio do jogo.

4. Considerar a seguinte matriz de resultados, que indica os ganhos do jogador K:

Estratégias do jogador L / Estratégias do jogador K	L_1	L_2	L_3
K_1	–6	2	4
K_2	2	4	1
K_3	2	0	–4

Pede-se:

a) encontrar e eliminar quaisquer estratégias dominadas que existam;

b) determinar a estratégia ótima para cada jogador.

5. Considerar a seguinte matriz de resultados (em ganhos do jogador A):

Estratégias do jogador B / Estratégias do jogador A	B_1	B_2	B_3	B_4
A_1	12	–12	–8	–16
A_2	–16	–8	–4	4
A_3	4	–4	8	0

Determinar se o jogo tem um ponto de sela e, em caso positivo, qual é o valor do jogo.

6. Observar a seguinte matriz de resultados:

Estratégias do jogador L / Estratégias do jogador K	L_1	L_2	L_3
K_1	10	15	5
K_2	5	20	0
K_3	15	–10	–5

Pergunta-se:

a) O jogo tem estratégias dominadas? Quais?

b) O jogo tem um ponto de sela? Em caso positivo, qual o valor do jogo?

7. Resolver o seguinte jogo, determinando a estratégia de cada competidor e o valor do jogo.

Estratégias do jogador K \ Estratégias do jogador L	L_1	L_2
K_1	20	10
K_2	0	50

8. Determinar as estratégias dos competidores para o seguinte jogo:

Estratégias do jogador K \ Estratégias do jogador L	L_1	L_2
K_1	6	–12
K_2	18	30

Qual é o valor do jogo?

9. Resolver o seguinte jogo:

Estratégias do jogador A \ Estratégias do jogador B	B_1	B_2
A_1	–10	–20
A_2	24	16
A_3	8	24
A_4	–80	–10

10. Determinar as estratégias ótimas de X e Y e o valor do jogo dado pela seguinte matriz de recompensas:

Estratégias do jogador X \ Estratégias do jogador Y	Y_1	Y_2
X_1	–80	–60
X_2	70	50
X_3	20	70
X_4	–150	–40

Bibliografia

BÊRNI, D. de Á. *Teoria dos jogos*. Rio de Janeiro: Reichmann e Alfonso Editores, 2004.

FIANI, R. *Teoria dos jogos*. Rio de Janeiro: Elsevier, 2004.

LUCCE, R. D.; RAIFFA, H. *Games and decisions*. Nova York: John Wiley and Sons, 1957.

RENDER, B.; STAIR Jr., R. M. *Quantitative analysis for management*. 7. ed. Upper Saddle River: Prentice Hall, 2000.

8 Simulação

Todos nós estamos, de certa forma, acostumados com a simulação: por meio de jogos eletrônicos, cinema, teatro, manobras de guerra simuladas pelas forças armadas etc.

No mundo técnico e empresarial, *simular* significa fazer com que um sistema possa operar "como se fosse" real, para estudar melhor suas propriedades. *A simulação envolve a construção de um modelo aproximado da realidade, o qual será operado muitas e muitas vezes, analisando-se então seus resultados para que ele possa ser mais bem compreendido, manipulado e controlado.* Note o leitor que a simulação é diferente de vários modelos que vimos, os quais nos conduziam a uma solução obtida por meios analíticos.

Na prática, a simulação envolve frequentemente o uso de computadores. Neste capítulo, porém, estaremos interessados em explorar o próprio conceito de simulação, e, portanto, a precisão dos resultados não será prioridade. Para obter maior confiabilidade de resultados, precisamos realizar um grande número de simulações do sistema em pauta, o que é possível com auxílio do computador. Neste capítulo, nossas simulações serão manuais e limitadas, mas terão condições de dar ao leitor um tratamento conceitual do assunto. Além de tudo, usaremos uma ferramenta particular para a simulação: o chamado Método Monte Carlo, que veremos a seguir.

8.1 O Método Monte Carlo

Falando de forma simples, o que queremos com a simulação é manter a atenção sobre as variáveis de interesse. Uma ou mais dessas variáveis deverão ter seus valores numéricos simulados, enquanto o efeito dessa simulação sobre outras variáveis de interesse será mensurado. As variáveis cujos valores queremos simular são *variáveis probabilísticas*, ou seja, variáveis aleatórias que podem assumir um conjunto de valores, cada qual associado a uma determinada frequência de ocorrência ou probabilidade.

Admitamos, para exemplificar, que queremos simular o comportamento de uma variável cujos valores numéricos possíveis e respectivas frequências são dados na Tabela 8.1:

Tabela 8.1 Distribuição de frequências simples de uma variável hipotética

Valor	Freqüência
4	0,15
7	0,15
8	0,38
13	0,25
14	0,07

Devemos esperar que, na simulação, o valor 8 apareça mais vezes que o valor 13, por exemplo; devemos também esperar que os valores 4 e 7 apareçam aproximadamente o mesmo número de vezes. Isso é realmente o que irá acontecer se simularmos um número bastante grande de valores da variável. É muito importante notar que, na simulação da nossa variável probabilística da Tabela 8.1, nunca se sabe qual será o próximo valor a ser atribuído à variável, embora seja obrigatório que, ao longo do tempo, as frequências com que os valores aparecem devam ser concordantes com as frequências da Tabela 8.1.

Precisamos ter alguma abordagem para simular o comportamento ao acaso das variáveis probabilísticas de interesse. Essa abordagem deverá nos permitir que, dada uma distribuição de frequências como a da Tabela 8.1, possamos gerar valores da variável que, ao longo do processo de simulação, obedeçam à distribuição de frequências original. Uma das abordagens mais conhecidas, que usaremos neste capítulo, é o chamado *Método Monte Carlo*.

O Método Monte Carlo consiste na geração artificial de valores das variáveis de interesse, com o auxílio de *números ao acaso* ou *números aleatórios*. A cada faixa de frequências, atribui-se uma faixa correspondente de números ao acaso, de uma forma que será mais bem entendida adiante. Por ora, fixemo-nos nos números ao acaso.

Denominamos *números ao acaso* a qualquer sequência numérica em que os números são completamente independentes entre si; saber que um número ao acaso foi 5, por exemplo, não dá nenhuma indicação sobre o próximo número. Números altos não são seguidos necessariamente por números altos e números baixos não são seguidos necessariamente por números baixos. A ocorrência de qualquer número é totalmente independente da ocorrência de outro.

Os números ao acaso são obtidos pelos chamados *geradores de números ao acaso* ou *geradores de números aleatórios*. Esses geradores são instrumentos, ferramentas ou procedimentos por meio dos quais números ao acaso podem ser determinados ou selecionados. O gerador pode ser de vários tipos. Alguns exemplos de geradores: a) pedaços de papel numerados e colocados em um chapéu; b) bolas numeradas colocadas em um recipiente; c) o lançamento de um dado ou de um conjunto de dados; d) uma sub-rotina de computador etc.

Para simulações feitas manualmente, com intuito didático, vamos usar uma tabela de números aleatórios. Veja o leitor a Tabela 8.2, que será usada em todos os exercícios, inclusive nos problemas propostos. Por uma questão de conveniência, a tabela é constituída de números com cinco dígitos, mas isso é arbitrário: poderíamos construir a tabela com números de um só dígito, dois dígitos, três dígitos etc. Na verdade, conceitualmente, os números ao acaso podem ser entendidos como sequências aleatórias dos dígitos 0, 1, 2, 3, 4, 5, 6, 7, 8 e 9. Se tivéssemos dez bolas exatamente iguais, numeradas de 0 a 9, e as colocássemos em um recipiente, a probabilidade de que saísse um dado dígito seria de exatamente 1/10; havendo reposição da bola que saiu, a retirada de um número qualquer não daria qualquer indicação do próximo número a sair e manteria a probabilidade de se retirar qualquer dígito em 1/10. Esse experimento poderia gerar os números aleatórios, que na prática são gerados por alguma sub-rotina de computador, por meio de determinadas distribuições de probabilidade. Uma característica importante dos números aleatórios que aparecem na Tabela 8.2 é que eles podem ser lidos de qualquer forma que se queira: de cima para baixo, de baixo para cima, da esquerda para a direita, da direita para a esquerda, erraticamente, e assim por diante.

Tabela 8.2 Números ao acaso (aleatórios)

29407	99049	77766	17725	81120	37314	85817	50924	27781	88139	58373
95711	13002	15188	31205	70075	84254	90920	66495	38065	44108	04053
05360	73767	56103	87846	46894	25401	98257	66003	44966	11988	31696
04992	33533	89959	12441	86678	52465	05760	90401	37607	98605	19937
90597	61069	79082	40494	59393	69427	24808	78605	58100	56785	87552
19083	00290	22815	22786	56265	15313	56112	44878	43637	78516	63431
96383	14897	62014	42433	19494	68836	29898	66059	11614	80203	09830
05254	00615	68594	38545	50525	47411	29968	31945	48602	98026	22596
13242	14049	77866	65591	31103	72257	14410	46107	60400	15617	36517
02078	74910	45063	58618	32130	33291	51279	47705	96677	76477	10981
98302	92644	12734	07073	52521	68866	98164	85151	65134	30405	01108
77196	48336	64837	69569	48593	66904	00844	81835	28807	34756	89835
98134	61442	56683	20988	84679	88443	90702	81887	20914	01404	47889
43426	54538	07263	40399	52946	62707	10142	45443	10061	68018	37144
43107	35500	93275	29407	17842	99127	76804	48234	61308	56989	43916
32612	73242	53993	99049	34401	08138	42140	31907	91074	54363	76522
37474	89493	72734	77766	29939	10946	01399	21103	83879	24339	89274
04539	74082	20823	17725	58574	29396	36683	64066	03065	38387	32280
41476	40338	18203	81120	52559	24441	36216	62861	70815	77952	43878
38167	01463	32030	37314	73621	81901	07594	44808	30837	60086	52040
07121	41814	32626	85817	53840	41007	80239	72658	78503	96499	06359
37304	48994	42589	50924	15256	02108	36035	98174	70565	30688	86313
51342	05213	48051	27781	73613	59144	39387	58848	41387	15051	87662
85490	50050	25867	88139	26973	20093	42255	58926	27440	94016	24285
42013	95072	70560	58373	38074	93123	32699	19480	42330	49230	69098
93459	01054	11130	57099	69175	76143	05796	70951	70551	16834	19215
89865	51157	70042	40950	63116	62334	06379	23110	42827	96021	98487

8.1.1 *Uso dos números ao acaso para simular*

Exemplo 8.1

Vejamos agora, com um exemplo, como são usados os números aleatórios na simulação. Para tanto, retomemos os valores da Tabela 8.1, relativos à distribuição de frequências de uma variável hipotética. Esses valores são reproduzidos a seguir para facilitar a consulta; acrescentou-se uma coluna, contendo as frequências acumuladas, pois são úteis na atribuição de números ao acaso:

Tabela 8.3 Distribuição de frequências simples e acumuladas de uma variável hipotética

Valor	Freqüência	Freqüência acumulada
4	0,15	0,15
7	0,15	0,30
8	0,38	0,68
13	0,25	0,93
14	0,07	1,00

A cada uma das faixas de frequência mostradas, vamos atribuir um conjunto de números, compatível com a extensão da faixa. Assim, os conjuntos de números guardam entre si as mesmas relações que as faixas de frequências.

Façamos assim: vamos atribuir 15 números ao valor 4 da variável, 15 números ao valor 7, 38 números ao valor 8, 25 números ao valor 13 e 7 números ao valor 14. Esses números são diretamente proporcionais às frequências exibidas pelos valores da variável. A coluna de frequências acumuladas nos auxilia a tomar esses números em sequência, começando em 00 e terminando em 99. Assim, se atribuirmos ao valor 4 da variável os números 00 a 14, ao valor 7 deveremos atribuir os valores 15 a 29, e assim por diante. A Tabela 8.4 repete dados anteriores e apresenta os números atribuídos.

Tabela 8.4 Distribuição de frequências simples e acumuladas de uma variável hipotética

Valor	Freqüência	Freqüência acumulada	Números atribuídos
4	0,15	0,15	00 a 14
7	0,15	0,30	15 a 29
8	0,38	0,68	30 a 67
13	0,25	0,93	68 a 92
14	0,07	1,00	93 a 99

Vamos agora fazer 40 rodadas de simulação, ou seja, vamos simular 40 valores da variável. Na realidade, em termos de prática, fazer 40 rodadas de simulação é muito pouco: trabalhando com computadores, é comum termos rodadas de centenas, milhares ou mesmo dezenas de milhares de simulações de valores das variáveis de interesse.

Para as nossas rodadas, tomemos algarismos de dois dígitos na tabela de números aleatórios, de forma que o leitor possa nos acompanhar. Para ilustrar a liberdade em tomar os números, façamos assim: vamos escolher números da primeira coluna à esquerda, tomando o segundo e o tercei-ro números (da esquerda para a direita) em cada linha. O leitor pode verificar que o primeiro número é 94; o segundo, 57; o terceiro, 53 e assim por diante. Terminando a primeira coluna, recomecemos com a segunda. Os resultados estão na Tabela 8.5, na qual já foi colocado, ao lado do número obtido da Tabela 8.2, o valor correspondente da variável:

Tabela 8.5 Resultados de 40 rodadas de simulação

Número ao acaso	Valor da variável	Número ao acaso	Valor da variável
94	14	71	13
57	8	73	13
53	8	13	4
49	8	54	8
05	4	20	7
90	13	34	8

(continua)

Tabela 8.5 Resultados de 40 rodadas de simulação (*continuação*)

Número ao acaso	Valor da variável	Número ao acaso	Valor da variável
63	8	98	14
52	8	90	13
32	8	30	8
20	7	37	8
83	13	35	8
71	13	10	4
81	13	02	4
34	8	48	8
31	8	06	4
26	7	40	8
74	13	49	8
45	8	26	7
14	4	83	13
81	13	14	4
		Soma	350
		Média	8,75

É interessante comparar a média obtida com as 40 rodadas de simulação (8,75) com a média real, que podemos calcular a partir da distribuição de frequências:

$$\text{média real} = 4(0{,}15) + 7(0{,}15) + 8(0{,}38) + 13(0{,}25) + 14(0{,}07) = 8{,}92$$

A média real é um pouco superior à média obtida com as simulações; o leitor pode verificar por si mesmo por que isso acontece, examinando a Tabela 8.6, que dá as frequências originais dos valores da variável ao lado das frequências obtidas com a simulação. Nitidamente, a simulação atribuiu frequências maiores que as reais aos valores mais baixos da variável.

Tabela 8.6 Comparação das frequências reais e simuladas

Valor	Freqüência real	Freqüência simulada
4	0,15	0,30
7	0,15	0,05
8	0,38	0,325
13	0,25	0,175
14	0,07	0,15

Exemplo 8.2

Vamos agora trabalhar com um exemplo em que as frequências podem ser obtidas de maneira teórica, antes mesmo de se fazer qualquer experimento. Conhecendo essas frequências, faremos a atribuição de faixas de números e simularemos 50 rodadas.

Imaginemos um experimento no qual se faz o lançamento de dois dados simultaneamente. Cada dado tem seis faces, numeradas de 1 a 6; se os dados não forem viciados, a probabilidade de se retirar qualquer um dos seis números no lançamento será a mesma.

Vamos tomar a soma dos dois dados. O menor valor obtido será a soma 2, que ocorre quando os dois dados dão o mesmo número 1 (e só nessa eventualidade); o maior valor será a soma 12, quando ambos os dados saírem com um 6 (e só nessa eventualidade). Por outro lado, a soma 3 tanto pode resultar de o primeiro dado sair com o número 1 e o segundo com o número 2, como o inverso. Algumas somas serão mais frequentes que outras, porque advêm de um maior número de possibilidades de combinação de números. A Tabela 8.7 mostra todas as combinações possíveis no lançamento de dois dados, designados como A e B.

Tabela 8.7 Resultados e somas possíveis no lançamento de dois dados não viciados

Dado A	Dado B	Soma	Dado A	Dado B	Soma	Dado A	Dado B	Soma
1	1	2	3	1	4	5	1	6
1	2	3	3	2	5	5	2	7
1	3	4	3	3	6	5	3	8
1	4	5	3	4	7	5	4	9

(continua)

Tabela 8.7 Resultados e somas possíveis no lançamento de dois dados não viciados *(continuação)*

Dado A	Dado B	Soma	Dado A	Dado B	Soma	Dado A	Dado B	Soma
1	5	6	3	5	8	5	5	10
1	6	7	3	6	9	5	6	11
2	1	3	4	1	5	6	1	7
2	2	4	4	2	6	6	2	8
2	3	5	4	3	7	6	3	9
2	4	6	4	4	8	6	4	10
2	5	7	4	5	9	6	5	11
2	6	8	4	6	10	6	6	12
							Soma total	252
							Média	7

Como se vê, existem 36 possibilidades de soma no lançamento, correspondendo a todas as combinações numéricas; como já se disse, a maioria dos valores de soma aparece mais de uma vez. O leitor não terá dificuldade de montar conosco a Tabela 8.8, que sintetiza os resultados, mostrando as frequências de cada soma e as respectivas frequências acumuladas. Embora isso não seja estritamente necessário, na Tabela 8.8 calculamos as frequências acumuladas até milésimos, o que nos permitiu, com facilidade, atribuir os números correspondentes para iniciar a simulação. Note o leitor que agora precisamos de números com três dígitos.

Tabela 8.8 Resultados possíveis e probabilidades no lançamento de dois dados

Soma	Freqüência	Freqüência acumulada	Freqüência acumulada (milésimos)	Faixa de números atribuída
2	1/36	1/36	0,028	000 – 027
3	2/36	3/36	0,056	028 – 055
4	3/36	6/36	0,177	056 – 176
5	4/36	10/36	0,278	177 – 277
6	5/36	15/36	0,417	278 – 416

(continua)

Tabela 8.8 Resultados possíveis e probabilidades no lançamento de dois dados *(continuação)*

Soma	Freqüência	Freqüência acumulada	Freqüência acumulada (milésimos)	Faixa de números atribuída
7	6/36	21/36	0,583	417 – 582
8	5/36	26/36	0,722	583 – 721
9	4/36	30/36	0,833	722 – 832
10	3/36	33/36	0,917	833 – 916
11	2/36	35/36	0,972	917 – 971
12	1/36	36/36	1,000	972 – 999

Façamos agora 50 rodadas de simulação, utilizando a penúltima coluna de números ao acaso da Tabela 8.2 (a décima coluna, a contar da esquerda, ou a segunda, a contar da direita). Vamos ler algarismos formados pelo segundo, terceiro e quarto dígitos da coluna, de cima para baixo. Terminando essa penúltima coluna, reiniciaremos a leitura na última coluna (a primeira, da direita para a esquerda), procedendo de forma idêntica, até completar as 50 rodadas. O leitor pode verificar que os primeiros números são 813, 410, 198, e assim por diante. Os resultados estão na Tabela 8.9 a seguir.

Tabela 8.9 Resultados de 50 rodadas de simulação

Número ao acaso	Soma	Número ao acaso	Soma	Número ao acaso	Soma	Número ao acaso	Soma	Número ao acaso	Soma
813	9	040	3	649	8	993	12	714	8
410	6	475	7	068	4	755	9	391	6
198	5	140	4	505	7	343	6	652	8
860	10	801	9	401	6	983	12	927	11
678	8	698	8	923	11	259	5	228	5
851	10	436	7	683	8	651	8	387	6
020	2	433	7	602	8	098	4	204	5
802	9	838	10	837	10	110	4	635	8
561	7	795	9	405	6	983	12	631	8
647	8	008	2	169	4	788	9	766	9
								Soma	367
								Média	7,34

Pode-se verificar a proximidade entre a média real da soma (7) e a média simulada (7,34). A tendência é de que esses valores se aproximem ainda mais, à medida que aumente o número de rodadas de simulação.

8.2 Casos interessantes de simulação

Neste ponto, esperamos que o leitor já esteja razoavelmente familiarizado com os conceitos mais simples de simulação. Vamos agora aplicar esses conceitos a dois casos que merecem destaque: a simulação a partir de uma distribuição teórica de probabilidade e a simulação simultânea de duas variáveis. Em outras seções deste capítulo, o leitor se familiarizará com a simulação simultânea de duas variáveis. Na seção "Exercícios Resolvidos", será feita a simulação simultânea de três variáveis.

8.2.1 *Simulação a partir de uma distribuição teórica*

Uma das distribuições discretas mais importantes na teoria das filas é a distribuição de Poisson, motivo pelo qual a escolhemos para exemplificar como se pode simular a partir de uma distribuição teórica. Embora estejamos trabalhando com uma distribuição discreta, fique o leitor alertado para o fato de que é possível (e bastante comum) empreender simulações a partir também de distribuições contínuas.

Exemplo 8.3

A chegada de clientes à bilheteria de um teatro obedece a uma distribuição de Poisson com taxa de 1,2 cliente por minuto. Empreender 50 minutos de simulação, verificando quantos clientes chegam a cada minuto.

Solução

Se chamarmos de k ao número de clientes que chegam ao caixa em cada minuto, temos:

$$P(k) = \frac{\mu^k e^{-\mu}}{k!} \qquad \text{(Equação 5.8)}$$

onde μ = 1,2 cliente por minuto e e é a base dos logaritmos neperianos (2,7183).

Para simular, é preciso antes calcular a probabilidade associada a cada um dos valores possíveis de k; embora, em princípio, o valor de k possa crescer indefinidamente, na prática apenas poucos valores terão probabilidades significativas.

Aplicando-se a Equação 5.8, monta-se a Tabela 8.10, em que já foram colocadas as probabilidades acumuladas e as faixas de números correspondentes, para permitir a simulação.

Tabela 8.10 Cálculo de probabilidades (Poisson)

k	P(k)	Probabilidades acumuladas	Faixas de números
0	0,301	0,301	000 – 300
1	0,361	0,662	301 – 661
2	0,217	0,879	662 – 878
3	0,087	0,966	879 – 965
4	0,026	0,992	966 – 991
5	0,006	0,998	992 – 997
6	0,002	1,000	998 – 999

Vamos empreender agora a simulação do comportamento da chegada ao caixa durante 50 minutos, tomando os números ao acaso a partir da terceira coluna, da esquerda para a direita. Em cada linha, serão tomados os três últimos números. Terminando a terceira coluna, serão tomados os números da quarta, e assim por diante. Os resultados estão na Tabela 8.11.

Tabela 8.11 Cinquenta rodadas de simulação a partir da distribuição de Poisson

Número ao acaso	Clientes que chegam	Número ao acaso	Clientes que chegam	Número ao acaso	Clientes que chegam	Número ao acaso	Clientes que chegam	Número ao acaso	Clientes que chegam
766	2	734	2	626	1	441	1	399	1
188	0	837	2	589	1	494	1	407	1
103	0	683	2	051	0	786	2	049	0
959	3	263	0	867	2	433	1	766	2
082	0	275	0	560	1	545	1	725	2
815	2	993	5	130	0	591	1	120	0
014	0	734	2	042	0	618	1	314	1
594	1	823	2	725	2	073	0	817	2
866	2	203	0	205	0	569	1	924	3
063	0	030	0	846	2	988	4	781	2
								Soma	61
								Média	1,22

Fizemos a soma dos valores do número de clientes que chegam em cada minuto (61); o leitor irá reparar que a média de clientes que chegam ao caixa em cada minuto (1,22) aproxima-se bastante da média da Poisson (1,2). À medida que aumente o número de rodadas, esses valores tendem a se aproximar cada vez mais.

8.2.2 *Simulação simultânea de duas variáveis*

O exemplo mais adiante, de simulação simultânea de duas variáveis, foi inspirado no estudo de caso da Giftware Company, apresentado por Barry Shore, no livro *Quantitative methods for business decisions*: Text and cases (1978, p. 355-360).

Exemplo 8.4

Para um certo projeto, cuja duração é de um ano e cujo investimento inicial é de R$ 200.000, são conhecidas as distribuições de frequências da receita e da despesa ao final do ano. Essas distribuições são apresentadas, respectivamente, na Tabela 8.12 e na Tabela 8.13, nas quais já foram calculadas as frequências acumuladas e já foram atribuídas as faixas de números para simulação. Definindo-se o coeficiente de benefício/custo como o quociente do lucro ao final de um ano dividido pelo investimento inicial, determinar a distribuição de frequências desse coeficiente, tomando como base 40 rodadas de simulação.

Tabela 8.12 Distribuição de frequências da receita (Exemplo 8.4)

Receita	Freqüência estimada	Freqüência acumulada	Faixa de números
800.000	0,20	0,20	00 – 19
700.000	0,40	0,60	20 – 59
600.000	0,25	0,85	60 – 84
500.000	0,15	1,00	85 – 99

Tabela 8.13 Distribuição de frequências da despesa (Exemplo 8.4)

Despesa	Freqüência estimada	Freqüência acumulada	Faixa de números
400.000	0,10	0,10	00 – 09
500.000	0,40	0,50	10 – 49
600.000	0,30	0,80	50 – 79
700.000	0,20	1,00	80 – 99

Tabela 8.14 Simulação de 40 rodadas de receita e despesa (Exemplo 8.4)

(1) Número ao acaso	(2) Receita	(3) Número ao acaso	(4) Despesa	(5) = (2) – (4) Lucro	(6) Coeficiente de benefício / custo	(1) Número ao acaso	(2) Receita	(3) Número ao acaso	(4) Despesa	(5) = (2) – (4) Lucro	(6) Coeficiente de benefício / custo
94	500.000	98	700.000	-200.000	-0,4	83	600.000	84	700.000	-100.000	-0,17
07	800.000	65	600.000	200.000	0,25	73	600.000	87	700.000	-100.000	-0.17
90	500.000	11	500.000	0	0	57	700.000	34	500.000	200.000	0,29
49	700.000	57	600.000	100.000	0,14	11	800.000	59	600.000	200.000	0,25
77	600.000	00	400.000	200.000	0.33	30	700.000	10	500.000	200.000	0,29
66	600.000	42	500.000	100.000	0,17	02	800.000	54	600.000	200.000	0,25
77	600.000	09	400.000	200.000	0,33	51	700.000	11	500.000	200.000	0,29
25	700.000	50	600.000	100.000	0,14	88	500.000	30	500.000	0	0
11	800.000	31	500.000	300.000	0,375	12	800.000	70	600.000	200.000	0,25
20	700.000	16	500.000	200.000	0,29	05	800.000	99	700.000	100.000	0,125
73	600.000	23	500.000	100.000	0,17	00	800.000	91	700.000	100.000	0,125
14	800.000	34	500.000	300.000	0,375	75	600.000	75	600.000	0	0
58	700.000	63	600.000	100.000	0,14	42	700.000	61	600.000	100.000	0,14
17	800.000	79	600.000	200.000	0.25	54	700.000	43	500.000	200.000	0,29
09	800.000	31	500.000	300.000	0,375	09	800.000	57	600.000	200.000	0,25
24	700.000	10	500.000	200.000	0,29	20	700.000	96	700.000	0	0
77	600.000	28	500.000	100.000	0,17	64	600.000	09	400.000	200.000	0,33
81	600.000	27	500.000	100.000	0,17	95	500.000	51	600.000	-100.000	-0,2
81	600.000	60	600.000	0	0	80	600.000	05	400.000	200.000	0.33
39	700.000	21	500.000	200.000	0,29	65	600.000	51	600.000	0	0

Solução

Para determinar a distribuição de frequências do coeficiente de benefício/custo, faremos 40 rodadas de simulação, tanto da receita como da despesa. A diferença entre essas duas quantidades nos dará o lucro que, dividido pelo investimento inicial (que é de R$ 200.000), fornecerá o coeficiente de benefício/custo. A análise dos diferentes valores do coeficiente nos dará a sua distribuição de frequências.

A Tabela 8.14 apresenta os resultados. O número ao acaso para a geração da receita foi obtido a partir da primeira linha de cima para baixo, de maneira contínua, tomando-se os quatro últimos dígitos da coluna, de dois em dois. Para a geração da despesa, foi tomada a primeira linha de baixo para cima, também de maneira contínua, de dois em dois dígitos.

Finalmente, vemos que o coeficiente de benefício/custo varia entre os valores –0,4 e 0,33, com a distribuição consolidada que mostramos na Tabela 8.15. Notar que a frequência é obtida dividindo-se o número de ocorrências por 40:

Tabela 8.15 Distribuição de frequências do coeficiente de benefício/custo

Coeficiente de benefício / custo	Número de ocorrências	Freqüência
–0,4	1	0,025
–0,2	1	0,025
–0,17	2	0,05
0	6	0,15
0,125	2	0,05
0,14	4	0,1
0,17	4	0,1
0,25	6	0,15
0,29	7	0,175
0,33	4	0,1
0,375	3	0,075
Total	40	1,000

A faixa de valores é relativamente ampla, e o coeficiente médio é de 0,163.

Pontos principais do capítulo

1. A simulação envolve a construção de um modelo aproximado de um fenômeno de interesse, o qual será colocado em operação um grande número de vezes, permitindo que o fenômeno seja mais bem compreendido e controlado.
2. O Método Monte Carlo é uma das abordagens mais conhecidas para simular o comportamento ao acaso das variáveis probabilísticas de interesse. Consiste na geração de valores das variáveis relevantes, com o auxílio de números ao acaso (aleatórios).
3. Geradores de números ao acaso são ferramentas, instrumentos ou sub-rotinas de computador por meio dos quais os números ao acaso podem ser gerados para uso na simulação.
4. Pode-se simular tanto a partir de uma distribuição empírica de frequências da variável de interesse como a partir de uma distribuição teórica discreta ou contínua que melhor configure a variável.

Exercícios resolvidos

Exercício resolvido nº 1

Em um determinado dia da semana, chegam em média, a um guichê de pedágio, 1,8 carro por minuto. Admitindo que a chegada de carros ao guichê obedeça a uma distribuição de Poisson, realizar uma simulação abrangendo 60 minutos de operação do guichê.

Solução

Devemos simular o número de carros que chegam a cada minuto, durante o intervalo de 60 minutos, obedecendo a uma distribuição de Poisson:

$$P(k) = \frac{\mu^k e^{-\mu}}{k!}$$

onde:

k = número de carros chegando ao guichê em um dado minuto

μ = 1,8 carro por minuto

e = 2,7183

O número k pode, teoricamente, assumir valores desde 0 (zero) até qualquer número positivo inteiro que se queira, mas na prática existe um limite a partir do qual podemos considerar $P(k) = 0$. A tabela a seguir mostra os valores de k e as respectivas probabilidades e probabilidades acumuladas:

k	P(k)	Probabilidades acumuladas	Faixas de números
0	0,165	0,165	000 – 164
1	0,298	0,463	165 – 462
2	0,268	0,731	463 – 730
3	0,161	0,892	731 – 891
4	0,072	0,964	892 – 963
5	0,026	0,990	964 – 989
6	0,008	0,998	990 – 997
7	0,002	1,000	998 – 999

Procedamos à simulação. Na tabela seguinte, os números ao acaso foram tomados da tabela de números ao acaso, a partir do primeiro dígito da primeira linha, da esquerda para a direita.

Número ao acaso	Número de carros chegando ao guichê	Número ao acaso	Número de carros chegando ao guichê	Número ao acaso	Número de carros chegando ao guichê
294	1	130	0	561	2
079	0	021	0	038	0
904	4	518	2	784	3
977	5	831	3	646	2
766	3	205	1	894	4
177	1	700	2	254	1
258	1	758	3	019	0
112	0	425	1	825	3
037	0	490	2	766	3
314	1	920	1	003	0
858	3	664	2	449	1
175	1	953	4	661	2
092	0	806	3	198	1
427	1	544	2	831	3
781	3	108	0	696	2
881	3	040	0	049	0

(continua)

(continuação)

Número ao acaso	Número de carros chegando ao guichê	Número ao acaso	Número de carros chegando ao guichê	Número ao acaso	Número de carros chegando ao guichê
395	1	530	2	923	4
837	3	536	2	353	1
395	1	073	0	389	1
711	2	767	3	959	4

Podemos agora agrupar os diversos números de carros chegando ao guichê e calcular suas frequências relativas. Se considerarmos que as frequências obtidas com o auxílio da distribuição de Poisson são as esperadas e que as que foram conseguidas com a simulação foram as realmente obtidas, podemos montar a tabela a seguir, que faz a comparação entre elas:

Número de carros chegando ao guichê	Freqüência esperada	Freqüência obtida por simulação
0	0,165	0,217
1	0,298	0,267
2	0,268	0,200
3	0,161	0,217
4	0,072	0,083
5	0,026	0,017
6	0,008	0
7	0,002	0

A média obtida com a simulação foi de 1,735, bastante próxima à média real, que era de 1,8 carro por minuto.

Exercício resolvido nº 2

Uma empresa planeja o lançamento de um produto, o qual é cercado de diversos elementos de risco. Assim, a demanda dos primeiros seis meses é probabilística, não havendo no mercado um similar perfeito que permita uma previsão com total segurança; o custo unitário de produção também é cercado de indefinições, pois certos detalhes de projeto, que influenciam diretamente no custo, não estão ainda disponíveis. Finalmente, em parte pelas indefinições no custo e em parte por falta de pesquisas de mercado, também o preço de venda pelo qual o produto poderá ser vendido não pode ser conhecido com precisão. As distribuições de probabilidade estimadas para a demanda, o custo unitário de produção e o preço de venda são apresentados a seguir. Nessas tabelas, já foram computadas as probabilidades acumuladas e foram atribuídas as faixas de números para simulação.

Distribuição de probabilidade da demanda dos primeiros seis meses

Demanda (unidades)	Probabilidade	Probabilidade acumulada	Faixa de números
50.000	0,15	0,15	00 – 14
100.000	0,25	0,40	15 – 39
150.000	0,35	0,75	40 – 74
200.000	0,25	1,00	75 – 99

Distribuição de probabilidade do custo unitário

Custo unitário (R$)	Probabilidade	Probabilidade acumulada	Faixa de números
70	0,20	0,20	00 – 19
90	0,40	0,60	20 – 59
120	0,40	1,00	60 – 99

Distribuição de probabilidade do preço de venda

Preço de venda (R$)	Probabilidade	Probabilidade acumulada	Faixa de números
120	0,10	0,10	00 – 09
130	0,20	0,30	10 – 29
140	0,40	0,70	30 – 69
150	0,30	1,00	70 – 99

Pede-se: sabendo-se que o lançamento do produto implica também um investimento fixo de R$ 5.000.000, determinar o lucro médio esperado para os seis primeiros meses de venda do produto, usando para isso 20 rodadas de simulação.

Solução

O lucro derivado da venda do produto será dado por:

Lucro = Receita total – custo de produção total – investimento inicial

Por sua vez:

Receita total = (demanda) (preço de venda)

Custo de produção total = (demanda) (custo unitário de produção)

Logo,

Lucro = (demanda) (preço de venda) – (demanda) (custo unitário de produção) – investimento inicial = demanda (preço de venda – custo unitário de produção) – investimento inicial

A cada rodada, devemos tomar três números ao acaso: um para simular a demanda, outro para simular o custo unitário e o último para simular o preço de venda. Esses números foram assim tomados:

- para simular a demanda: o segundo e o terceiro número de cada coluna, na terceira e na quarta linha, de cima para baixo;
- para simular o custo unitário de produção: o segundo e o terceiro número de cada coluna, na quinta e na sexta linha, de cima para baixo;
- para simular o preço de venda: o segundo e o terceiro número de cada coluna, na sétima e na oitava linha, de cima para baixo.

Os resultados das 20 rodadas de simulação estão na tabela a seguir:

Resultados de 20 rodadas de simulação: lançamento de um produto

(1) Número ao acaso	(2) Demanda (unidades)	(3) Número ao acaso	(4) Custo unitário (R$)	(5) Número ao acaso	(6) Preço de venda (R$)	(7) = = (6 – 4) × (2) – 5.000.000 Lucro (R$)
53	150.000	05	70	63	140	5.500.000
37	100.000	10	70	48	140	2.000.000
61	150.000	90	120	20	130	–3.500.000
78	200.000	04	70	24	130	7.000.000
68	150.000	93	120	94	150	–500.000

(continua)

Resultados de 20 rodadas de simulação: lançamento de um produto
(continuação)

(1) Número ao acaso	(2) Demanda (unidades)	(3) Número ao acaso	(4) Custo unitário (R$)	(5) Número ao acaso	(6) Preço de venda (R$)	(7) = = (6 – 4) × (2) – 5.000.000 Lucro (R$)
54	150.000	94	120	88	150	–500.000
82	200.000	48	90	98	150	7.000.000
60	150.000	86	120	60	140	–2.000.000
49	150.000	81	120	16	130	–3.500.000
19	100.000	67	120	02	120	–5.000.000
16	100.000	75	120	98	150	–2.000.000
49	150.000	90	120	52	140	–2.000.000
35	100.000	02	70	06	120	0
99	200.000	28	90	85	150	7.000.000
24	100.000	27	90	85	150	1.000.000
66	150.000	62	120	05	120	0
24	100.000	53	90	74	150	1.000.000
57	150.000	61	120	99	150	–500.000
04	50.000	48	90	19	130	2.000.000
76	200.000	36	90	86	150	7.000.000
					Soma	20.000.000
					Lucro médio	1.000.000

O lucro total, para as 20 rodadas de simulação, é de R$ 20.000.000; logo, o lucro médio será de 20.000.000/20 = R$ 1.000.000. Considerando-se o investimento fixo de R$ 5.000.000, o lucro médio representa uma taxa de retorno mensal, para os seis primeiros meses, de 20%. É fato que 20 rodadas de simulação é muito pouco e vale apenas como ilustração. Se o leitor simular as suas próprias 20 rodadas, poderá encontrar uma taxa substancialmente diferente da que encontramos.

Questões propostas

1. O que é simulação?
2. O que é um número ao acaso? O que é um gerador de números ao acaso?
3. No que consiste o Método Monte Carlo?
4. É possível simular a partir de distribuições teóricas discretas de probabilidade? E a partir de distribuições contínuas?

Glossário

Gerador de números ao acaso: ferramentas, instrumentos ou sub-rotinas de computador usados para gerar números ao acaso.

Método Monte Carlo: é uma abordagem de simulação que usa números ao acaso para criar os valores da variável de interesse.

Número ao acaso: um número cujos dígitos são selecionados completamente ao acaso.

Simulação: técnica usada para descrever o comportamento de um fenômeno de interesse, levada a cabo geralmente com o auxílio de um computador.

Exercícios propostos

1. Uma máquina copiadora deve fazer continuamente duas cópias de um determinado tipo de documento com uma só página. Infelizmente, nem sempre a máquina tira cópias perfeitas. De fato, na tiragem de duas cópias, tem-se a seguinte distribuição de probabilidade:

Número de cópias boas	Freqüência relativa
0	0,20
1	0,40
2	0,40
	1,00

Empreender 20 rodadas de simulação do número de cópias boas e responder:

a) Qual é a média de cópias boas, com base na distribuição de freqüências?

b) Qual é a média de cópias boas, com base na simulação feita? Como as duas médias obtidas se comparam?

2. O número de caminhões que chegam diariamente a um depósito obedece à seguinte distribuição de frequências relativas:

Número de caminhões	Freqüência relativa
0	0,25
1	0,30
2	0,15
3	0,15
4	0,10
5	0,05
	1,00

Com o auxílio da tabela de números ao acaso, promover dez rodadas de simulação e:

a) determinar a média de caminhões que chegam ao depósito, por meio da soma dos produtos das frequências relativas pelo número de caminhões;

b) determinar a média de caminhões que chegam ao depósito, por meio dos valores gerados pela simulação;

c) comparar as duas médias e verificar até que ponto a média obtida pela simulação se aproxima da média real.

3. Levando em conta o exercício anterior, realizar outras dez rodadas de simulação e calcular a nova média de caminhões que chegam diariamente ao depósito. Houve variação na média? Ela aproximou-se mais ou distanciou-se da média real?

4. Ainda tendo em vista o Exercício 2, supor que o depósito tenha a capacidade de descarregar dois caminhões por dia. Aproveitando as dez rodadas de simulação do Exercício 2, construir a tabela a seguir:

Rodada nº	Número ao acaso	Número de caminhões que chegam	Número de caminhões a serem descarregados	Número de caminhões descarregados	Número de caminhões a descarregar no dia seguinte
1					
2					
—					
—					
10					

Assim, por exemplo, se chegarem dois caminhões, ambos serão descarregados e não haverá caminhão a ser descarregado no dia seguinte; se, porém, chegarem três caminhões, dois serão descarregados e um sobrará para o dia seguinte.

Pede-se: calcular o número médio de caminhões cuja descarga é deixada para o dia seguinte.

5. Uma oficina de automóveis que opera 24 horas por dia tem uma reputação de oferecer ótimo serviço e rapidez. Para determinar de forma precisa a eficácia do serviço, foi feita, durante 50 dias, uma medida tanto do número de automóveis chegando para conserto como do número de automóveis consertados por dia, obtendo-se as tabelas a seguir:

Número de automóveis/ dia para conserto	Freqüência
0	5
1	7
2	18
3	12
4	5
5	3
	50

Número de automóveis/ dia consertados	Freqüência
0	4
1	6
2	20
3	10
4	6
5	4
	50

Efetuar 20 rodadas de simulação tanto para a chegada como para o conserto de automóveis, utilizando os mesmos números ao acaso. Calcular o número médio de carros que permanecem em conserto por mais de um dia.

6. Um certo órgão da fiscalização federal possui um veículo cujo número de viagens semanais varia segundo a distribuição de frequências a seguir:

Número de viagens por semana	Freqüência relativa
0	0,10
1	0,10
2	0,15
3	0,25
4	0,25
5	0,15
	1,00

Sabe-se que o veículo precisa revisar o óleo do motor a cada 30 viagens, em média. Pede-se:

a) com o auxílio da tabela de números aleatórios, simular o número de viagens por 10 semanas;

b) determinar: após quantas semanas o óleo do motor precisará ser trocado?

7. Em uma distante estrada vicinal, o número de carros que passam por um certo ponto obedece à distribuição de Poisson, com uma média de 0,4 carro a cada 10 segundos. Verificar qual é a média de carros a cada 10 segundos por meio de 20 rodadas de simulação. Como essa média se compara à média real? (*Sugestão*: calcular inicialmente as probabilidades de passarem 0, 1, 2, 3, ... carros a cada 10 segundos, com auxílio da Equação 5.8. Utilizar as probabilidades encontradas para realizar a simulação.)

8. A renda mensal de uma família é variável segundo a tabela a seguir:

Renda mensal (R$)	Freqüência relativa
2.500	0,20
3.000	0,40
3.500	0,15
4.000	0,25
	1,00

Por outro lado, também a despesa mensal é variável, segundo a seguinte tabela:

Despesa mensal (R$)	Freqüência relativa
1.000	0,10
2.500	0,40
3.000	0,30
5.000	0,20
	1,00

A família possui atualmente R$ 10.000 na poupança. Assumindo que o que é ganho a mais que a despesa transforma-se em poupança mensal e, inversamente, o que é gasto a mais da renda é retirado da poupança, pede-se:

a) simular um ano de receitas e despesas;

b) verificar quanto haverá na poupança no final desse ano (parar com a simulação se, em um dado mês, a poupança não for suficiente para cobrir o excesso de despesa sobre a receita).

Bibliografia

ANDRADE, E. L. *Introdução à pesquisa operacional*. 3. ed. Rio de Janeiro: LTC, 2004.

EVANS, J. R.; OLSON, D. L. *Introduction to simulation and risk analysis*. Upper Saddle River: Prentice Hall, 1998.

PRADO, D. *Teoria das filas e simulação*. Nova Lima: INDG, 2004.

ROSS, S. *A course on simulation*. Nova York: McMillan, 1990.

SHORE, B. *Quantitative methods for business decisions*: Text and cases. Nova York: McGraw-Hill, 1978.

WAGNER, H. M. *Principles of operations research, with applications to managerial decisions*. 2. ed. Englewood Cliffs: Prentice Hall, 1975.

9 Introdução à Teoria das Filas

Neste capítulo, apresentaremos ao leitor alguns conceitos fundamentais acerca do fenômeno das *filas de espera*. Esse fenômeno é muito conhecido de todos nós, embora, para o presente estudo, tenhamos de ampliar a nossa noção do que seja uma fila, como se verá oportunamente.

Além de definir e comentar esses conceitos fundamentais, apresentaremos uma introdução à chamada *teoria das filas. A teoria das filas é um corpo de conhecimentos matemáticos, aplicado ao fenômeno das filas*. É um campo de conhecimento em constante evolução, aplicando-se continuamente a mais e mais situações envolvendo filas. É também um campo de trabalho no qual muitos profissionais de Pesquisa Operacional acabam por se especializar.

9.1 As filas de todo dia

Todos nós estamos acostumados a esperar em filas: para pagar as compras em um supermercado, para pagar contas ou descontar um cheque em um banco, para comprar entradas para o cinema ou teatro, para passar por pedágios, e assim por diante. As filas são ocorrências extremamente comuns em nossos dias. Gostando ou não, temos de conviver com elas.

Não apenas as pessoas passam por filas; nas indústrias, produtos e peças podem estar aguardando processamento. Navios podem estar aguardando sua vez para entrar em portos; aviões podem estar aguardando autorização para aterrissar; cartas podem estar esperando sua vez de serem entregues aos destinatários etc. A palavra *fila* será aqui usada para designar todas essas situações, em que pessoas aguardam atendimento ou objetos (ou outra coisa qualquer) aguardam sua vez de processamento, dando-se à palavra *processamento* um sentido bem amplo (aterrissar um avião, tornear uma peça, atracar um navio etc., tudo isso pode ser considerado "processamento"). Para facilitar a comunicação, vamos falar simplesmente de clientes, de filas, de postos de atendimento ou de serviço e de prestação de serviços, sempre com sentidos bem amplos.

Usualmente, as pessoas associam a presença de filas a um excesso de demanda de um serviço sobre a capacidade de atendimento. Em outras palavras, há mais clientes a atender do que postos de serviço para o atendimento. É claro que isso é verdade, mas não é toda a verdade.

Como se forma uma fila? Simplesmente porque a capacidade de atendimento é insuficiente? Nem sempre. Às vezes, em teoria a capacidade de atendimento é o bastante, mas a própria dinâmica das coisas leva à formação de filas. Não é difícil ver como isso acontece.

Imagine que a secretaria de uma escola esteja atendendo alunos que fazem suas matrículas em um certo curso. Vamos assumir um só guichê de atendimento, o que facilita o raciocínio. Digamos que o tempo para atender a um aluno seja de exatamente 5 minutos, invariável de um aluno a outro. Vamos supor que, em média, chegue um aluno a cada 8 minutos para ser atendido. O leitor percebe que, também em média, o atendente do guichê estará ocupado na fração de 5/8 do tempo e terá (8 – 5) = 3 minutos de ociosidade a cada 8 minutos. Em outras palavras, estará ocupado 62,5% do tempo e ocioso nos 37,5% restantes. É inegável que há capacidade de sobra para o atendimento. É possível concluir que não se formará uma fila? Infelizmente, a fila é possível, mesmo com a folga no atendimento. Basta que, enquanto um aluno se encontre no guichê, sendo atendido, cheguem mais dois ou três, isto é, basta que os tempos entre a chegada de um aluno e a de outro sejam de 1 minuto, 2 minutos, 3 minutos etc., podendo outras vezes ser de 6 minutos, 11 minutos. Assumimos que chegava um aluno a cada 8 minutos, *em média*. A variabilidade em torno dessa média de 8 minutos é que é responsável pela formação da fila. De maneira semelhante, o próprio tempo de atendimento (que supúnhamos de 5 minutos, fixos) pode ser variável em torno de uma média. Está aí mais uma fonte da formação de filas.

Resumindo, portanto: a fila não se forma tão-somente por um problema de capacidade de atendimento, mas também devido à variabilidade tanto no *intervalo entre chegadas* de clientes como no *tempo de atendimento* desses clientes.

O leitor tem agora direito a uma pergunta: o que acontece se os clientes chegarem em intervalos fixos de tempo e forem atendidos em um intervalo de tempo também fixo? Isto é, o que se passa se não houver variabilidade, no intervalo entre chegadas e no tempo de atendimento?

Para responder a essa questão, vamos considerar alguns casos:

Caso 1: a taxa de chegada é maior que a taxa de atendimento

Nesse caso, se houver um só posto de atendimento, a tendência é de a fila se tornar cada vez maior; o número de postos de atendimento é, evidentemente, função das magnitudes das taxas de chegada e de atendimento.

Caso 2: a taxa de chegada é igual à taxa de atendimento

Agora, não haverá fila, exceto se já existir no início do atendimento; nessa hipótese, essa fila inicial vai se manter com tamanho constante.

Caso 3: a taxa de chegada é inferior à taxa de atendimento

Nesse último caso, não havendo fila inicial, ela nunca será formada; o posto estará sempre disponível para o atendimento. Entretanto, se houver uma fila formada já no início do atendimento, o seu esgotamento irá consumir um certo tempo; após o esgotamento, o posto estará sempre disponível para o atendimento. Esse caso merece uma elaboração um pouco melhor, que trataremos de início com um exemplo numérico.

Vamos retomar o caso, que vimos ainda há pouco, da secretaria de uma escola em que o atendimento a um aluno demora 5 minutos e chega um aluno a cada 8 minutos. Suponhamos agora que esses tempos são *fixos*. Admitamos também que, quando da abertura do guichê, cinco alunos já estavam em fila, aguardando atendimento.

Como as taxas são fixas e atende-se mais rapidamente do que os alunos possam chegar, haverá um momento em que a fila deixará de existir; o atendimento aos alunos que estavam originalmente na fila coexiste com a chegada de novos alunos. Observe o leitor a Tabela 9.1, na qual a primeira coluna marca o tempo decorrido desde a abertura do guichê; os tempos são múltiplos de 5 e 8 minutos, para mostrar tanto o atendimento como a chegada de novos alunos. A segunda coluna marca o número acumulado de alunos atendidos, a terceira marca o número acumulado de alunos que chegam para o atendimento e, finalmente, a última coluna marca o número de alunos remanescentes na fila.

Tabela 9.1 Variação do tamanho da fila (taxas de chegada e atendimento constantes)

Tempo (em minutos)	(a) Alunos atendidos (acumulado)	(b) Alunos que chegam (acumulado)	Alunos remanescentes na fila (5 + b – a)
0	0	0	5
5	1	0	4
8	1	1	5
10	2	1	4
15	3	1	3
16	3	2	4
20	4	2	3
24	4	3	4
25	5	3	3
30	6	3	2
32	6	4	3
35	7	4	2
40	8	5	2
45	9	5	1
48	9	6	2
50	10	6	1
55	11	6	0

Verifica-se que o tempo total de 55 minutos é gasto antes que se esgote a fila.

9.2 Os custos de atender e de não atender: um balanço

Filas precisam ser gerenciadas, ou seja, alguém tem de mantê-las sob controle. Algumas perguntas que os gerentes querem ver respondidas são as seguintes:

a) As áreas destinadas às filas são adequadas? Ou atrapalham, de alguma forma, o bom andamento dos serviços ou a movimentação de pessoas ou objetos?

b) Será conveniente introduzir certas prioridades para certos tipos de clientes? (É comum aos bancos, por exemplo, deixarem caixas separados para clientes designados como especiais e/ou para clientes com alta probabilidade de demandar um tempo de atendimento muito grande, como *office-boys* e mensageiros. É também comum o atendimento preferencial a idosos e gestantes, por força de lei ou de política interna de atendimento das instituições.)

c) Quantos postos de atendimento devem ser empregados?

d) Vale a pena empreender esforços para reduzir o tempo de atendimento? (Uma das formas mais empregadas na redução do tempo de atendimento consiste na utilização cada vez mais intensa da tecnologia da informação: o leitor pode lembrar-se imediatamente dos saques eletrônicos nos bancos ou da leitura ótica nos caixas de supermercado, entre tantos exemplos.)

O melhor atendimento leva quase sempre a custos maiores, que surgem por causa de um treinamento melhor para as pessoas, pelo uso maior da tecnologia da informação, pela multiplicação de postos de trabalho ou ainda pela compra de máquinas e equipamentos mais sofisticados e, eventualmente, de melhor qualidade. Vale a pena incorrer nesses custos? Talvez sim, se estiver ocorrendo uma grande perda de clientes por causa do não atendimento e da presença das filas.

Sejamos mais precisos nesse raciocínio. Para isso, observe a Figura 9.1: em abscissas, está a medida do *nível de serviço* e, em ordenadas, três medidas diferentes de custos, dando como resultado três curvas diferentes. Estamos designando por *nível de serviço* a excelência maior ou menor do atendimento. Nível de serviço é aqui o mesmo que *nível do atendimento*. Em outros termos: quanto maior o nível de serviço, melhor o atendimento (o cliente demora menos tempo na fila, o tempo de atendimento no próprio posto de serviço é menor etc.).

Veja a reta intitulada *Custo do atendimento*; é uma reta ascendente, indicando que, quanto melhor o atendimento, maior o custo. Já a curva *Custo da fila* indica os custos associados à existência de filas. O *Custo da fila* refere-se principalmente: (a) à receita direta perdida devido aos clientes que simplesmente vão embora por causa das filas ou da relativa incapacidade de atendimento; (b) à receita indireta perdida por causa de desgaste da boa imagem da instituição ou sua associação com ineficiência ou mau atendimento. De qualquer forma, é de se esperar que, quanto melhor o nível de serviço, menor seja o custo da fila, já que as esperas e o tempo de atendimento tendem a diminuir.

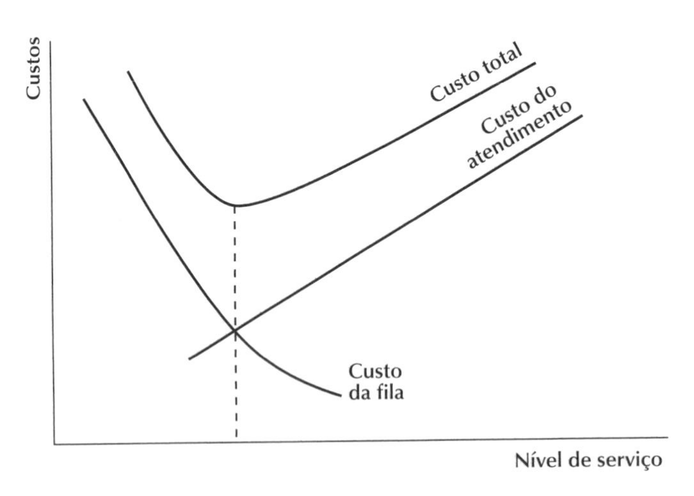

Figura 9.1 Balanço entre os custos de atender e de não atender.

Se, para cada nível de serviço particular, forem somados os valores do *Custo de atendimento* e do *Custo da fila*, teremos a terceira curva, a do *Custo total*, que representa um balanço entre o atendimento e o não atendimento (de forma relativa). Note o leitor que a curva do *Custo total* apresenta um mínimo, que corresponde, é claro, a um certo nível de serviço. Teoricamente, é esse nível de serviço que deve ser buscado, se apenas as considerações de custo formarem o critério de decisão. Na prática, nem sempre é muito fácil estimar os custos, principalmente o custo da fila. Além disso, às vezes a decisão de melhorar o nível de serviço nasce de outros fatores, apenas indiretamente ligados a custos, tais como a falta de espaço para suportar filas ou o mero desejo de evitar a visão um tanto quanto embaraçosa de aglomerações.

9.3 A estrutura básica de uma fila

Uma fila, como vimos, é o resultado de uma situação em que clientes (que não precisam ser apenas pessoas, lembre-se) chegam para o atendimento e, eventualmente, têm de esperar, pois o posto de atendimento pode estar ocupado.

A teoria das filas é um conjunto de conceitos e de modelos matemáticos utilizados para analisar as filas (pouco a pouco, o leitor entenderá bem o que queremos dizer com a palavra *analisar*). Existem muitos tipos diferentes de filas, definidos por meio de algumas hipóteses que fazemos sobre o comportamento da realidade. A teoria das filas é um ramo extenso da Pesquisa Operacional; já em 1957 um pesquisador chamado A. Doig (1957, p. 490) tinha identificado cerca de 700 artigos em revistas internacionais, sobre a teoria das filas. Ora, quase 50 anos depois, com o advento do microcomputador – que facilitou o trabalho com modelos mais complexos –, e contando-se livros, atas de conferências em Pesquisa Operacional, artigos de revistas etc., seria difícil – e provavelmente inútil também – citar toda a bibliografia ou mesmo contar o número de itens. Evidentemente, existem as obras clássicas e os autores mais conhecidos, com os quais os profissionais de teoria das filas estão acostumados. Só queremos registrar aqui a extensão da área conhecida por *teoria das filas*.

Não obstante, podemos apresentar os principais elementos das filas e conceituá-los a partir de um modelo muito simples. Mais tarde, o modelo irá receber certos retoques e complementos, de forma que o leitor, ao final do capítulo, terá uma ideia razoavelmente sólida sobre as filas e a teoria das filas. Agora, vamos apresentar o modelo simples.

9.3.1 *Um modelo de uma fila simples*

A situação típica, mais simples possível, que resulta na formação de uma fila, é aquela representada pela Figura 9.2:

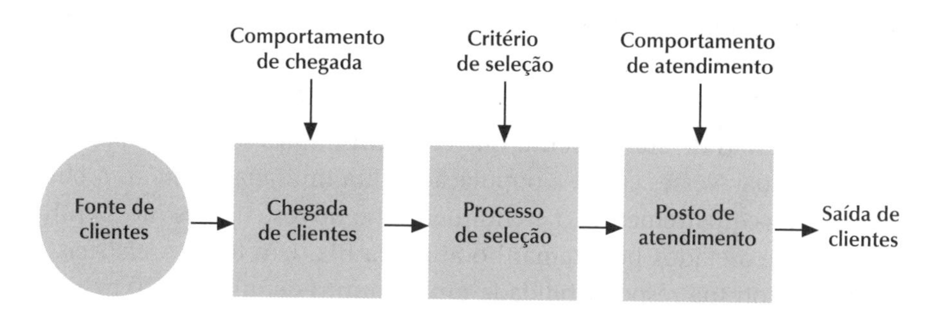

Figura 9.2 Modelo de uma fila simples.

Na Figura 9.2, vemos que os clientes provêm de uma população (no sentido estatístico de "conjunto de todos os clientes") que é chamada de *fonte de clientes*. Esses clientes chegam ao local em que será prestado o atendimento apresentando um certo *comportamento de chegada*. Talvez não possam ser atendidos de imediato, caso em que ficarão aguardando em uma fila. Passarão, então, por um *processo de seleção*, quando, segundo algum critério, serão selecionados para o atendimento (o critério mais comum, que todos conhecem, é de atender os clientes na ordem de chegada). Serão atendidos em um *posto de atendimento*; esse atendimento terá suas características próprias, ou seja, seu *comportamento de atendimento* próprio. Após o atendimento, os clientes deixarão o local.

A apresentação mais detalhada desses elementos nos permitirá identificar conceitos e grandezas indispensáveis na compreensão das filas. Esses conceitos e grandezas irão nos dar a base para o estudo de alguns modelos matemáticos fundamentais que a teoria das filas nos fornece. Comecemos pela *fonte de clientes*.

A fonte de clientes

Chamamos de *fonte de clientes* à população (conjunto total) de clientes potenciais que podem demandar um certo tipo de serviço (atendimento). A fonte de clientes pode ser *finita* ou *infinita*. Assume-se que a fonte é *infinita* naqueles casos em que a probabilidade de uma chegada não é afetada de forma significativa pelo fato de que alguns clientes já estão aguardando na fila (o tamanho da fila não interfere em uma nova chegada). Isso acontece basicamente quando o número de chegadas em um dado momento é tão-somente uma pequena fração das chegadas potenciais. Fontes infinitas são tipicamente os sistemas abertos ao público em geral, como cinemas, teatros, postos de gasolina, clientes em um supermercado, eleitores em um posto de votação, carros chegando a um sinal de tráfego e assim por diante. A rigor, nenhuma dessas populações é infinita, mas o fato de que alguns clientes já estejam na fila não interfere nas chegadas de outros clientes que queiram juntar-se a ela.

Há sistemas de atendimento que colocam limites sobre a população a ser atendida. Nesses casos, a população é dita limitada ou *finita*. A chegada e, consequentemente, o atendimento de novos clientes são significativamente afetados pelo tamanho atual da fila. Um técnico eletricista que tenha sob sua responsabilidade um conjunto definido de 20 máquinas é um bom exemplo. O número de máquinas que estão aguardando reparos pode claramente influenciar na probabilidade de que uma nova máquina exija reparos, pelo fato de que a população de máquinas pode diminuir consideravelmente.

Nas aplicações mais simples da teoria das filas, a fonte de clientes é suposta infinita, porque os cálculos são mais fáceis do que aqueles envolvidos na hipótese de fonte de clientes finita.

O comportamento de chegada dos clientes

Há mais de um aspecto a ser estudado quanto ao comportamento de chegada dos clientes:

Chegada isolada ou em grupos

O cliente pode chegar sozinho ao posto de atendimento, como acontece, por exemplo, com carros que chegam a um sinal de tráfego ou com uma pessoa que vai fazer uma retirada em um caixa eletrônico; pode chegar em grupos, como se dá quando um ônibus cheio de turistas pára em um restaurante de beira de estrada para o almoço ou quando um lote de 120 peças chega a um torno. Há casos que podem ser considerados intermediários, como quando pequenos grupos, de duas, três ou quatro pessoas, chegam a um restaurante ou teatro. A palavra *grupo* está sendo entendida, em todos os casos, como um múltiplo de alguma unidade básica.

Quando as chegadas são isoladas ou são uma mistura de chegadas isoladas e de pequenos grupos, faz-se a suposição de que todas as chegadas são isoladas. Essa é a suposição que faremos no restante do capítulo, o que já restringe a classe de modelos com os quais iremos lidar.

A paciência ou impaciência do cliente

Um cliente é considerado *paciente* se aceitar permanecer na fila até que seja atendido. Caso contrário, ele é dito *impaciente*, podendo assumir duas diferentes atitudes:

- o cliente recusa juntar-se à fila, abandonando o posto de atendimento;
- o cliente junta-se à fila, mas acaba desistindo ao cabo de algum tempo.

Em ambos os casos, é claro, qualquer receita derivada daquele atendimento será perdida, a menos que, obrigatoriamente, o cliente deva retornar em outra oportunidade.

No restante do capítulo, iremos supor que o cliente é paciente, ou seja, permanece na fila até que seja atendido. O leitor pode ver que estamos simplificando ainda mais, restringindo de novo as classes de modelos com que iremos trabalhar.

A distribuição de probabilidade associada à chegada

Há duas formas tradicionais de se falar sobre a chegada de clientes para o atendimento. Pode-se tomar como base:

1. o número de clientes que chegam em um dado intervalo de tempo;
2. o tempo decorrido entre duas chegadas consecutivas.

Vamos examinar cada um desses elementos.

1. Número de clientes que chegam em um dado intervalo de tempo

Vamos fixar a atenção no número de clientes que chegam em um certo intervalo de tempo (falaremos depois do tempo decorrido entre duas chegadas). Esse número pode ter um comportamento *determinístico* ou *probabilístico*.

Um comportamento determinístico significa que o número de clientes que chegam em um certo intervalo de tempo é sempre o mesmo. Assim, por exemplo, o número de pessoas que chegam a um posto de gasolina pode ser de 2 por minuto (ou, de forma equivalente, 1 a cada 30 segundos, 10 a cada 5 minutos e assim por diante). Se o comportamento for determinístico, a variância é zero e, a qualquer momento que façamos uma observação, iremos ver 2 clientes chegando por minuto.

Na maioria das vezes, entretanto, assume-se que o número de clientes que chegam em um intervalo de tempo têm um comportamento probabilístico. Isso implica aceitar que esse comportamento é "sem memória", o que quer dizer que:

- cada chegada é independente de todas as outras anteriores e, por sua vez, não irá influir nas chegadas posteriores;
- a probabilidade de uma chegada particular ocorrer durante um intervalo específico de tempo depende apenas da magnitude desse intervalo.

Muitas distribuições de probabilidade podem ser usadas como modelo para representar a chegada de clientes. No entanto, os estudiosos da teoria das filas sugerem que a distribuição de Poisson, que vimos no Capítulo 5, pode representar muito bem o número de chegadas em um intervalo de tempo.

Vamos, portanto, admitir que "o número de chegadas em um dado intervalo de tempo" seja distribuído segundo uma distribuição de Poisson e explorar um pouco mais essa hipótese.

Como já vimos no Capítulo 5, a distribuição de Poisson é uma distribuição discreta que se aplica ao caso em que, em uma certa *unidade de exposição*, uma dada variável pode assumir valores inteiros. Em boa parte dos casos, a unidade de exposição é geralmente alguma medida de tempo, comprimento, superfície etc. (mas outras unidades de exposição são possíveis), enquanto a variável é uma medida de ocorrências de algum tipo. Por exemplo, podemos estar interessados em saber quantos acidentes ocorrem a cada 100 quilômetros de certa estrada, no período de uma semana. A unidade de exposição é 100 quilômetros, enquanto a variável é o número semanal de acidentes. Em outro caso, mais próximo do nosso assunto, podemos querer estimar o número de clientes que chegam a um caixa automático a cada 10 minutos. O número de clientes é a variável, enquanto o intervalo de 10 minutos é a unidade de exposição.

Vamos chamar de λ ao número médio de ocorrências (clientes que chegam) em um intervalo de tempo tomado como unidade. Na teoria das filas, o número λ é também conhecido como *taxa de chegada*. (Note o leitor que, no Capítulo 5, a variável correspondente foi chamada de μ, mas queremos conservar aqui uma notação muito usada para a taxa de chegada.) A unidade de tempo não precisa necessariamente ser medida pelo número 1, embora deva ser fixa. A nossa "unidade" de tempo pode ser, por exemplo, de 10 minutos, 2 horas, cinco semanas ou dez anos. O que importa é que a taxa de chegada λ e a unidade assumida sejam constantes.

A probabilidade de que, na unidade assumida de tempo, cheguem x clientes é dada pela equação:

$$P(x) = \frac{\lambda^x e^{-\lambda}}{x!} \qquad \text{(Equação 9.1)}$$

onde:

λ = taxa de chegada = número médio de chegadas na unidade assumida de tempo;

e = base dos logaritmos neperianos = 2,7183;

$x!$ = fatorial de x = x (x – 1) (x – 2) ... (3) (2) (1) = produto dos números naturais de 1 até x.

Deve o leitor notar que a Equação 9.1 é idêntica à Equação 5.8, já vista no Capítulo 5, apresentando apenas diferença na notação.

Exemplo 9.1

O caixa de um restaurante *fast-food*, nos horários de pico, recebe, em média, dois clientes a cada minuto. A chegada dos clientes nesses horários obedece à distribuição de Poisson. Qual é a probabilidade de que, em um dado minuto, o caixa receba:

a) nenhum cliente?

b) dois clientes?

c) três clientes ou menos?

Solução

a) probabilidade de não receber nenhum cliente

Temos:

$$P(x) = \frac{\lambda^x e^{-\lambda}}{x!}$$

onde $\lambda = 2$ clientes por minuto.

Para $x = 0$ (nenhum cliente):

$$P(0) = \frac{2^0 e^{-2}}{0!} = 0,135$$

b) probabilidade de receber dois clientes

Usando a mesma equação (agora $x = 2$):

$$P(2) = \frac{2^2 e^{-2}}{2!} = 0,27$$

c) probabilidade de receber três clientes ou menos em um minuto

Temos:

P(receber 3 clientes ou menos) = P(0) + P(1) + P(2) + P(3)

P(0) e P(2) já estão calculados. Quanto a P(1) e P(3), temos:

$$P(1) = \frac{2^1 e^{-2}}{1!} = 0,27$$

$$P(3) = \frac{2^3 e^{-2}}{3!} = 0,18$$

Portanto,

P(receber 3 clientes ou menos) = 0,135 + 0,27 + 0,27 + 0,18 = 0,855

2. O tempo decorrido entre duas chegadas consecutivas

Assumimos até então que o número de chegadas de clientes para atendimento obedece à distribuição de Poisson. Vamos trabalhar agora com a segunda forma de estudar a chegada para o atendimento, ou seja, com o *tempo decorrido entre duas chegadas consecutivas*.

Se assumirmos que o número de chegadas segue a distribuição de Poisson com média (taxa de chegada) λ, então o intervalo de tempo entre duas chegadas consecutivas obedece a uma distribuição exponencial com média $1/\lambda$.

Exemplificando, se a taxa de chegada for de cinco clientes a cada 10 minutos, então a cada 2 minutos estará chegando um cliente em média. Como o leitor se recorda do Capítulo 5, a exponencial negativa é uma distribuição contínua. Até pode parecer estranho que uma distribuição discreta e outra contínua mantenham esse relacionamento, mas o leitor deve aceitar a curiosidade.

No Capítulo 5, já apresentamos a distribuição exponencial na seguinte forma, exceto pela notação, que está diferente, e novamente particularizamos para os propósitos deste capítulo:

$$P(t \leq T) = 1 - e^{-\lambda T} \quad \text{(Equação 9.2)}$$

sendo $T \geq 0$

onde, adaptando os símbolos à aplicação neste capítulo:

$P(t \leq T)$ = probabilidade de que o intervalo entre chegadas t seja inferior ou igual a um intervalo especificado T;

λ = taxa média de chegada de clientes (lembrar que $1/\lambda$ é o tempo médio decorrido entre as chegadas consecutivas de dois clientes);

e = base dos logaritmos neperianos.

Processo de seleção

Dada uma fila de clientes aguardando atendimento, o critério pelo qual se escolhe qual será o próximo cliente a ser atendido recebe o nome de *disciplina da fila*. Nas atividades de serviço, de forma geral, a disciplina adotada é a chamada Peps (Primeiro a Entrar, Primeiro a Sair), ou seja, segue-se a ordem de chegada. Isso tende a assegurar uma certa justiça, tendo aceitação generalizada.

Entretanto, a regra Peps não é a única disciplina possível. É frequente as filas darem prioridade às crianças, idosos, mulheres grávidas, pessoas portadoras de necessidades especiais etc. (em embarques de avião, por exemplo). Seria absurdo pensar que um pronto-socorro obedecesse rigorosamente à regra Peps, atendendo pela ordem de chegada, independentemente do estado do cliente.

Na indústria, inclusive, onde estamos lidando com peças e produtos, a regra Peps é considerada uma má regra de sequenciamento de trabalhos. Em seu lugar, existem regras alternativas, como, entre várias outras, a MTP (Menor Tempo de Processamento), que manda executar o trabalho de menor tempo de processamento, e a DD (Data Devida), que determina processar o trabalho cuja data de entrega é a mais próxima.

Faremos agora mais uma restrição, adotando daqui para a frente a regra Peps como a regra básica. Mesmo não sendo a única, é sem dúvida uma das mais comuns e, particularmente em serviços abertos ao público, é a regra dominante.

O posto de atendimento

Devemos, de início, entender que o posto de atendimento é a instalação ou sistema de instalações que servirá de suporte ao atendimento da fila.

Vejamos algumas definições básicas:

- Uma fila é chamada de fila de *canal único* quando existe uma única instalação de atendimento. Essa instalação pode consistir de um só posto, que realiza sozinho todo o atendimento, ou de vários postos em série, cada qual realizando uma parte do atendimento.
- Uma fila é chamada de fila de *canal múltiplo* se existirem duas ou mais instalações de atendimento em paralelo, cada qual atendendo de forma independente das demais. Cada instalação pode consistir de um posto isolado ou de vários postos em série.
- O atendimento é chamado de *atendimento único* se for realizado integralmente por um só posto de serviço; é chamado de *atendimento múltiplo* se forem necessários dois ou mais postos em sequência, cada qual responsável por uma parte do atendimento.

Se o leitor combinar as três conceituações anteriores, verá que as filas podem apresentar-se segundo quatro situações diferentes, como é mostrado na Figura 9.3.

Pergunta: como enquadrar, nas situações descritas, as filas formadas nos caixas de um supermercado? Resposta: essas filas não se enquadram nas situações-padrão definidas e não são estudadas aqui, pelo menos no seu conjunto. Cada caixa apresenta sua fila, independentemente das demais. De certa forma, essas filas são coleções de situações individuais do tipo *Canal Único, Atendimento Único*. No entanto, apresentam a particularidade de que um cliente pode mudar de fila à vontade, desde que assuma sempre o último lugar na nova fila escolhida.

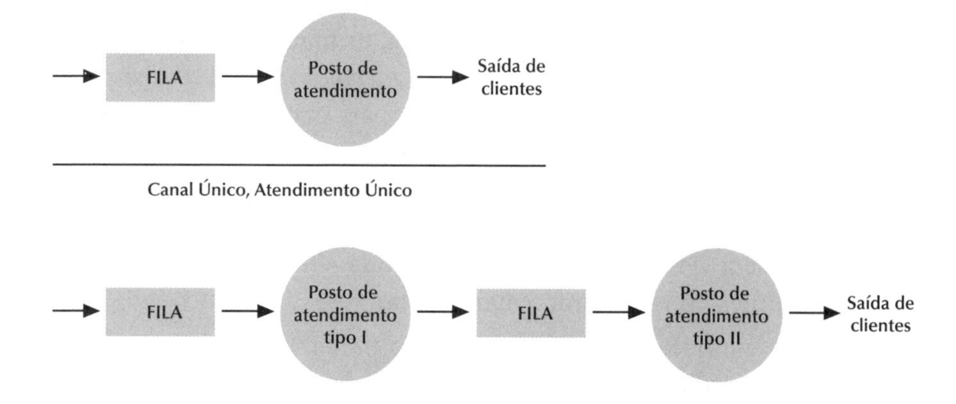

Canal Único, Atendimento Único

Canal Único, Atendimento Múltiplo

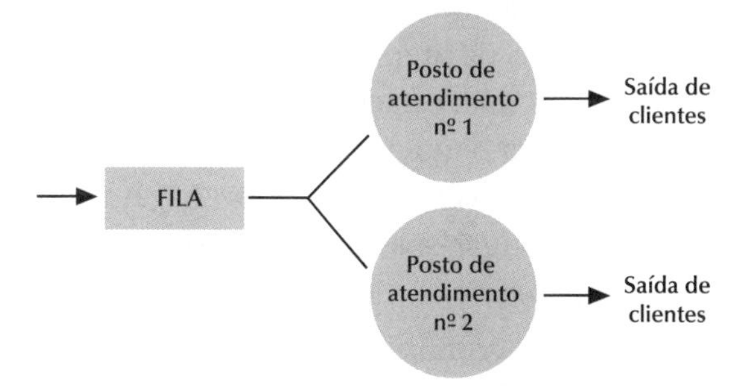

Canal Múltiplo, Atendimento Único

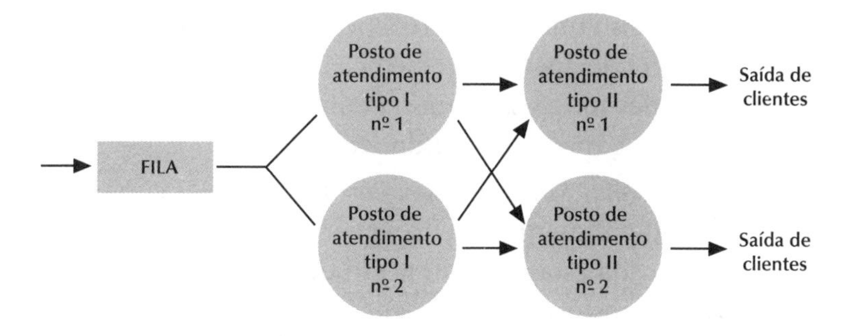

Canal Único, Atendimento Múltiplo

Figura 9.3 As quatro situações básicas de fila.

Voltemos aos nossos modelos. Todas as situações representadas na Figura 9.3 são conhecidas, mas, sem dúvida, as mais comuns são: *Canal Único, Atendimento Único* e *Canal Múltiplo, Atendimento Único*. A situação de fila mais simples possível, que já usamos para começar a apresentação dos conceitos ligados às filas, é a de *Canal Único, Atendimento Único*. Quando há um só posto de atendimento, essa situação é obrigatória. É a situação que encontramos em um teatro, em que só um guichê está funcionando para a venda de ingressos. Ou, ainda, em um estacionamento de entrada única com um único manobrista.

É muito conhecida também a situação *Canal Múltiplo, Atendimento Único*, na qual a fila é uma só, mas o cliente dirige-se para o posto que está vago. Todos os postos realizam o mesmo tipo de atendimento. É a nossa popular *fila única*. Pode-se vê-la em bancos ou na configuração dos caixas em magazines, por exemplo. Também será vista no estacionamento que usamos ainda há pouco como exemplo, caso exista mais de um manobrista (cada manobrista é um posto de atendimento, com todos os postos realizando o mesmo trabalho, ou seja, estacionar o carro). Pode-se considerar que temos também a fila única naqueles casos em que ela não é fisicamente formada, mas os clientes recebem, quando chegam, um número sequencial que marcará o seu "lugar" na fila (sua senha). A chamada será feita, então, por esses números.

As outras duas situações também são comuns, embora provavelmente menos percebidas na sua complexidade. Na situação de *Canal Único, Atendimento Múltiplo* existe apenas uma sequência de postos de atendimento em série, de maneira que a fila se mantém sequencialmente. Para usar um exemplo bem simples, imagine o leitor um ambulatório pediátrico em que o cliente (a criança) passa por pesagem e medida de altura e temperatura com uma enfermeira, sendo depois admitido para consulta com um médico. Havendo apenas um médico e uma enfermeira pelos quais todos os clientes devam passar, tem-se, então, a situação de *Canal Único, Atendimento Múltiplo* (no caso, atendimento duplo).

A última situação (*Canal Múltiplo, Atendimento Múltiplo*) corresponde ao caso em que o atendimento é feito em mais de um estágio e o cliente é atendido, em cada estágio, pelo posto que está vago. Em cada estágio, há mais de um posto de atendimento, cada qual realizando a mesma função. Se o leitor quiser conservar o exemplo anterior, basta imaginar que as medidas iniciais no consultório podem ser realizadas por duas enfermeiras de forma independente (o cliente é atendido por aquela que está disponível no momento) e que, do mesmo modo, a consulta será realizada por dois médicos, dirigindo-se o cliente para aquele que esteja livre no momento.

Como sempre, no restante do capítulo, faremos algumas simplificações. Das quatro situações vistas – todas importantes e comuns, sem dúvida –, estaremos nos preocupando apenas com a de *Canal Único, Atendimento Único.*

O comportamento de atendimento

Em primeiro lugar, chamemos de *taxa de atendimento* ao tempo que um posto de serviço demora para atender um cliente. Tal como definimos para o comportamento de chegada dos clientes, também a taxa de atendimento de um posto de trabalho pode se comportar de forma *determinística* ou *probabilística.*

Existem situações em que um posto de serviço consegue atender exatamente o mesmo número de clientes dentro de uma unidade de tempo especificada. Nesse caso, a taxa de atendimento será constante, e o posto de serviço comporta-se deterministicamente.

Há outras situações, não obstante, em que o tempo de atendimento se altera de um cliente para outro. A taxa de atendimento é agora variável, e assumimos que ela irá se distribuir segundo alguma distribuição de probabilidades adequada.

Vamos definir a *taxa média de atendimento* como o número médio de clientes atendidos em uma unidade de tempo assumida. Por exemplo, um posto de serviço pode ser capaz de atender um cliente a cada 5 minutos. Esta será, portanto, a sua taxa média de atendimento. Chamemos a essa taxa média de atendimento de μ (apenas para distinguir a taxa de atendimento da taxa de chegada, que havíamos designado por λ).

Se a taxa média de atendimento for μ, então o *tempo médio de atendimento* será $1/\mu$. Se um posto de atendimento pode atender um cliente a cada 5 minutos, em média, o tempo médio de atendimento será de 5 minutos/cliente.

Em muitas aplicações, assume-se que a taxa de atendimento varia segundo uma distribuição de Poisson com média μ. A probabilidade de que, na unidade de tempo assumida, sejam atendidos y clientes será dada por:

$$P(y) = \frac{\mu^y e^{-\mu}}{y!} \qquad \text{(Equação 9.3)}$$

onde:

μ = taxa de atendimento = número médio de clientes atendidos na unidade de tempo assumida

e = base dos logaritmos neperianos = 2,7183

y! = fatorial de y = y (y – 1) (y – 2) ... (3) (2) (1) = produto dos números naturais de 1 até y.

É claro que o leitor terá notado que a Equação 9.3 é a mesma Equação 9.1 ou a mesma Equação 5.8. A renumeração atende apenas aos interesses do presente capítulo.

Se a taxa de atendimento segue uma distribuição de Poisson, então o *tempo de atendimento* varia segundo uma distribuição exponencial com tempo médio de atendimento de $1/\mu$. A probabilidade de que o tempo de atendimento t não ultrapasse um dado valor T é dada por:

$$P(t \leq T) = 1 - e^{-\mu T} \quad \text{(Equação 9.4)}$$

sendo $T \geq 0$

onde:

$P(t \leq T)$ = probabilidade de que o tempo de atendimento a um cliente seja inferior ou igual a um intervalo especificado T;

μ = taxa média de atendimento;

e = base dos logaritmos neperianos.

Exemplo 9.2

Retornando ao caso do restaurante *fast-food* do Exemplo 9.1, vamos supor que o atendente do caixa consiga atender, em média, a quatro clientes por minuto. Admitimos ainda que a taxa de atendimento obedece à distribuição de Poisson, ou seja, o tempo de atendimento obedece à distribuição exponencial negativa. Qual é a probabilidade de que o tempo de atendimento seja igual ou inferior a:

a) 20 segundos?

b) 10 segundos?

c) 5 segundos?

Solução

a) probabilidade de que o tempo de atendimento seja igual ou inferior a 20 segundos

Temos:

$P(t \leq T) = 1 - e^{-\mu T}$

onde μ = 4 clientes por minuto e T = 20 segundos; os 20 segundos devem ser transformados em minutos:

20 segundos equivalem a 20/60 minutos = 1/3 minuto

Portanto:

$P(t \leq 20) = 1 - e^{-4(1/3)} = 0{,}736$

b) probabilidade de que o tempo de atendimento seja igual ou inferior a 10 segundos

Agora T = 10 segundos;

10 segundos equivalem a 10/60 minutos = 1/6 minuto

$P(t \leq 10) = 1 - e^{-4(1/6)} = 0{,}487$

c) probabilidade de que o tempo de atendimento seja igual ou inferior a 5 segundos

5 segundos equivalem a 5/60 = 1/12 minuto, logo:

$P(t \leq 5) = 1 - e^{-4(1/12)} = 0{,}283$

9.4 Uma síntese

Para consolidar o que foi dito até agora, vamos resumir as nossas hipóteses sobre chegada e atendimento de clientes no Quadro 9.1.

Sempre que for necessário, o leitor deve recorrer ao Quadro 9.1, até que se acostume com todas as variáveis.

Quadro 9.1 Grandezas e distribuições de probabilidade na chegada e no atendimento

Grandezas	Chegada	Atendimento	Médias
Número de chegadas na unidade de tempo (taxa de chegada)	Poisson		λ
Tempo decorrido entre duas chegadas consecutivas	Exponencial		$1/\lambda$
Número de atendimentos na unidade de tempo (taxa de atendimento)		Poisson	μ
Tempo decorrido entre dois atendimentos consecutivos		Exponencial	$1/\mu$

9.5 Características operacionais de uma fila

Como o leitor, sem dúvida, já terá percebido, há muitos e muitos "tipos" diferentes de filas, dependendo das hipóteses restritivas que sejam feitas sobre a operação e o comportamento da fila. Até agora, existe um grande número de modelos que estudam o comportamento das filas, e a cada dia surgem novos modelos, que são usados em novas situações. Como dissemos em outra oportunidade, a teoria das filas é um verdadeiro campo de trabalho em constante expansão.

É claro que em um curso introdutório só podemos estudar um número restrito de modelos. Mais adiante, iremos nos restringir ao estudo de uma situação de fila: *Canal Único, Atendimento Único*. Embora seja um caso apenas, o leitor concordará que é um caso muito comum e que merece estudo.

Neste ponto, o leitor pode levantar algumas questões: Afinal de contas, qual é a vantagem de adotar um modelo para estudar uma fila? O que se ganha com isso? Que tipo de informação um modelo pode nos dar? (Em tempo: um modelo não consiste apenas na adoção de uma distribuição de probabilidade, como a Poisson ou a exponencial; há outras hipóteses que são adotadas, mas veremos isso em instantes.)

Para começar, uma fila não pode ser "otimizada", como se faz com uma situação de aplicação de programação linear. Aquele tipo de raciocínio que fazíamos na programação linear – de procurar os "melhores" valores de certas variáveis – nem sempre se aplica. No final das contas, sem dúvida, queremos chegar a um balanço de custos entre atender cada vez melhor, por um lado, e tornar o sistema de atendimento muito oneroso, por outro. Entretanto, isso é feito de forma indireta, analisando-se determinadas características da fila. Essas características são denominadas *características operacionais*; de fato, as características operacionais são *números* ou *indicadores de desempenho* calculados com o auxílio do modelo adotado (é para isso que ele serve!) e que mostram como a fila está se comportando. Uma vez calculadas as características operacionais, poderemos tentar modificar (melhorar) uma ou outra. Tendo um modelo como base, saberemos como a mudança de algumas características afeta as outras; tendo uma estimativa adequada de custos, veremos se as mudanças pretendidas valem a pena ou não. Está clara a utilidade de um modelo?

Entre as características operacionais mais interessantes na situação de *Canal Único,* encontram-se as seguintes:

I. *Utilização do sistema*: usualmente designada pela letra grega ρ (rho) e dada pelas relações:

$$\rho = \lambda/\mu \qquad \text{(Equação 9.5)}$$

onde:

λ = taxa de chegada de clientes

μ = taxa de atendimento de clientes

A utilização do sistema pode ser entendida de mais de uma forma:

- como a porcentagem de tempo em que o sistema está sendo utilizado;
- como a probabilidade de que o sistema esteja sendo utilizado;
- como a probabilidade de que um cliente que chega tenha de esperar para ser atendido.

II. *Probabilidade de que o sistema esteja ocioso*: É a probabilidade de que não haja nenhum cliente esperando ou sendo atendido; designando essa probabilidade por P(0), temos:

$$P(0) = 1 - \rho = 1 - \lambda/\mu \qquad \text{(Equação 9.6)}$$

III. *Probabilidade de que haja* n *clientes esperando ou sendo atendidos no sistema*: o *sistema* compreende a própria fila mais os clientes que estão sendo atendidos no posto de atendimento.

IV. *Probabilidade de que a fila não tenha mais que* k *clientes.*

V. *Número médio de clientes na fila*: corresponde ao tamanho médio da fila (sem contar os clientes que estejam sendo atendidos).

VI. *Número médio de clientes no sistema*: engloba os clientes que estão na fila e os que estão sendo atendidos.

VII. *Tempo médio que o cliente espera na fila*: sem contar o tempo de atendimento.

VIII. *Tempo médio que o cliente espera no sistema*: contando o tempo de fila mais o tempo de atendimento.

Essas não são as únicas características operacionais que podemos calcular para uma fila, mas representam um bom conjunto de indicadores de desempenho. A seguir, ao estudarmos o modelo de *canal único*, todo o conjunto visto será utilizado.

9.6 Estudo do modelo de canal único

Embora seja o mais simples, o modelo de canal único para as filas de espera é também um dos mais utilizados. Costuma-se adotar a hipótese de que tanto a *taxa de chegada* como a *taxa de atendimento* obedecem à distribuição de Poisson. Isso implica, como já foi visto, que o tempo decorrido entre duas chegadas consecutivas e o tempo decorrido entre dois atendimentos consecutivos distribuem-se segundo a exponencial. Admite-se também que a taxa média de chegada e a taxa média de atendimento são constantes.

Há outras hipóteses relevantes no modelo, as quais já foram apresentadas antes, pouco a pouco. Essas hipóteses são as seguintes:

- os clientes chegam de uma população infinita;
- a disciplina da fila é a Peps (Primeiro a Entrar, Primeiro a Sair), ou seja, o atendimento é feito pela ordem de chegada;
- não há abandono da fila, nem antes nem depois que o cliente se junta a ela;
- a taxa média de atendimento é maior que a taxa média de chegada, ou seja, $\mu > \lambda$. Mais tarde, o leitor verá a importância dessa hipótese.

Não apresentaremos a derivação das fórmulas, que envolve um esforço matemático além dos objetivos deste capítulo. Adotaremos a seguinte notação:

λ = taxa de chegada;

μ = taxa de atendimento;

ρ = utilização do sistema;

$P(0)$ = probabilidade de que o sistema esteja ocioso;

$P(n)$ = probabilidade de que haja n clientes no sistema;

$P(n = k)$ = probabilidade de que a fila não tenha mais que k clientes;

L_f = número médio de clientes na fila;

L = número médio de clientes no sistema;

W_f = tempo médio que o cliente espera na fila;

W = tempo médio que o cliente espera no sistema.

Utilizando essa notação, as fórmulas para o modelo de canal único são as seguintes:

I. Utilização do sistema:

$$\rho = \lambda/\mu \qquad \text{(Equação 9.5)}$$

II. Probabilidade de que o sistema esteja ocioso:

$$P(0) = 1 - \rho = 1 - \lambda/\mu \qquad \text{(Equação 9.6)}$$

III. Probabilidade de que haja *n* clientes esperando ou sendo atendidos no sistema:

$$P(n) = (\lambda/\mu)^n P(0) \qquad \text{(Equação 9.7)}$$

IV. Probabilidade de que a fila não tenha mais que k clientes.

$$P(n = k) = 1 - (\lambda/\mu)^{k+1} \qquad \text{(Equação 9.8)}$$

V. Número médio de clientes na fila:

$$L_f = \frac{\lambda^2}{\mu(\mu - \lambda)} \qquad \text{(Equação 9.9)}$$

VI. Número médio de clientes no sistema:

$$L = L_f + \frac{\lambda}{\mu} \qquad \text{(Equação 9.10)}$$

Observação: A Equação 9.10 fornece o valor de L em função do valor de L_f calculado pela Equação 9.9; se quisermos L em função apenas de λ e de μ, basta substituir, na Equação 9.10, o valor de L_f dado na Equação 9.9.

VII. Tempo médio que o cliente espera na fila:

$$W_f = \frac{L_f}{\lambda} \qquad \text{(Equação 9.11)}$$

Observação: para obtermos W_f, em função de λ e de μ, é só substituir o valor de L_f dado pela Equação 9.9 na Equação 9.11.

VIII. Tempo médio que o cliente espera no sistema:

$$W = \frac{L}{\lambda} \qquad \text{(Equação 9.12)}$$

Observação: W também pode ser expresso em função de λ e de μ, bastando fazer as substituições do valor de L expresso em função de λ e de μ.

Exemplo 9.3

Trampolândia, a capital da Conchinchina, mantém um serviço de ponte aérea com algumas das maiores cidades do país. O principal aeroporto da cidade é o Pouso Seguro, que concentra todo o serviço de ponte aérea. Isso faz com que o tráfego aéreo fique um pouco congestionado.

A intensidade do tráfego aéreo é função da hora do dia, mas o momento mais crítico está entre 17 e 18 horas dos dias úteis, exatamente durante o retorno das pessoas que deixaram a capital pela ponte aérea para trabalhar fora. Os aviões que chegam ficam em uma "fila", aguardando a vez de aterrissar. Eles ficam sobrevoando em grandes círculos nas proximidades do aeroporto Pouso Seguro, até que a torre de controle libere alguma pista para pouso.

Para esse horário (entre 17 e 18 horas), a taxa média de chegada de aviões é de um a cada 3 minutos. A torre de controle, por sua vez, consegue aterrissar, em média, um avião por minuto.

Supondo que tanto a taxa de chegada como a taxa de pouso dos aviões obedeçam à distribuição de Poisson, determinar:

a) a taxa de utilização do sistema de aterrissagem do aeroporto;

b) a probabilidade de que nenhum avião esteja pousando ou aguardando liberação de pista;

c) a probabilidade de que haja apenas um avião aterrissando ou aguardando ordem para isso;

d) a probabilidade de que não haja mais que três aviões sobrevoando as cercanias do aeroporto, aguardando instruções para pouso;

e) o número médio de aviões aguardando ordem de pouso;

f) o número médio de aviões pousando ou aguardando ordem de pouso;

g) o tempo médio que um avião fica sobrevoando as cercanias do aeroporto, aguardando ordem para pousar;

h) o tempo médio que um avião demora a aterrissar, incluindo o tempo de aterrissagem em si, mais o tempo que fica sobrevoando perto do aeroporto aguardando ordem de pousar.

Solução

Embora a nomenclatura esteja adaptada à natureza deste problema, as grandezas pedidas são exatamente as características operacionais vistas para a situação de canal único.

a) taxa de utilização do sistema de aterrissagem do aeroporto

É simplesmente a relação entre as taxas de pouso e de chegada, sendo:

ρ = utilização do sistema de aterrissagem;

λ = taxa de chegada de aviões = 1 a cada 3 minutos;

μ = taxa de pouso = 1 avião a cada minuto.

Para que possamos trabalhar com λ e μ, é preciso que ambas as taxas se refiram à mesma unidade de tempo; adotando o intervalo de 3 minutos como a unidade de tempo, λ não se altera, mas μ passa a ser igual a 3 pousos a cada 3 minutos. Abreviadamente, portanto, $\lambda = 1$ e $\mu = 3$, valores que usaremos no restante do exercício. Temos, então:

$$\rho = \lambda/\mu \qquad \text{(Equação 9.5)}$$

ou

$$\rho = \frac{1}{3}$$ (a taxa de utilização do sistema é de 1/3, ou 33,3%)

b) probabilidade de que nenhum avião esteja pousando ou aguardando liberação de pista

Trata-se da probabilidade de que não haja nenhum avião no sistema, ou seja, trata-se de P(0):

$$P(0) = 1 - \rho = 1 - \lambda/\mu \qquad \text{(Equação 9.6)}$$

Temos, fazendo as substituições adequadas:

$$P(0) = 1 - \left(\frac{1}{3}\right) = \frac{2}{3}$$

c) a probabilidade de que haja apenas um avião aterrissando ou aguardando ordem para isso

Pela nossa notação, queremos calcular P(1); temos:

$$P(n) = (\lambda/\mu)^n \, P(0) \qquad \text{(Equação 9.7)}$$

Substituindo n = 1 na equação anterior, vem que:

$$P(1) = \left(\frac{1}{3}\right)\left(\frac{2}{3}\right) = \frac{2}{9}$$

d) a probabilidade de que não haja mais que três aviões sobrevoando as cercanias do aeroporto, aguardando instruções para pouso

A fórmula adequada para esse cálculo é:

$$P(n = k) = 1 - (\lambda/\mu)^{k+1} \qquad \text{(Equação 9.8)}$$

com k = 3; logo,

$$P(n = 3) = 1 - \left(\frac{1}{3}\right)^{3+1} = 1 - \left(\frac{1}{81}\right) = \frac{80}{81}$$

e) o número médio de aviões aguardando ordem de pouso

Trata-se do número médio de "clientes" aguardando na "fila", ou seja, L_f, dado por:

$$L_f = \frac{\lambda^2}{\mu(\mu - \lambda)} \qquad \text{(Equação 9.9)}$$

ou

$$L_f = \frac{1^2}{3(3-1)} = \frac{1}{6}$$

f) o número médio de aviões pousando ou aguardando ordem de pouso

Na nossa nomenclatura inicial, trata-se do número médio de "clientes" aguardando na "fila", ou:

$$L = L_f + \frac{\lambda}{\mu} \qquad \text{(Equação 9.10)}$$

Logo,

$$L = \frac{1}{6} + \frac{1}{3} = \frac{1}{2} \qquad \text{(Equação 9.10)}$$

g) o tempo médio que um avião fica sobrevoando as cercanias do aeroporto, aguardando ordem para pousar

Trata-se do tempo médio de permanência do "cliente" na "fila", o qual é dado por:

$$W_f = \frac{L_f}{\lambda} \qquad \text{(Equação 9.11)}$$

Logo,

$$W_f = \frac{1/6}{1} = \frac{1}{6}$$

h) o tempo médio que um avião demora a aterrissar, incluindo o tempo de aterrissagem em si, mais o tempo que fica sobrevoando perto do aeroporto aguardando ordem de pousar

Trata-se de W, dado por:

$$W = \frac{L}{\lambda} \qquad \text{(Equação 9.12)}$$

ou

$$W = \frac{1/2}{1} = \frac{1}{2}$$

Pontos principais do capítulo

1. As filas não se formam apenas porque a capacidade de atendimento seja insuficiente, mas também porque a taxa de chegadas de clientes não é constante. Existe variabilidade tanto no intervalo entre chegadas de clientes como no tempo de atendimento desses clientes.
2. Chama-se nível de serviço ou nível de atendimento a excelência maior ou menor no atendimento.
3. O custo de prover um dado nível de serviço é chamado de custo de atendimento; o custo da fila indica os custos associados à existência da fila.
4. A fonte dos clientes que demandam algum tipo de atendimento pode ser finita ou infinita; neste último caso, a probabilidade de uma chegada não é afetada de forma significativa pelo tamanho da fila já existente.
5. O número de clientes que chegam em um dado intervalo de tempo pode ter um comportamento determinístico (o número de clientes que chegam em um dado intervalo de tempo é sempre o mesmo) ou probabilístico.
6. É habitual assumir que tanto a taxa de chegada de clientes a um posto de trabalho como a taxa de atendimento obedecem à distribuição de Poisson; consequentemente, o tempo decorrido entre duas chegadas consecutivas, bem como o tempo decorrido entre dois atendimentos consecutivos, obedecem à distribuição exponencial.

7. Nas atividades de serviço, é habitual usar a regra Peps (Primeiro a Entrar, Primeiro a Sair) como disciplina básica da fila.
8. Filas de Canal Único, Atendimento Único são aquelas nas quais existe um só posto de atendimento, responsável pelo atendimento integral do cliente.
9. Tal como a taxa de chegada de clientes, também a taxa de atendimento pode revelar um comportamento determinístico (o número de clientes atendidos em um dado intervalo de tempo é constante) ou probabilístico.
10. Características operacionais de uma fila são números ou indicadores de desempenho calculados para um dado modelo de fila adotado.

Exercícios resolvidos

Exercício resolvido nº 1

A bilheteria de um teatro consegue atender cinco clientes a cada 3 minutos. Supondo que a taxa de atendimento obedeça à distribuição de Poisson, qual é a probabilidade de que o tempo de atendimento:

a) seja igual ou inferior a 25 segundos?
b) seja igual ou inferior a 10 segundos?
c) seja igual ou inferior a 30 segundos?
d) seja igual ou inferior a 2 minutos?

Solução

Assumindo que a taxa de atendimento obedeça à distribuição de Poisson, então o tempo de atendimento obedecerá à distribuição exponencial:

$P(t \leq T) = 1 - e^{-\mu T}$, sendo $T \geq 0$, onde

$P(t \leq T)$ = probabilidade de que o tempo de atendimento t seja inferior a um dado valor T

μ = taxa média de atendimento

$e = 2{,}7183$

a) probabilidade de que o tempo de atendimento seja igual ou inferior a 25 segundos

Queremos

$P(t \leq T) = P(t \leq 25)$

A taxa média de atendimento é $\mu = 5/3$ clientes por minuto ou 5/180 clientes por segundo ou 1/36 clientes por segundo (ou seja, um cliente é atendido a cada 36 segundos, em média).

Logo:

$P(t \leq 25) = 1 - e^{-\mu T} = 1 - e^{-25(1/36)} = 1 - 0{,}50 = 0{,}50$

b) probabilidade de que o tempo de atendimento seja igual ou inferior a 10 segundos

Agora,

$P(t \leq 10) = 1 - e^{-\mu T} = 1 - e^{-10(1/36)} = 1 - 0{,}76 = 0{,}24$

c) probabilidade de que o tempo de atendimento seja igual ou inferior a 30 segundos

Temos:

$P(t \leq 30) = 1 - e^{-\mu T} = 1 - e^{-30(1/36)} = 1 - 0{,}83 = 0{,}17$

d) probabilidade de que o tempo de atendimento seja igual ou inferior a 2 minutos

É preciso converter minutos em segundos para aplicar diretamente a equação. Temos:

2 minutos = 2 (60) segundos = 120 segundos e

$P(t \leq 120) = 1 - e^{-\mu T} = 1 - e^{-120(1/36)} = 1 - 0{,}04 = 0{,}96$

Exercício resolvido nº 2

O depósito central de um grande magazine, ao qual chegam mercadorias vindas de fornecedores e do qual saem mercadorias para os clientes, possui uma equipe de carga e descarga que consegue atender – carregar ou descarregar – dois caminhões por hora, em média. Em princípio, a equipe é suficiente para atender a uma média de 1,5 caminhão que chega a cada hora, para carregar ou descarregar.

Pede-se:

a) qual é a probabilidade de que um caminhão, ao chegar, deva esperar para ser carregado ou descarregado?

b) qual é a probabilidade de que não haja nenhum caminhão esperando ou sendo atendido?

c) qual é a probabilidade de que haja três caminhões esperando ou sendo atendidos?

d) qual é a probabilidade de que a fila não tenha mais que dois caminhões esperando?

e) qual é o número médio de caminhões esperando na fila para serem atendidos?

f) qual é o número médio de caminhões esperando na fila ou sendo atendidos?

g) qual é o tempo médio que um caminhão espera na fila para ser atendido?

h) qual é o tempo médio que um caminhão demora no depósito? (incluir o tempo de fila mais o tempo de atendimento)

Solução

Em primeiro lugar, identificamos:

$\lambda = 1{,}5$ caminhão por hora = taxa de chegada

$\mu = 2$ caminhões por hora = taxa de atendimento

Vejamos o cálculo das características operacionais.

a) probabilidade de que um caminhão, ao chegar, deva esperar para ser carregado ou descarregado

Em outras palavras, o que se quer é a utilização do sistema ρ:

$\rho = \lambda/\mu = 1{,}5/2 = 0{,}75$

b) probabilidade de que não haja nenhum caminhão esperando ou sendo atendido

O que se quer é a probabilidade de que o sistema esteja ocioso, ou seja, P(0):

$P(0) = 1 - \rho = 1 - \lambda/\mu = 1 - 0{,}75 = 0{,}25$

c) probabilidade de que haja três caminhões esperando ou sendo atendidos

Temos:

$P(n) = (\lambda/\mu)^n\ P(0)$ e, em nosso caso,

$P(3) = (\lambda/\mu)^3\ P(0) = (1{,}5/2)^3\ 0{,}25 = 0{,}11$

d) probabilidade de que a fila não tenha mais que dois caminhões esperando

Temos $P(n = k) = 1 - (\lambda/\mu)^{k+1}$ ou

$P(n = 2) = 1 - (1,5/2)^{2+1} = 1 - 0,42 = 0,58$

e) número médio de caminhões esperando na fila para serem atendidos

Temos:

$$L_f = \frac{\lambda^2}{\mu\,(\mu - \lambda)} = \frac{(1,5)^2}{2\,(2 - 1,5)} = 2,25 \text{ caminhões}$$

f) número médio de caminhões esperando na fila ou sendo atendidos

Este é o número de caminhões no sistema, dado por:

$L = L_f + \lambda/\mu = 2,25 + 1,5/2 = 3$ caminhões

g) tempo médio que um caminhão espera na fila para ser atendido

Temos:

$W_f = L_f/\lambda = 2,25/1,5 = 1,5$ hora

h) tempo médio que um caminhão demora no depósito

Temos:

$W = L/\lambda = 3/1,5 = 2$ horas

Notar que 2 horas é exatamente o tempo que o caminhão demora na fila (1,5 hora) mais o tempo que leva para ser carregado ou descarregado (0,5 hora).

Questões propostas

1. O que é uma fila? Qual a utilidade da teoria das filas?
2. Como se forma uma fila?
3. Quais são os custos associados ao atendimento e às filas?
4. O que é a fonte de clientes? Quando ela é considerada infinita?
5. O que vem a ser a paciência ou impaciência dos clientes?
6. Qual a distribuição de probabilidade geralmente associada à taxa de chegada de clientes ou à taxa de atendimento?
7. Qual a distribuição de probabilidade geralmente associada ao tempo entre duas chegadas consecutivas e ao tempo decorrido entre dois atendimentos consecutivos?
8. O que é a disciplina da fila?
9. O que é a regra Peps?

10. O que é uma Fila de Canal Único, Atendimento Único?
11. O que são as características operacionais de uma fila?
12. Quais são as principais características operacionais da Fila de Canal Único, Atendimento Único?

Glossário

Atendimento múltiplo: aquele no qual existem dois ou mais postos em sequência, cada qual responsável por parte do atendimento.

Atendimento único: aquele que é realizado por um só posto de serviço.

Características operacionais: números ou indicadores de desempenho calculados com o auxílio do modelo de fila adotado.

Clientes impacientes: são aqueles que se recusam a juntar-se à fila ou a acabam abandonando após algum tempo.

Custo da fila: é o conjunto de custos associados à própria existência da fila, seja por causa da receita perdida porque clientes abandonam a fila, seja pelo desgaste da imagem da organização devido à ineficiência ou mau atendimento.

Custo do atendimento: é o custo de fornecer um determinado nível de serviço ou nível de atendimento.

Disciplina da fila: critério de escolha do próximo cliente a ser atendido em uma fila.

Fila de canal múltiplo: existem duas ou mais instalações de atendimento em paralelo, cada qual atendendo de forma independente das demais.

Fila de canal único: existe apenas uma instalação de atendimento.

Fonte de clientes: conjunto total de clientes potenciais que demandam um certo tipo de atendimento.

Fila de espera: um ou mais clientes ou objetos aguardando para serem atendidos ou processados.

Teoria das filas: corpo de conhecimentos matemáticos, aplicáveis ao fenômeno das filas de espera.

Exercícios propostos

1. Uma das divisões do Serviço de Atendimento ao Cliente (SAC) de uma empresa recebe, em média, cinco chamadas a cada 2 minutos. O número de chamadas que chegam ao SAC obedece à distribuição de Poisson. Pergunta-se:

a) Qual é a probabilidade de que o SAC receba exatamente quatro chamadas durante um intervalo de 2 minutos?
b) Qual é a probabilidade de que não haja mais de quatro chamadas durante um intervalo de 2 minutos?
c) Qual é a probabilidade de que haja mais de três chamadas durante um intervalo de 2 minutos?

2. Uma pequena mercearia recebe um cliente a cada 5 minutos. O número de clientes que chegam na unidade de tempo obedece à distribuição de Poisson. Os clientes são atendidos em uma base Peps (Primeiro a Entrar, Primeiro a Sair), ou seja, são atendidos por ordem rigorosa de chegada. O atendente da mercearia leva, em média, 3 minutos para atender cada cliente. Pede-se:

a) o número médio de clientes na mercearia;
b) o número médio de clientes na fila para serem atendidos;
c) o tempo médio de espera na fila;
d) a probabilidade de que o atendente da mercearia não tenha nenhum cliente para atender;
e) a probabilidade de que haja dois clientes na mercearia.

3. A bilheteria de um teatro recebe exatamente dois clientes a cada minuto e tem a capacidade de atender três clientes a cada minuto. Quando a bilheteria foi aberta, já havia sete clientes aguardando na fila. Pede-se:

a) preencher a seguinte tabela, minuto a minuto, por 10 minutos, começando com o tempo zero, exatamente quando o guichê do teatro foi aberto:

Tempo (minutos)	(a) Clientes atendidos	(b) Clientes que chegam	Clientes na fila (7 + b – a)
0	0	0	7
1	3	2	6
–	–	–	–

b) após quantos minutos os clientes que chegam não ficarão mais de um minuto na fila?

4. Um pequeno posto médico de uma cidade do interior do estado de São Paulo possui apenas um clínico geral para atender, em média, quatro clientes por hora. O atendimento segue a distribuição de

Poisson, e o tempo médio de atendimento segue a distribuição exponencial. Pergunta-se:

a) qual a probabilidade de que o médico atenda apenas dois pacientes em uma hora?

b) qual a probabilidade de que o médico atenda mais de três pacientes em uma hora?

c) qual a probabilidade de que o tempo de atendimento seja inferior a uma hora?

d) qual a probabilidade de que o tempo de atendimento seja inferior a 15 minutos?

5. No exercício anterior, suponha que os clientes cheguem à razão de três por hora. Suponha também que não haja casos médicos de extrema urgência, de forma que é possível atender os clientes pela ordem rigorosa de chegada. Determinar:

   a) a probabilidade de que o médico esteja disponível;

   b) a probabilidade de que não haja mais de dois clientes aguardando consulta;

   c) o número médio de clientes aguardando atendimento;

   d) o tempo médio de espera para ser atendido;

   e) o tempo médio de permanência no posto médico, supondo que o cliente retira-se logo após a consulta.

6. Atualmente, o serviço de emergência de um hospital consegue atender, em média, um caso a cada 10 minutos. Também em média, os casos chegam à razão de um a cada 15 minutos. Existe em análise uma proposta de melhoria do serviço, de forma que se consiga atender, em média, um caso a cada 7 minutos. Pergunta-se, caso seja implantada a proposta em estudo:

   a) qual a queda percentual no tempo de espera médio para o atendimento?

   b) qual a queda percentual no número de casos aguardando na fila?

   c) qual a queda percentual na utilização do sistema?

7. Uma indústria de autopeças usa diversas máquinas para a produção. Essas máquinas podem quebrar e, quando isso acontece, é necessário chamar um operário especializado no conserto, que demora meio dia de trabalho para ser feito. A presença de cada um desses operários altamente especializados custa cerca de R$ 200 por dia, mas o custo

de uma máquina parada que não é consertada em meio dia de trabalho chega a R$ 500.

A experiência passada mostra que o número de máquinas que quebram a cada meio dia de trabalho pode ser 0, 1, 2, 3 ou 4, com probabilidades de 0,05; 0,25; 0,35; 0,25 e 0,10, respectivamente. Suponha que a indústria mantenha atualmente dois operários especializados em conserto de máquinas. Pede-se:

a) com o auxílio de uma tabela de números ao acaso, simular 20 rodadas de meio dia de trabalho;
b) calcular, em cada rodada de simulação, quantas máquinas ficam sem conserto;
c) calcular o custo médio das máquinas paradas nas 20 rodadas de simulação;
d) calcular o custo total desse sistema (ou seja, o custo obtido em c mais o custo dos operários especializados nas 20 rodadas de simulação).

Observação: este exercício exige que o leitor aprenda a simular com o auxílio dos números ao acaso. Caso tenha dúvidas, consultar o Capítulo 8.

8. No exercício anterior, supor que agora existam três operários especializados em consertar as máquinas. Usando os mesmos números ao acaso e as 20 rodadas de simulação, verificar o novo custo total do sistema. É compensador (levando em conta só o ponto de vista financeiro) colocar um operário a mais?

Bibliografia

BRANDEAU, M. L. et al. *Operations research and health care*. Nova York: Springer, 2004.

CARTER, M. W.; PRICE, C. C. *Operations research*. A practical introduction. Boca Raton: CRC Press, 2001.

CHELST, K. R.; EDWARDS, T. G. *Does this line ever move?* Everyday applications of operations research. Berkeley, CA: Key Curriculum, 2004.

DOIG, A. A bibliography on the theory of queues. *Biometrika*, v. 44, dez. 1957.

ROSS, S. M. *Introduction to probability models*. 8. ed. Nova York: Academic Press, 2002.

WAGNER, H. M. *Principles of operations research, with applications to managerial decisions*. 2. ed. Englewood Cliffs: Prentice Hall, 1975.

10 Cadeias de Markov

O objetivo deste capítulo é introduzir o leitor no conceito e nas aplicações das chamadas *cadeias de Markov*, explicando também os termos correlatos *análise de Markov* e *processo de Markov*.

Para começar a discorrer sobre as cadeias de Markov, vejamos passo a passo com o leitor um exemplo muito simples.

Exemplo 10.1

Vamos considerar um jogador de futebol que está praticando a cobrança de pênaltis. No sentido estatístico, a cobrança de pênaltis pode ser chamada de *experimento*; sabemos que experimentos conduzem a resultados ou estados. Nesse caso, existem dois estados ou resultados: ou o jogador converte o pênalti (marca um gol) ou não o converte. Vamos chamar de G (de *gol*) o estado "converter o pênalti" e de NG (de *não gol*) o estado "não converter o pênalti". Vamos supor também que, em princípio, de cada 10 cobranças, o jogador consiga converter 7, ou seja, a probabilidade de converter o pênalti é inicialmente de 0,7. Em termos simbólicos, $P(G) = 0,7$. O leitor percebe imediatamente que a probabilidade de não converter o pênalti é de $(1 - 0,7)$, ou seja, $P(NG) = 0,3$. Vamos chamar $P(G)$ e $P(NG)$ de *probabilidades de estado*.

O experimento, ou seja, a cobrança de pênaltis, pode ocorrer um número muito grande de vezes (supondo que o jogador tenha resistência física para tanto). A cada novo experimento, podemos considerar que as probabilidades de estado $P(G)$ e $P(NG)$ sejam constantes, independentemente dos resultados anteriores, isto é, de o jogador ter convertido ou não as cobranças anteriores. Em diversos exemplos ao longo do livro, principalmente no Capítulo 5, consideramos probabilidades que não dependiam de resultados anteriores. Nesse caso, dizíamos que os resultados eram independentes entre si (ou que os eventos eram independentes).

Vamos fazer diferente desta vez; vamos considerar, por exemplo, que o fato de o jogador converter uma dada tentativa o estimule para a tentativa seguinte. Para trabalhar com números, digamos que, se o jogador converte o pênalti em determinada cobrança, a probabilidade de que o converta também na cobrança seguinte seja de 0,9; é claro que a probabilidade de não converter o pênalti é (1 – 0,9), ou seja, 0,1. Se, porém, o jogador não converte o pênalti em uma dada cobrança, não estará tão seguro para a cobrança seguinte: a probabilidade de converter, nesse caso, digamos que baixa a 0,6. Fica também claro que a probabilidade de não converter é de 0,4.

Diferentemente de P(G) e P(NG), que são as probabilidades de estado, as probabilidades que acabamos de apresentar são chamadas de *probabilidades de transição*, ou seja, probabilidades associadas à transição de um estado a outro. O leitor reconhecerá também que são probabilidades condicionais, pelo que podemos escrever:

P(G/G) = 0,9

P(NG/G) = 0,1

P(G/NG) = 0,6

P(NG/NG) = 0,4

Em um determinado momento inicial t, portanto, admitamos P(G) = = $P(G)_t$ = 0,7 e $P(NG)_t$ = 0,3. É evidente que devemos ter sempre $P(G)_i$ + + $P(NG)_i$ = 1, em qualquer momento t, já que converter o pênalti e não convertê-lo são os dois únicos resultados possíveis. O fato de admitirmos probabilidades de transição de um estado a outro, não obstante, fará com que tanto P(G) como P(NG) variem.

Como suposição adicional, vamos admitir que as probabilidades de transição sejam constantes ao longo do tempo e calculemos as novas P(G) e P(NG):

para o momento (t + 1)

$P(G)_{t+1} = P(G/G) \times P(G)_t + P(G/NG) \times P(NG)_t = 0,9 \times 0,7 + 0,6 \times 0,3 =$
$= 0,81$

$P(NG)_{t+1} = P(NG/G) \times P(G)_t + P(NG/NG) \times P(NG)_t = 0,1 \times 0,7 +$
$+ 0,4 \times 0,3 = 0,19$

para o momento (t + 2)

$P(G)_{t+2} = P(G/G) \times P(G)_{t+1} + P(G/NG) \times P(NG)_{t+1} = 0,9 \times 0,81 + 0,6 \times 0,19 = 0,843$

$P(NG)_{t+2} = P(NG/G) \times P(G)_{t+1} + P(NG/NG) \times P(NG)_{t+1} = 0,1 \times 0,81 + 0,4 \times 0,19 = 0,157$

Como exemplo introdutório, temos o bastante por ora. Rememorando, o nosso exemplo apresentou um processo que conduzia a dois estados diferentes (converter ou não o pênalti), cujas probabilidades eram variáveis e dependiam do que havia acontecido no momento imediatamente anterior. Da sequência de resultados que podem se suceder ao longo do tempo, calculamos apenas os resultados de dois momentos consecutivos, para mostrar ao leitor como as probabilidades de converter ou não o pênalti estão variando.

Essa sequência de resultados é um exemplo de uma *cadeia de Markov*. *Cadeias de Markov* (ou *processos de Markov*) *são sequências de resultados em que a probabilidade de cada resultado depende do que aconteceu no momento imediatamente passado*. A técnica quantitativa que envolve cálculos de cadeias de Markov (como os que rapidamente exemplificamos) é chamada de *análise de Markov*. Haverá ainda muito a dizer a respeito. Finalmente, poderíamos pensar em sequências cujas probabilidades de resultados dependessem não apenas do que aconteceu no momento imediatamente anterior, mas também em outros momentos passados. Esse tratamento, entretanto, está fora do escopo deste trabalho.

10.1 Cálculos por meio da matriz de probabilidades de transição

Um dos exemplos clássicos de aplicação das cadeias de Markov está no problema da mudança de marcas por parte do consumidor, ou seja, a lealdade à marca. Com o conceito de cadeias de Markov, é possível calcular paulatinamente as fatias de mercado de diversos produtos concorrentes, desde que sejam conhecidas as fatias originais e as probabilidades de transição de uma marca a outra. Também é possível prever o efeito de estratégias adotadas para a proteção da marca. Para tais cálculos, é muito útil o conceito de *matriz*.

As matrizes são arranjos numéricos caracterizados por linhas e colunas. Interessa-nos particularmente a *matriz de probabilidades de estado* e *a matriz de probabilidades de transição*.

Particularizando para o caso de diferentes marcas que disputam um dado mercado, a matriz de probabilidades de estado é um arranjo numérico de uma linha e tantas colunas quantas sejam as marcas concorrentes. Assim, por exemplo, em um mercado no qual concorram três marcas, A, B e C, de um certo produto, o arranjo

$$[0{,}45 \quad 0{,}23 \quad 0{,}32]$$

poderia representar sua matriz de probabilidades de estado. Note o leitor a representação de colchetes fechando a matriz, o que é usual. As três diferentes marcas apresentam probabilidades de estado (ou fatias de mercado) de 0,45, 0,23 e 0,32. Repare que essa matriz representa as probabilidades de estado para um dado momento t. A matriz de probabilidades de estado apresentada é uma matriz de dimensões 1 × 3, indicando-se com isso que ela tem uma linha e três colunas.

Por sua vez, ainda conservando nosso exemplo, a matriz de probabilidades de transição indica as probabilidades de os clientes passarem de uma marca a outra, no momento seguinte. Levando em conta as três diferentes marcas A, B e C, poderíamos ter a seguinte matriz de transição:

Matriz de Probabilidades de Transição

	Para		
	Marca A	Marca B	Marca C
Da Marca A	0,75	0,15	0,10
Da Marca B	0,08	0,90	0,02
Da Marca C	0,25	0,15	0,60

Ou, simplesmente:

0,75	0,15	0,10
0,08	0,90	0,02
0,25	0,15	0,60

Temos aqui uma matriz 3 × 3 (três linhas e três colunas), que mostra as probabilidades de passar a comprar uma dada marca, a partir de uma escolha no período anterior. Assim, por exemplo, aqueles que compram a marca A têm uma probabilidade de 0,75 de voltar a comprá-la no próximo período. A matriz de probabilidades de transição mostra que os que compram a marca B terão 0,90 de probabilidade de comprá-la no período seguinte. São os clientes mais fiéis da matriz, seguidos pelos atuais clientes da marca A. Os clientes menos fiéis são os que compram agora a marca C. Aliás, pensando em termos daqueles que ora compram a marca C, há uma probabilidade de 0,25 de que, no momento seguinte, passem a comprar a marca A e de 0,15 de que passem a comprar a marca B. Daí vem o nome da matriz, pois ela mostra as probabilidades de transição de escolha.

Dadas a matriz de probabilidades de estado para um dado momento t e a matriz de probabilidades de transição, é possível calcular as novas probabilidades de estado para outro momento (t + 1), simplesmente multiplicando essas matrizes. A multiplicação resultará em outra matriz de probabilidades de estado, com apenas uma linha e o número de colunas original. Assim, por exemplo, o produto

$$[a \quad b \quad c] \begin{bmatrix} d & e & f \\ g & h & i \\ j & k & l \end{bmatrix}$$

resultará em uma matriz 1×3

$$[m \quad n \quad o]$$

tal que

$$m = ad + bg + cj$$

$$n = ae + bh + ck$$

$$o = af + bi + cl$$

sendo a, b e c as antigas probabilidades de estado e m, n e o, as novas.

Vejamos agora um novo exercício para ilustrar o uso de matrizes no cálculo de cadeias de Markov.

Exemplo 10.2

No exemplo que se segue, os produtos são dois jornais de uma cidade, concorrentes entre si. A lealdade à marca está no fato de o assinante mudar ou não de jornal ao longo do tempo. Vejamos os detalhes.

A cidade de Lagoa Rasa, no estado gaúcho, possui apenas dois jornais: o *Diário de Lagoa Rasa* e a *Gazeta de Lagoa Rasa*. Atualmente (chamemos o momento atual de t), há 4.000 assinantes de jornal em Lagoa Rasa, sendo 2.400 assinantes do *Diário*, que detém 60% do mercado e 1.600 assinantes da *Gazeta*, que detém 40% do mercado. Colocado de outra forma, a probabilidade de um assinante ser do *Diário* é de 0,6 e a probabilidade de ser da *Gazeta* é de 0,4.

Sejam D = evento de que o assinante seja do *Diário* e G = evento de que o assinante seja da *Gazeta*. Temos, portanto:

$P(D)_t = 0{,}6$

$P(G)_t = 0{,}4$

A soma das probabilidades é 1, pois não há outros jornais em Lagoa Rasa.

Uma pesquisa conduzida no momento seguinte (t + 1) revela que o número de assinantes ainda é de 4.000, mas agora temos:

2.300 assinantes do *Diário*

1.700 assinantes da *Gazeta*

O *Diário* passa a contar agora com 57,5% dos assinantes (2.300/4.000 × × 100), e a *Gazeta*, com 42,5%. A probabilidade de um dado assinante ser do *Diário* é agora, no momento (t + 1), de 0,575, ao mesmo tempo em que a probabilidade de ser da *Gazeta* é de 0,425. Podemos considerar que temos um experimento – na linguagem estatística – com dois resultados possíveis: ser assinante do *Diário* ou ser assinante da *Gazeta*. Esses resultados têm probabilidades de ocorrência variáveis.

Por outro lado, uma análise apressada pode sugerir que o *Diário* simplesmente perdeu 100 assinantes para a *Gazeta*; assim, o número de assinantes do *Diário* teria baixado de 2.400 para 2.300, enquanto o número de assinantes da *Gazeta* teria aumentado de 1.600 para 1.700. Tudo isso nos leva a crer que o *Diário*, com o tempo, poderá perder todos os seus assinantes para a *Gazeta*. Entretanto, essa conclusão seria apressada.

Vamos por partes. Em primeiro lugar, deveríamos considerar a hipótese de que novos assinantes estivessem agora no mercado, enquanto velhos assinantes tivessem se retirado. Muitas combinações seriam possíveis para se chegar aos números da pesquisa. Vamos, entretanto, supor que uma nova pesquisa revelou que não houve alteração nas listas de assinantes, ou seja, ninguém entrou e ninguém saiu; houve apenas troca de um jornal pelo outro, mas da seguinte forma: 240 assinantes do *Diário* passaram a assinar a *Gazeta*, mas em compensação 140 assinantes da

Gazeta passaram a assinar o *Diário*. A *Gazeta* teve, portanto, um ganho líquido de (240 – 140), isto é, de 100 assinantes.

Façamos alguns cálculos, que nos definam as probabilidades de transição (transições da assinatura de um jornal para a assinatura do mesmo jornal ou do outro); se posteriormente considerarmos constantes essas probabilidades de transição, estaremos diante de um processo de Markov.

Dessa forma, de um período a outro imediatamente posterior, o *Diário*:

a) reteve (2.400 – 240) = 2.160 assinantes; em outras palavras, a probabilidade de retenção do assinante é de 2.160/2.400 = 0,9; consequentemente, a probabilidade de que perca um assinante para a *Gazeta* é de (1 – 0,9) = 0,1;

b) ganhou 140 assinantes da *Gazeta*; em outras palavras, a probabilidade de que um assinante troque a *Gazeta* pelo *Diário* é de 140/1.600 = 0,0875; consequentemente, a probabilidade de que o assinante da *Gazeta* permaneça fiel é de (1 – 0,0875) = 0,9125.

Se desejar, o leitor pode tomar a *Gazeta* como base das considerações, sendo claro que chegará a idênticas conclusões.

Na forma de matriz, temos:

Matriz de Probabilidades de Transição

	Para	
	o *Diário*	a *Gazeta*
Do *Diário*	0,9	0,1
Da *Gazeta*	0,0875	0,9125

Por outro lado, a matriz de probabilidades de estado (ser assinante do *Diário* ou da *Gazeta*) no momento inicial t é a seguinte:

0,6 0,4

Vejamos o que acontece com essas probabilidades de estado (ou, se o leitor preferir, com essas fatias de mercado dos dois jornais), nos momentos posteriores.

No momento (t + 1)

Basta multiplicarmos a matriz de probabilidades de estado pela matriz de probabilidades de transição:

$$[0{,}6 \quad 0{,}4] \times \begin{bmatrix} 0{,}9 & 0{,}1 \\ 0{,}0875 & 0{,}9125 \end{bmatrix} =$$

$$= \begin{bmatrix} 0{,}6 \times 0{,}9 \\ + \\ 0{,}4 \times 0{,}0875 \end{bmatrix} \quad \begin{matrix} 0{,}6 \times 0{,}1 \\ + \\ 0{,}4 \times 0{,}9125 \end{matrix} =$$

$$= \quad [0{,}575 \quad 0{,}425]$$

resultado que já conhecíamos, de agora há pouco.

No momento (t + 2)

As novas probabilidades de estado deverão agora ser consideradas:

$$[0{,}575 \quad 0{,}425] \times \begin{bmatrix} 0{,}9 & 0{,}1 \\ 0{,}0875 & 0{,}9125 \end{bmatrix} =$$

$$= \begin{bmatrix} 0{,}575 \times 0{,}9 \\ + \\ 0{,}425 \times 0{,}0875 \end{bmatrix} \quad \begin{bmatrix} 0{,}575 \times 0{,}1 \\ + \\ 0{,}425 \times 0{,}9125 \end{bmatrix} =$$

$$= \quad [0{,}555 \quad 0{,}445]$$

No momento (t + 3)

$$[0{,}555 \quad 0{,}445] \times \begin{bmatrix} 0{,}9 & 0{,}1 \\ 0{,}0875 & 0{,}9125 \end{bmatrix} =$$

$$= \begin{bmatrix} 0{,}555 \times 0{,}9 \\ + \\ 0{,}445 \times 0{,}0875 \end{bmatrix} \quad \begin{bmatrix} 0{,}555 \times 0{,}1 \\ + \\ 0{,}445 \times 0{,}9125 \end{bmatrix} =$$

$$= \quad [0{,}538 \quad 0{,}462]$$

Nos quatro momentos consecutivos que estamos considerando, as probabilidades de estado variaram de um momento a outro:

Momento	P(D)	P(G)
t	0,6	0,4
t + 1	0,575	0,425
t + 2	0,555	0,445
t + 3	0,538	0,462

O leitor certamente já terá percebido que as diferenças entre os valores consecutivos de P(D) estão diminuindo: é de 0,025 do momento t para o momento (t + 1); de 0,020 do momento (t + 1) para o momento (t + 2) e de 0,017 do momento (t + 2) para o momento (t + 3). Na mesma medida em que P(D) diminui, P(G) está aumentando. É fácil perceber que a variação está tendendo a zero ou, em outras palavras, P(D) e P(G) tendem a valores constantes. Atingiríamos, sem dúvida, tais valores se tivéssemos disposição e necessidade de continuarmos os cálculos da cadeia de Markov. Vejamos, entretanto, uma forma direta de calcular os valores-limite de P(D) e P(G).

10.2 Probabilidades de estado no limite

De uma forma geral, as probabilidades dos estados que compõem uma cadeia de Markov tendem a um valor-limite, desde que admitamos constantes as probabilidades de transição de um estado a outro. Vejamos como calcular diretamente os valores-limite das probabilidades de estado, utilizando ainda o exemplo dos jornais da cidade de Lagoa Rasa, o *Diário* e a *Gazeta*.

Vamos imaginar que o equilíbrio seja alcançado em um certo momento i, quando as probabilidades de estado assumem os valores $P(D)_i$ e $P(G)_i$. A partir do momento i, em todos os momentos posteriores, as probabilidades de estado serão constantes. Essa constância não invalida que possamos calcular $P(D)_{i+1}$ e $P(G)_{i+1}$, exatamente como estivemos fazendo anteriormente. Podemos escrever:

$$[P(D)_i \quad P(G)_i] \times \begin{bmatrix} 0,9 & 0,1 \\ 0,0875 & 0,9125 \end{bmatrix} =$$

$$= \begin{bmatrix} P(D)_i \times 0,9 \\ + \\ P(G)_i \times 0,0875 \end{bmatrix} \quad \begin{bmatrix} P(D)_i \times 0,1 \\ + \\ P(G)_i \times 0,9125 \end{bmatrix} =$$

$$= \quad [P(D)_{i+1} \quad P(G)_{i+1}]$$

Transformando:

$P(D)_{i+1} = P(D)_i \times 0,9 + P(G)_i \times 0,0875$ (I)

$P(G)_{i+1} = P(D)_i \times 0,1 + P(G)_i \times 0,9125$ (II)

Como $P(D)_i = P(D)_{i+1}$, podemos indicar essas probabilidades simplesmente como P(D); a mesma conclusão vale para P(G). Logo, alterando ligeiramente a ordem interna dos fatores:

$P(D) = 0,9\ P(D) + 0,0875\ P(G)$ (I)

$P(G) = 0,1\ P(D) + 0,9125\ P(G)$ (II)

Da equação I, retira-se facilmente que

$P(D) = 0,875\ P(G)$

Como $P(D) + P(G) = 1$, vem que

$0,875\ P(G) + P(G) = 1$

$1,875\ P(G) = 1$

e, portanto, $P(G) = 0,533$, sendo pois

$P(D) = 1 - 0,533 = 0,467$

O leitor há de notar quanto é interessante a ideia de limite – mesmo perdendo, de momento a momento, 10% de seus assinantes para a *Gazeta*, o *Diário* chegará a uma fatia fixa de mercado (46,7%), ainda que menor que a fatia-limite da *Gazeta* (53,3%). O limite acontece porque o *Diário* ganha, a cada momento, 8,75% da fatia de assinantes da *Gazeta*; haverá um instante em que esses 8,75% compensam pelos 10%. Nesse instante, é claro, a fatia de mercado da *Gazeta* será superior à do *Diário*. Se, no início, a fatia de mercado do *Diário* fosse inferior ao valor-limite (46,7%), os 10% que estaria perdendo para a *Gazeta* seriam inferiores aos 8,75% que estaria ganhando da mesma *Gazeta*. A fatia de mercado do *Diário*, portanto, aumentaria até atingir o mesmo valor-limite de 46,7%.

10.3 Um caso especial de equilíbrio

Quando um dos jornais apenas perder assinantes para o outro, sem ganhar nunca nenhum assinante, haverá um momento em que sua fatia de mercado será precisamente zero, ou seja, ele deixará de ter assinantes.

Exemplo 10.3

Vamos retomar os mesmos jornais de Lagoa Rasa, isto é, o *Diário* e a *Gazeta*. Admitamos que as probabilidades de transição do *Diário* para o *Diário* e para a *Gazeta* permaneçam as mesmas, ou seja:

P(D/D) = 0,9

P(G/D) = 0,1,

isto é, a probabilidade de permanência de um assinante do *Diário* é de 0,9 e a probabilidade de que migre para a *Gazeta* é de 0,1.

Assumamos agora que a probabilidade de que um assinante da *Gazeta* permaneça com a mesma assinatura seja 1,0, isto é, seja nula a probabilidade de que um assinante da *Gazeta* migre para o *Diário*. A tabela a seguir mostra as novas probabilidades de transição.

Matriz de Probabilidades de Transição

	Para	
	o *Diário*	a *Gazeta*
Do *Diário*	0,9	0,1
Da *Gazeta*	0	1

É muito claro que o *Diário* acabará por perder todos os seus assinantes, caso nada seja feito para alterar a situação, pois os que perde a cada momento não são repostos nem ao menos em parte. Por outro lado, repare o leitor que esse esgotamento de assinantes irá consumir muito tempo. Se a probabilidade de retenção de assinantes pelo *Diário* é de 0,9, então após 10 períodos o *Diário* ainda reterá $(0,9)^{10} = 0,35$, ou 35% da fatia de mercado original. Após 43 períodos, ainda reterá 1% da fatia original. Entretanto, inexoravelmente (mantidas todas as condições) a fatia de mercado do *Diário* tenderá a zero.

Podemos verificar fazendo os cálculos das probabilidades de estado no equilíbrio. Continuando a indicar por $P(D)_i$ e $P(G)_i$ as probabilidades no limite de que um assinante esteja com o *Diário* ou com a *Gazeta* e tendo em vista a nova matriz de probabilidades de transição, temos:

$$[P(D)_i \quad P(G)_i] \times \begin{bmatrix} 0,9 & 0,1 \\ 0 & 1 \end{bmatrix} =$$

$$= \begin{bmatrix} P(D)_i \times 0{,}9 \\ + \\ P(G)_i \times 0 \end{bmatrix} \quad \begin{bmatrix} P(D)_i \times 0{,}1 \\ + \\ P(G)_i \times 1 \end{bmatrix} =$$

$$= [P(D)_{i+1} \quad P(G)_{i+1}]$$

Transformando:

$$P(D)_{i+1} = P(D)_i \times 0{,}9 + P(G)_i \times 0 \qquad \text{(I)}$$

$$P(G)_{i+1} = P(D)_i \times 0{,}1 + P(G)_i \times 1 \qquad \text{(II)}$$

Como $P(D)_i = P(D)_{i+1}$, podemos indicar essas probabilidades simplesmente como P(D); a mesma conclusão vale para P(G). Logo, alterando ligeiramente a ordem interna dos fatores:

$$P(D) = 0{,}9\ P(D) \qquad \text{(III)}$$

$$P(G) = 0{,}1\ P(D) + 1\ P(G) \qquad \text{(IV)}$$

Da equação III percebe-se facilmente que o único valor de P(D) que a satisfaz é P(D) = 0, o que também é visto pela simples observação da equação IV; portanto, P(G) = 1. No final, depois de muitos períodos, todos os clientes serão da *Gazeta*.

10.4 Estratégias de marketing para recuperar fatias de mercado

Retomando nosso exemplo dos jornais *Diário* e *Gazeta*, vimos que, se a matriz de probabilidades de transição for

Matriz de Probabilidades de Transição

	Para	
	o *Diário*	a *Gazeta*
Do *Diário*	0,9	0,1
Da *Gazeta*	0,0875	0,9125

então as probabilidades de estado de equilíbrio serão

P(D) = 0,467

P(G) = 0,533

Exemplo 10.4

Vamos supor que a equipe dirigente do *Diário* aceite que, na pior das hipóteses, o mercado seja dividido igualmente entre os dois jornais. Sem alterar as probabilidades de transição de G, de quanto deverá ser a probabilidade de retenção de assinantes de D para que ambos os jornais atinjam 50% do mercado de assinantes cada um?

Solução

Temos agora a seguinte matriz de probabilidades de transição:

Matriz de Probabilidades de Transição

	Para	
	o *Diário*	a *Gazeta*
Do *Diário*	x	(1 – x)
Da *Gazeta*	0,0875	0,9125

onde x e (1 – x) são as probabilidades de transição para os assinantes do *Diário* para que, no final, tenha-se:

$$P(D)_{i+1} = P(D)_i = 0,5$$

$$P(G)_{i+1} = P(G)_i = 0,5$$

Montando novamente as equações de equilíbrio:

$$P(D)_{i+1} = P(D)_i x + P(G)_i\ (0,0875) \qquad \text{(I)}$$

$$P(G)_{i+1} = P(D)_i\ (1 - x) + P(G)_i\ (0,9125) \qquad \text{(II)}$$

ou então

$$0,5 = 0,5x + (0,0875)\ (0,5) \qquad \text{(III)}$$

$$0,5 = 0,5\ (0,9125) + 0,5\ (1 - x) \qquad \text{(IV)}$$

Da equação III, retira-se que x = 0,9125.

Portanto, o *Diário* deverá apresentar a mesma probabilidade de retenção de assinantes que a *Gazeta,* para que ambos acabem com a mesma fatia de mercado. Considerando os 4.000 assinantes iniciais, se esse número se mantiver constante, então o *Diário* deverá ter uma perda líquida de 400 assinantes (eram originalmente 2.400), enquanto a *Gazeta* deverá ter um ganho líquido nesse mesmo valor (eram originalmente 1.600 assinantes da *Gazeta*). Ambos os jornais terminarão, portanto, com 2.000 assinantes.

Em outras palavras, os jornais podem iniciar o jogo com quaisquer fatias de mercado – se tiverem idênticas probabilidades de transição, terminarão por ter 50% do mercado de assinantes cada um.

10.5 Mercados com três concorrentes

Se o mercado tiver três ou mais concorrentes, dos quais desejamos saber o comportamento da fatia de mercado, os cálculos irão se alongar um pouco, mas serão basicamente os mesmos, desde que estejamos lidando com um processo de Markov. Vamos trabalhar sobre um exemplo.

Exemplo 10.5

Voltemos à cidade de Lagoa Rasa, para estudar agora o seu mercado regional de aguardente de cana. Operam ali três marcas, com as seguintes fatias de mercado:

Caninha Trinta e Três (50% do mercado)

Aguardente Velho Tropeiro (30% do mercado)

Caninha Cachorrinho (20% do mercado)

Chamemos essas marcas, respectivamente, por T, V e C.

Por outro lado, é conhecida a seguinte matriz de transição, referente às três marcas:

Matriz de Probabilidades de Transição

	Marcas de aguardente		
	Para		
	T	V	C
De T	0,70	0,15	0,15
De V	0,04	0,8	0,16
De C	0,07	0,08	0,85

O leitor já conhece a interpretação da matriz: as probabilidades de retenção de marca, por exemplo, são de 0,70; 0,8 e 0,85, respectivamente, para as aguardentes T, V e C. A aguardente C (Caninha Cachorrinho) possui os clientes mais fiéis; ao longo do tempo, espera-se que tal fidelidade proporcione à Caninha Cachorrinho a melhor fatia de mercado.

Para que o leitor perceba tendências, vamos calcular as fatias de mercado em um período imediatamente posterior:

$$[0{,}5 \quad 0{,}3 \quad 0{,}2] \times \begin{bmatrix} 0{,}7 & 0{,}15 & 0{,}15 \\ 0{,}04 & 0{,}8 & 0{,}16 \\ 0{,}07 & 0{,}08 & 0{,}85 \end{bmatrix} =$$

$$\begin{bmatrix} 0{,}5 \times 0{,}7 & 0{,}5 \times 0{,}15 & 0{,}5 \times 0{,}15 \\ + & + & + \\ 0{,}3 \times 0{,}04 & 0{,}3 \times 0{,}8 & 0{,}3 \times 0{,}16 \\ + & + & + \\ 0{,}2 \times 0{,}07 & 0{,}2 \times 0{,}08 & 0{,}2 \times 0{,}85 \end{bmatrix} =$$

$$= [0{,}376 \quad 0{,}331 \quad 0{,}293]$$

Em um momento imediato, portanto, a participação de mercado de T (Caninha Trinta e Três) terá baixado de 50% para 37,6%; a participação de V (Aguardente Velho Tropeiro) terá subido de 30% para 33,1%; a participação de C (Caninha Cachorrinho) subirá também, de 20% para 29,3%. O leitor poderá conferir a coerência dessas mudanças com as probabilidades de retenção. As aguardentes a ganhar mercado são justamente as que têm maiores probabilidades de retenção de marca – a Caninha Cachorrinho, com 0,85 (ganhou proporcionalmente mais), e a Aguardente Velho Tropeiro, com 80%. Quem perdeu uma grande parcela de mercado foi exatamente a aguardante com a menor probabilidade de retenção, ou seja, a Caninha Trinta e Três (0,70 era a probabilidade de retenção de marca).

Quedas e aumentos não continuarão indefinidamente, porém. Haverá um momento de equilíbrio. Utilizando notações já costumeiras e tomando dois momentos consecutivos i e (i + 1) após o equilíbrio, temos:

$$[P(T)_i \quad P(V)_i \quad P(C)_i] \times \begin{bmatrix} 0{,}7 & 0{,}15 & 0{,}15 \\ 0{,}04 & 0{,}8 & 0{,}16 \\ 0{,}07 & 0{,}08 & 0{,}85 \end{bmatrix} =$$

$$= [P(T)_{i+1} \quad P(V)_{i+1} \quad P(C)_{i+1}]$$

Montando as equações e considerando as igualdades entre as probabilidades de transição a partir do momento i de equilíbrio, podemos escrever:

$P(T)_{i+1} = P(T)_i = P(T)$

$P(V)_{i+1} = P(V)_i = P(V)$

$P(C)_{i+1} = P(C)_i = P(C)$

e, nas equações:

$P(T) = 0{,}7\ P(T) + 0{,}04\ P(V) + 0{,}07\ P(C)$ (I)

$P(V) = 0{,}15\ P(T) + 0{,}8\ P(V) + 0{,}08\ P(C)$ (II)

$P(C) = 0{,}15\ P(T) + 0{,}16\ P(V) + 0{,}85\ P(C)$ (III)

e também

$P(T) + P(V) + P(C) = 1$ (IV)

Deixando todos os termos das equações I, II e III de um só lado, temos:

$-0{,}3\ P(T) + 0{,}04\ P(V) + 0{,}07\ P(C) = 0$ (V)

$0{,}15\ P(T) - 0{,}20\ P(V) + 0{,}08\ P(C) = 0$ (VI)

$0{,}15\ P(T) + 0{,}16\ P(V) - 0{,}15\ P(C) = 0$ (VII)

Multiplicando a equação VI por (–1) e somando-a à equação VII, temos:

$-0{,}15\ P(T) + 0{,}20\ P(V) - 0{,}08\ P(C) = 0$ (VIII)

$0{,}15\ P(T) + 0{,}16\ P(V) - 0{,}15\ P(C) = 0$ (IX)

$0{,}36\ P(V) - 0{,}23\ P(C) = 0$

Logo,

$P(V) = 0{,}639\ P(C)$ (X)

Por outro lado, substituindo P(V) dado pela equação X, na equação IV, tem-se:

$P(T) + P(V) + P(C) = 1$

$P(T) + 0{,}639\ P(C) + P(C) = 1$

$P(T) = 1 - 1{,}639\ P(C)$ (XI)

As equações X e XI colocam P(V) e P(T) em função de P(C), respectivamente. Substituindo tais expressões na equação VI, tem-se:

$0{,}15\{1 - 1{,}639\ P(C)\} - 0{,}20\{0{,}639\ P(C)\} + 0{,}08\ P(C)$

de onde retiramos

$P(C) = 0{,}511$

Substituindo o valor encontrado de P(C) nas equações X e XI, obtém-se:

P(V) = 0,327

P(T) = 0,162

Vemos, portanto, que a Caninha Cachorrinho atingirá a probabilidade de estado de equilíbrio com 51,1% do mercado, enquanto a Caninha Trinta e Três, por sua baixa probabilidade de retenção de clientes (0,7), ficará tão-somente com 16,2% do mercado. Deixamos a cargo do leitor o teste de que estas são verdadeiramente as probabilidades de estado no equilíbrio.

Pontos principais do capítulo

1. As cadeias de Markov são sequências de resultados, nos quais as probabilidades dos resultados particulares no instante t + 1 dependem do que aconteceu no instante imediatamente anterior t.
2. Probabilidades de transição são as probabilidades associadas à passagem do sistema, de um dado estado a outro.
3. Probabilidades de estado são as probabilidades de um sistema apresentar-se em determinado estado, em um certo momento t.
4. Tanto as probabilidades de estado como as probabilidades de transição são arranjadas em matrizes; as probabilidades de estado constituem uma matriz 1 × n (uma linha e n colunas), enquanto as probabilidades de transição constituem uma matriz n × n.
5. As probabilidades dos estados que compõem uma cadeia de Markov tendem a um valor-limite, desde que sejam constantes as probabilidades de transição de um estado a outro.

Exercícios resolvidos

Exercício resolvido nº 1

Duas marcas de sabonete disputam um certo segmento de mercado, e essa disputa pode ser expressa como um processo de Markov com as seguintes probabilidades de transição:

De \ Para	Imensée	Perfume Maior
Imensée	0,90	0,10
Perfume Maior	0,07	0,93

a) Qual marca parece ter os clientes mais leais? Por quê?

b) Calcular as fatias de mercado projetadas para cada uma das marcas.

Solução

a) clientes mais leais

Os clientes mais leais são os da marca Perfume Maior, pois quem a usa tem probabilidade de 0,93 de usá-la em um momento imediatamente posterior. No caso da marca Imensée, a probabilidade de uso dessa mesma marca em um momento posterior é de 0,90.

b) fatias de mercado no estado de equilíbrio

No estado de equilíbrio, em dois momentos posteriores, as probabilidades (fatias de mercado) não mais se alteram. Sejam:

$P(I)_t$ = fatia de mercado (probabilidade de estado) do sabonete Imensée no período t;

$P(PM)_t$ = fatia de mercado (probabilidade de estado) do sabonete Perfume Maior no período t;

$P(I)_{t+1}$ = fatia de mercado (probabilidade de estado) do sabonete Imensée no período t + 1;

$P(PM)_{t+1}$ = fatia de mercado (probabilidade de estado) do sabonete Perfume Maior no período t + 1.

Temos também:

$$[P(I)t \quad P(PM)_t] \times \begin{bmatrix} 0{,}9 & 0{,}1 \\ 0{,}07 & 0{,}93 \end{bmatrix} = [P(I)_{t+1} \quad P(PM)_{t+1}]$$

ou

$$0{,}9\ P(I)_t + 0{,}07\ P(PM)_t = P(I)_{t+1}$$
$$0{,}1\ P(I)_t + 0{,}93\ P(PM)_t = P(PM)_{t+1}$$

Façamos

$$P(I)_t = P(I) = P(I)_{t+1}$$
$$P(PM)_t = P(PM) = P(PM)_{t+1}$$

Ficamos, portanto, com

$$0{,}9\ P(I) + 0{,}07\ P(PM) = P(I) \qquad \text{(Equação I)}$$
$$0{,}1\ P(I) + 0{,}93\ P(PM) = P(PM) \qquad \text{(Equação II)}$$

Da Equação I, vem que

0,1 P(I) = 0,07 P(PM)

ou P(I) = 0,7 P(PM)

Como P(I) + P(PM) = 1,

P(I) = 1 – P(PM) e, portanto, ficamos com

0,7 P(PM) = 1 – P(PM)

0,7 P(PM) + P(PM) = 1

1,7 P(PM) = 1

P(PM) = 0,59

e, portanto, P(I) = 1 – 0,59 = 0,41

No equilíbrio, portanto, 59% do mercado pertencerá à marca Perfume Maior e 41% à marca Imensée. O fato de os clientes do sabonete Perfume Maior serem mais fiéis levou a uma fatia de mercado maior para esse produto.

Exercício resolvido nº 2

Dada a tabela de probabilidades de transição a seguir, determinar as probabilidades de estado no limite.

De \ Para	Estado 1	Estado 2	Estado 3	Estado 4
Estado 1	1	0	0	0
Estado 2	0	1	0	0
Estado 3	0,5	0,1	0,2	0,2
Estado 4	0,6	0,1	0,1	0,2

Solução

Chamemos de P(1), P(2), P(3) e P(4), respectivamente, às probabilidades de estado para os estados 1, 2, 3 e 4. Em dois instantes consecutivos, t e t + 1, temos:

$$[P(1)_t \quad P(2)_t \quad P(3)_t \quad P(4)_t] \begin{bmatrix} 1 & 0 & 0 & 0 \\ 0 & 1 & 0 & 0 \\ 0{,}5 & 0{,}1 & 0{,}2 & 0{,}2 \\ 0{,}6 & 0{,}1 & 0{,}1 & 0{,}2 \end{bmatrix} = [P(1)_{t+1} \quad P(2)_{t+1} \quad P(3)_{t+1} \quad P(4)_{t+1}]$$

No equilíbrio, temos:

$P(1)_t = P(1)_{t+1} = P(1)$

$P(2)_t = P(2)_{t+1} = P(2)$

$P(3)_t = P(3)_{t+1} = P(3)$

$P(4)_t = P(4)_{t+1} = P(4)$

Portanto:

$1\ P(1) + 0\ P(2) + 0{,}5\ P(3) + 0{,}6\ P(4) = P(1)$ (Equação I)

$0\ P(1) + 1\ P(2) + 0{,}1\ P(3) + 0{,}1\ P(4) = P(2)$ (Equação II)

$0\ P(1) + 0\ P(2) + 0{,}2\ P(3) + 0{,}1\ P(4) = P(3)$ (Equação III)

$0\ P(1) + 0\ P(2) + 0{,}2\ P(3) + 0{,}2\ P(4) = P(4)$ (Equação IV)

Da Equação I, vem facilmente que

$0{,}5\ P(3) + 0{,}6\ P(4) = 0$

o que indica que $P(3) = P(4) = 0$, já que as probabilidades devem ser iguais ou maiores que zero. O leitor pode verificar que as outras equações conduzem ao mesmo resultado. O que acontece é que os estados 3 e 4 desaparecerão, permanecendo apenas os estados 1 e 2, que "absorvem" os estados 3 e 4.

Questões propostas

1. O que é uma cadeia de Markov?
2. O que se entende por análise de Markov?
3. O que são a matriz de probabilidades de estado e a matriz de probabilidades de transição?
4. O que acontece com as probabilidades de estado quando o sistema atinge seu limite?
5. Citar uma importante aplicação das cadeias de Markov.

Glossário

Análise de Markov: técnica quantitativa que envolve cálculos de cadeias de Markov.

Cadeias (processos) de Markov: sequência de resultados em que a probabilidade de cada resultado depende do que aconteceu no momento imediatamente passado.

Probabilidade de estado: a probabilidade de que o sistema esteja em um estado particular.

Probabilidade de estado no limite: a probabilidade constante que é atingida quando o sistema alcança o equilíbrio.

Probabilidade de transição: se o sistema está em um estado i em determinado período, a probabilidade de transição p_{ij} é a probabilidade de que o sistema esteja no estado j no período seguinte.

Exercícios propostos

1. Certa máquina produtora de peças tem a característica de poder estar ajustada ou desajustada. Em determinado dia, se a máquina estiver ajustada, existe a probabilidade de 0,8 de que também esteja ajustada no dia seguinte e a probabilidade de 0,2 de que estará desajustada. Por outro lado, se em um dia a máquina estiver desajustada, há a probabilidade de 0,4 de que também o esteja no dia seguinte e de 0,6 de que esteja ajustada.

   Se no primeiro dia a máquina está ajustada, verificar a probabilidade de que também o esteja no quarto dia de operação.

2. No exercício anterior, quais são, no equilíbrio, as probabilidades de a máquina estar ajustada ou desajustada?

3. Considerar a seguinte tabela de probabilidades de transição:

Do estado \ Para o estado	A	B
A	1	0
B	0,25	0,75

   Suponha que, em um momento inicial, haja 100 pessoas no estado A e 100 pessoas no estado B. Pergunta-se:

   a) O que irá ocorrer no momento imediatamente posterior? Quantas pessoas estarão no estado A e quantas estarão no estado B?

   b) O que irá paulatinamente ocorrer à medida que passe o tempo? Quais são as tendências que se pode perceber para o número de pessoas que estarão no estado A? E no estado B?

4. Considerar a tabela de probabilidades de transição a seguir:

Do estado \ Para o estado	A	B
A	0	1
B	1	0

Pede-se:

a) Imaginar que, no instante inicial, o sistema está no estado A. Onde estará no instante imediatamente posterior? E no próximo?

b) Imaginar agora que, no instante inicial, o sistema está no estado B. O que acontecerá no instante imediatamente posterior? E no outro?

c) Generalizando, como o sistema se comporta?

5. A Café Babalu Ltda. está considerando a decisão de lançar ou não uma campanha promocional para melhorar a capacidade de retenção de clientes de sua máquina de café. Atualmente, a tabela que mostra as probabilidades de transição é a seguinte:

Da marca \ Para a marca	Café Babalu	Outras marcas
Café Babalu	0,8	0,2
Outras marcas	0,2	0,8

Se a campanha promocional for empreendida, espera-se uma nova tabela de probabilidades de transição com o seguinte aspecto:

Da marca \ Para a marca	Café Babalu	Outras marcas
Café Babalu	0,9	0,1
Outras marcas	0,3	0,7

Supondo que existam 30 milhões de famílias que consomem café e que cada família dê um lucro médio anual de R$ 12, qual o valor máximo a pagar pela campanha promocional?

(*Dica*: calcular as probabilidades de compra do Café Babalu no limite, antes e depois da campanha promocional; verificar o lucro nos dois casos e decidir quanto pagar pela campanha promocional.)

6. Considerar a seguinte tabela de probabilidades de transição:

De \ Para	Estado A	Estado B	Estado C
Estado A	0,7	0,2	0,1
Estado B	0,5	0,3	0,2
Estado C	0,3	0,5	0,2

Quais são as probabilidades de estado no equilíbrio?

7. Deve-se decidir qual de duas máquinas, X e Y, deverá ser comprada. Ambas podem estar ajustadas ou desajustadas, com as seguintes tabelas de probabilidades de transição:

Máquina X

De \ Para	Máquina ajustada	Máquina desajustada
Máquina ajustada	0,85	0,15
Máquina desajustada	0,6	0,4

Máquina Y

De \ Para	Máquina ajustada	Máquina desajustada
Máquina ajustada	0,8	0,2
Máquina desajustada	0,7	0,3

Por meio da determinação das probabilidades de estado no equilíbrio, decidir qual das máquinas deverá ser comprada.

8. O preço de determinada mercadoria depende de sua trajetória imediatamente anterior. Se em um determinado momento o preço subiu, haverá uma probabilidade de 0,4 de que suba no momento seguinte e de 0,6 de que baixe; por outro lado, se o preço baixar em determinado momento, a probabilidade de que suba no momento seguinte é de 0,6 e de que baixe novamente é de 0,4. Determinar as probabilidades de estado no equilíbrio.

Bibliografia

CARTER, M. W.; PRICE, C. C. *Operations research.* A practical introduction. Boca Raton: CRC Press, 2001.

MARLOW, W. H. *Mathematics for operations research.* Mineola: Dover Publications, 1993.

RENDER, B.; STAIR Jr., R. M. *Quantitative analysis for management.* 7. ed. Upper Saddle River: Prentice Hall, 2000.

TAHA, H. A. *Operations research*: An introduction. 7. ed. Upper Saddle River: Pearson Education, 2003.